dtv
P9-CFU-465

Sie haben Geschichte gemacht und sind in den Regalen der Welt beheimatet – meist jedoch ungelesen: die Klassiker der Philosophie wie etwa Kants *Kritik der reinen Vernunft* oder Nietzsches *Also sprach Zarathustra.* Der studierte Philosoph Robert Zimmer hat sich der schwergewichtigen Bücher angenommen und sie bekömmlich aufbereitet. In einer Art Kurzbesichtigung führt er den Leser in die Räume von 16 zentralen Werken der Philosophiegeschichte, angefangen bei Platons *Staat* bis hin zu John Rawls' *Eine Theorie der Gerechtigkeit.* Dabei stellt er die Kerngedanken einer jeden Schrift vor, beschreibt ihren Entstehungsrahmen und macht die Verknüpfung mit Leben und Denken des Autors deutlich. Eine ebenso unterhaltsame wie informative philosophische Bildungsreise!

Dr. Robert Zimmer, geboren 1953, Studium der Philosophie und Anglistik, unterrichtete an der Universität und in der Erwachsenenbildung. Er lebt als freier Publizist in Berlin. Bei dtv ist von ihm (zusammen mit Martin Morgenstern) in der Reihe dtv portrait erschienen: ›Karl Popper‹ (2002).

Robert Zimmer

Das Philosophenportal

Ein Schlüssel zu klassischen Werken

Deutscher Taschenbuch Verlag

Von Robert Zimmer
ist im Deutschen Taschenbuch Verlag erschienen:
Karl Popper (zusammen mit Martin Morgenstern, 31060)

*Ich danke Yvonne Petter-Zimmer
und Martin Morgenstern für die
kritische Durchsicht einzelner Kapitel.*

Originalausgabe
September 2004
Deutscher Taschenbuch Verlag GmbH & Co. KG, München
www.dtv.de

Umschlagkonzept: Balk & Brumshagen
Umschlagfoto: Catherine Collin unter Verwendung
einer Fotografie von © Corbis/Adam Woolfitt
Satz: Fotosatz Reinhard Amann, Aichstetten
Gesetzt aus der Minion 10/12˙ und der FF Meta
Druck und Bindung: Druckerei C. H. Beck, Nördlingen
Gedruckt auf säurefreiem, chlorfrei gebleichtem Papier
Printed in Germany · ISBN 3-423-34118-1

Inhalt

Gedanken beim Eintritt ins Philosophenportal

Ein Portal lässt uns an den Eingang in ein ehrwürdiges und stattliches Bauwerk denken. Auch das Haus der Philosophie ist in 2500 Jahren zu fast unübersehbarer Größe gewachsen. Viele haben Scheu, dieses Haus zu betreten. Zu unübersichtlich sind die Gänge, zu schwierig erscheint es, auch nur mit einzelnen Teilen dieses Hauses vertraut zu werden. Ein großes philosophisches Werk ist in diesem Haus wie eine besonders kunstvoll eingerichtete Wohnung. Einige der üblichen Bewohner, die philosophisch Gelehrten, beschäftigen sich oft über Jahrzehnte nur mit einer einzigen Nische dieses Hauses. Sie werden also darauf bestehen, dass man ein klassisches Werk der Philosophie erst kennen lernt, wenn man sich lange und wiederholt damit auseinandersetzt, und sie werden jeden Anspruch zurückweisen, ein solches Buch könne auch nur annähernd erschöpfend verstanden und ausgedeutet werden.

Doch muss es erlaubt sein, auch einmal einen ersten Rundgang zu machen, in einzelne, auffallend interessante Räumlichkeiten einen Blick zu werfen und sich so eine Vorstellung von ihrer Lage, ihrer Architektur und ihrer Ausstattung zu machen. Danach sollte jeder selbst entscheiden, wohin er noch einmal zurückkehren und einige Zeit verbringen möchte.

Genau auf solch einen Rundgang wollen die vorliegenden sechzehn Essays den Leser mitnehmen. Weder Ausrüstung noch Training und schon gar keine Titel und Urkunden werden dafür erwartet. Nicht tief schürfende Analysen, sondern ein erstes Kennenlernen in lockerer Atmosphäre ist das Ziel. Ansonsten trockene und unzugängliche Bücher können sich dabei von ihrer charmanteren Seite zeigen: Sie alle haben eine eigene, sehr persönliche Geschichte und sie beschäftigen sich mit Fragen, die, vom akademischen Staub befreit, in einem interessanten und neuen Licht erscheinen.

Das Portal, so stattlich es auch erscheinen mag, ist doch der natürliche und bequemste Eingang zum Haus. Wer sich bisher davon abhalten ließ, die Schwelle zu überschreiten, wird feststellen, dass das Philosophenportal sich für jeden öffnet, der Neugier, Interesse und ein bisschen Zeit mitbringt. Er wird nach wenigen Schritten bemerken, dass die Räume dieses Hauses nicht für eine kleine Schar Auserwählter hergerichtet wurden, sondern für alle, die bereit sind, sich auf Ideen einzulassen, die auf den ersten Blick vielleicht ungewöhnlich sind, sich bei näherem Hinsehen aber als sehr bedenkenswert erweisen. Manche davon stehen unseren eigenen Gedanken vielleicht gar nicht so fern.

Es wird nicht an Experten fehlen, die auf die zahlreichen bedeutenden Werke hinweisen, die hier unberücksichtigt bleiben. In der Tat handelt es sich nur um eine kleine Auswahl, ohne Anspruch auf Exklusivität oder Vollständigkeit. Jede Auswahl dieser Art ist anfechtbar. Es wurden nicht immer diejenigen Werke ausgewählt, die im Mittelpunkt von Universitätsseminaren stehen, sondern solche, die weit über die Philosophie hinaus Einfluss ausgeübt und Leser gefunden haben, und, so ist zu hoffen, auch bei einer ersten Ansicht das Interesse neuer Leser wecken können. Das Philosophenportal ist nicht nur der Eingang zu einem großen, sondern auch zu einem offenen und lebendigen Haus.

Der Traum von den Philosophenkönigen

PLATON: Der Staat (zwischen 399 und 347 v. Chr.)

Der Mensch träumt nicht nur für sich allein. Es gibt auch kollektive Menschheitsträume. Sie malen das Bild einer befreiten, glücklichen, vom Leid erlösten Welt. Religion, Philosophie und Kunst haben diese Träume immer wieder aufgenommen und gestaltet. Zu den alten Menschheitsträumen gehört auch der vom idealen Staat als Modell einer perfekten und gerechten Ordnung des menschlichen Zusammenlebens.

Unter den philosophischen Werken, die diesem Traum eine rationale Gestalt gegeben haben, ist das Hauptwerk des griechischen Philosophen Platon, *Politeia*, zu Deutsch *Der Staat*, das berühmteste. *Der Staat* ist die erste uns überlieferte Staatsutopie überhaupt. Doch das Werk enthält viel mehr als eine politische Philosophie. Platon hat mit diesem Buch den ganz großen Wurf versucht. Er wollte Politik und Moral, Metaphysik und Religion, rationale Weltdeutung und Mythos miteinander verknüpfen. Mit anderen Worten: Platons *Staat* tritt mit dem Anspruch auf, die politische Ordnung mit den wahren, ewigen Gesetzen der Wirklichkeit zu verbinden. Er ist der erste große Systementwurf in der Geschichte der europäischen Philosophie. In dem vielstimmigen Konzert dieser Geschichte haben die Vorgänger Platons den Grundton angestimmt, Platon selbst aber hat die Ouvertüre gespielt.

Ausgangspunkt des Werkes ist die Frage nach der Gerechtigkeit. Sie führt schließlich zu der Beschreibung einer gerechten Ordnung, die auf so stabile Fundamente gebaut ist, dass sie für alle Zeiten unverändert bestehen kann. Im Mittelpunkt dieser Ordnung steht die Vorstellung, dass der Staat von den wirklich Besten regiert wird, von

Herrschern, die sich gleichermaßen durch Weisheit und durch Kompetenz auszeichnen. Denn Platon träumt in diesem Buch nicht nur den Traum vom idealen Staat, sondern auch den Traum von den Philosophenkönigen, die Weisheit und Macht vereinen. Sie sind nicht nur politische, sondern auch spirituelle Führer, die den Menschen den Weg zur wahren Wirklichkeit zeigen können.

In der Geschichte der Menschheit ist dies ein ebenso verführerischer wie unzerstörbarer Traum geblieben, der bis heute eine große Faszination ausübt. Er trifft einen Nerv nicht nur bei Philosophen, sondern auch bei vielen Menschen, die das Geschehen auf der politischen Bühne als ein ewig fruchtloses Gerangel, als ein Geschacher um Posten und einen Machtklüngel auf Kosten der Bürger erleben. Ist es nicht eine verlockende Idee, in einem Staat zu leben, in dem diejenigen herrschen, die dazu am besten geeignet sind und denen man in jeder Hinsicht vertrauen kann?

Bei all dem ist Platons *Staat* keine trockene Abhandlung, sondern eine kunstvoll inszenierte Diskussion, in der Platons philosophischer Lehrer Sokrates zu einer literarischen Figur wird und als Erzähler und Hauptsprecher auftritt. Platon zeigt sich hier als Dichter und als Philosoph. Gleich in der ersten Zeile setzt die Stimme des Sokrates ein und der Leser fühlt sich wie in einen Roman versetzt: »Ich ging gestern mit Glaukon, dem Sohne des Ariston, in den Peiraieus hinunter, teils um die Göttin anzubeten, dann aber wollte ich auch zugleich das Fest sehen, wie sie es feiern wollten, da sie es jetzt zum erstenmal begehen.«

Platon führt hier Szenerien und Personen ein, die ihm eng vertraut waren. Sokrates hat sich von Athen zu dem mehrere Kilometer entfernten Hafen von Piräus aufgemacht, um das Fest zu Ehren der Göttin Athene mitzuerleben. In seiner Begleitung befindet sich Glaukon, einer der Brüder Platons. Als Sokrates einige Zeit später wieder den Heimweg antreten will, drängen ihn Freunde und Bekannte, darunter Adeimantos, ein weiterer Bruder Platons, und Polemarchos, der Sohn des wohlhabenden Kaufmanns Kephalos, noch in Piräus zu bleiben, gemeinsam mit ihnen zu essen, zu diskutieren und die noch folgenden Nachtfeierlichkeiten mitzuerleben. Im Haus des Kephalos entwickelt sich im Folgenden ein Gespräch zwischen Sokrates und wechselnden Diskussionspartnern, in dem Positionen zur Gerechtigkeit ausgetauscht und die Grundzüge einer gerechten gesellschaftlichen Ordnung entworfen werden.

Dass Platons Dialoge bis heute nicht nur als Philosophie, sondern auch als Dichtung gelesen werden können, trifft sich durchaus mit den Absichten des Autors. Schon vom jungen Platon ist überliefert, dass er an Dichterwettbewerben teilgenommen hat. Auch dass die Politik in seinem Werk eine solch große Rolle spielt, ist nicht zufällig. Platon war nicht nur ein Sohn Athens, der bedeutendsten Stadt des klassischen Griechenlands, sondern er gehörte auch einer der vornehmsten Familien dieser Stadt an. Er war ein Spross der traditionellen politischen Elite, deren Vormachtstellung jedoch im 5. vorchristlichen Jahrhundert durch die Reformen des großen Athener Staatsmanns Perikles beseitigt worden war. Perikles hatte die Demokratie eingeführt und den politischen Einfluss der Aristokratie beschnitten. Im Peloponnesischen Krieg schließlich, der 431 v. Chr., vier Jahre vor Platons Geburt, begann, verlor Athen seine politische Vorrangstellung innerhalb Griechenlands an den Rivalen Sparta.

In die nun folgenden turbulenten politischen Entwicklungen war Platons Familie eng verstrickt. Die alten Oligarchen der Stadt hatten eine dezidiert antidemokratische Haltung bewahrt und während des Krieges mit dem autoritären Militärstaat Sparta sympathisiert. Als die Spartaner nach dem Krieg im Jahr 404 die athenische Demokratie wieder abschafften, setzten sie ein Marionettenregime ein, das mit Angehörigen der alten Athener Oberschicht besetzt war. Darunter befanden sich mit Charmides und Kritias zwei Onkel Platons mütterlicherseits. Dieses Regime der »Dreißig Tyrannen« errichtete eine Willkürherrschaft, die aber bereits 403 von den Demokraten wieder gestürzt wurde.

In enger Verbindung zu den Demokraten stand die philosophische Aufklärungsbewegung der Sophisten. Ihr Ziel war es nämlich, Philosophie lehrbar zu machen und auch den einfachen Bürger mit Argumenten auszurüsten, mit denen er sich gegenüber den traditionellen Eliten behaupten konnte. Führende Sophisten gehörten zu den Beratern des Perikles. In der alten Oberschicht waren sie auch deswegen unbeliebt, weil sie anzweifelten, dass die Geltung der Gesetze durch Tradition begründet werden könne. Gesetze, so sagten sie, seien nichts anderes als Konventionen und könnten jederzeit geändert werden.

Der junge Platon war, aus Familientradition und Überzeugung, ein Konservativer. Er hat sowohl die Athener Demokraten als auch die Sophisten immer als seine Gegner angesehen. Er hielt daran fest, dass es in der Gesellschaft eine klare Abgrenzung zwischen »oben« und »unten« geben, dass die politische Macht von den »Besten« ausgeübt werden müsse und dass die Masse des Volkes nicht zur Herrschaft geeignet sei. Nach eigenen Aussagen hatte Platon ursprünglich große Neigung, sich aktiv in der Politik zu engagieren. Doch als seine beiden Onkel ihm während der Zeit der Dreißig Tyrannen politische Mitarbeit anboten, weigerte er sich. Die Herrschaftsmethoden der Dreißig Tyrannen stießen ihn ab. Er glaubte, dass die alte Oberschicht in ihrer Aufgabe, gerecht zu herrschen, versagt habe.

Doch der eigentliche Grund seiner Ablehnung lag in seiner Bekanntschaft mit Sokrates und seiner Hinwendung zur Philosophie. Er hatte Sokrates bereits im Alter von vierzehn Jahren kennen gelernt und gehörte ab seinem zwanzigsten Lebensjahr zu dessen Schülerkreis.

Sokrates kam ursprünglich aus den Reihen der Sophisten. Wie diese trug er die Philosophie auf die Straße und vertraute eher der Vernunft als der Tradition. Doch unterschied er sich von den Sophisten in einem entscheidenden Punkt: Er glaubte, dass es feste und allgemein gültige Maßstäbe für das menschliche Handeln gibt und dass tugendhaftes Handeln auf Erkenntnis und Wissen beruht. In den Gesprächen, die uns Platon in seinen frühen Schriften überliefert hat, fragt Sokrates nach solchen Maßstäben, doch alle diese Gespräche enden ohne Ergebnis. Platon war einer der Schüler, die die Fragen des Sokrates aufnahmen und versuchten, eigene Antworten zu finden.

Unter diesen Schülern waren auffällig viele junge Aristokraten, was von den regierenden Demokraten mit Misstrauen beobachtet wurde. Die letzten Gründe, warum Sokrates schließlich im Jahr 399 von den Demokraten zum Tode verurteilt wurde, werden vielleicht nie geklärt werden. Der Vorwurf jedenfalls, er habe die Jugend zu fremden Göttern verführt und vom Pfad der Tugend abgebracht, ist auch ein politischer Vorwurf, da jedes griechische Gemeinwesen seinen Zusammenhalt durch einen bestimmten religiösen Kult begründete. Religion und Politik hingen auf das Engste miteinander zusammen.

Die Hinrichtung des Sokrates durch den Giftbecher war das entscheidende Ereignis und der Wendepunkt in Platons Leben. Er verstand sich nun als dessen philosophischer Nachlassverwalter. Wie viele andere Schüler des Sokrates verließ er Athen, weil er politische Verfolgung fürchten musste, und begab sich über ein Jahrzehnt lang auf Reisen. Diese Zeit des selbst gewählten Exils wurde auch eine Zeit des geistigen Austauschs und neuer Erfahrungen.

Zunächst ging er für drei Jahre in die Nachbarstadt Megara, wohin sich auch Euklid, ein weiterer bekannter Sokrates-Schüler, zurückgezogen hatte. Weitere Reisen führten ihn nach Kyrene, Tarent und Ägypten. Er begann philosophische Dialoge zu verfassen, in denen er Sokrates als Hauptsprecher auftreten lässt und in denen er die Meinung des historischen Sokrates noch weitgehend unverändert wiedergibt. Eine der ersten dieser Schriften, die *Apologie*, enthält die Verteidigungsrede des Sokrates vor Gericht und kann als nachträgliche Abrechnung Platons mit der Athener Demokratie gelesen werden.

Das Thema der Gerechtigkeit taucht in den frühen Schriften immer wieder auf. Während die Sophisten immer wieder betonten, dass es keine Gerechtigkeit »an sich« gebe, sondern dass sie abhängig von Nutzen und Interessen sei, enthält der Dialog *Gorgias*, benannt nach einem der berühmtesten Sophisten, die These des Sokrates: »Unrecht leiden ist besser als Unrecht tun.« Dass Gerechtigkeit etwas ist, was über die Bedürfnisse und Interessen Einzelner hinausgeht, war auch die Überzeugung Platons. Etwa gleichzeitig mit dem *Gorgias* schrieb Platon einen Dialog, den er nie als einzelne Schrift veröffentlichte und dem die Fachleute den Arbeitstitel ›Thrasymachos‹ gegeben haben. Er schildert die Auseinandersetzung zwischen Sokrates und dem Sophisten Thrasymachos um die Definition der Tugend der Gerechtigkeit. Auch hier wendet sich Platon gegen die Meinung, Gerechtigkeit könne mit Herrschaftsinteressen identifiziert werden.

Dass Platon das Thema Gerechtigkeit in einen Zusammenhang mit dem Entwurf eines idealen Staates brachte, hängt wohl mit seiner wichtigsten Reise zusammen, die ihn in das damals griechisch besiedelte Süditalien führte. Dorthin war ihm sein Ruf als philosophischer Schriftsteller schon vorausgeeilt. Hier hatte sich im 6. vorchristlichen Jahrhundert einer der größten frühgriechischen Philosophen, Pythagoras, der Begründer der pythagoreischen Schule, niedergelassen, der sich den Ruf eines gottgleichen Magiers erworben hatte. Seine Schüler beschäftigten sich intensiv mit Mathematik und Musik, da sie glaubten, in den musikalischen Harmonien und in den Zahlenverhältnissen, durch die man sie ausdrücken kann, lasse sich die Wirklichkeit in ihrer Tiefenstruktur abbilden. Auch hingen sie dem aus östlichen Meditationslehren übernommenen Glauben an die Seelenwanderung an. Diese Mischung aus rationalem und mystischem Denken übte großen Einfluss auf Platon aus und er nahm sich vor, mit den Pythagoreern zusammenzutreffen und mit ihnen zu diskutieren.

Doch die für Platon prägendste Erfahrung seiner Reise war der Besuch im sizilianischen Syrakus, einer mächtigen griechischen Kolonie, wo er im Jahr 389 v. Chr. eintraf. Dessen Herrscher, Dionysios I., hatte die Demokratie abgeschafft und durch einen Militärstaat ersetzt, der enge Verbindungen zu Sparta unterhielt. Dies traf sich mit Platons eigener antidemokratischer Grundhaltung und Sympathie für Sparta. Dionysios kokettierte auch gerne mit seiner philosophischen Bildung und es wird kolportiert, er habe seinen drei Töchtern die Namen »Tugend«, »Gerechtigkeit« und »Besonnenheit« gegeben.

Platon war für etwa zwei Jahre Gast des syrakusischen Machthabers, der sich allerdings nicht als der gerechte Herrscher erwies, den Platon sich vorgestellt hatte. Das Leben am Hof stand in offenbarem Gegensatz zu der von Dionysios gepflegten philosophischen Rhetorik. In seinen Briefen beklagt sich Platon über die ständigen nächtlichen Gelage und Ausschweifungen. Es kam zu einem klassischen Konflikt zwischen Macht und Geist. Platons Versuch, als philosophischer Politikberater Einfluss zu nehmen und Dionysios auf die praktischen Konsequenzen eines an ethischen Maßstäben orientierten Herrschens hinzuweisen, scheiterten kläglich.

Dionysios machte keinen Hehl aus seiner Verachtung für den Intellektuellen, der ihn belehren wollte, während Platon den Herrscher offen als einen Tyrannen bezeichnete. Die Wege des Diktators und des Philosophen trennten sich also zwangsläufig. Manche Quellen berichten, Dionysios habe Platons Schiff nach Ägina gelenkt, einer Stadt, die mit Athen im Krieg lag und deshalb athenische Bürger als Kriegsgefangene behandelte, was dem Status von Sklaven gleichkam. Von einem Freund soll Platon schließlich freigekauft und nach Athen zurückgebracht worden sein. Auch zwei weitere, in späteren Jahren unternommene Reisen nach Syrakus endeten in Zwist und Misserfolg.

Die ernüchternde Erfahrung, wie wenig Achtung der Philosoph von den politisch Mächtigen erwarten konnte, hielt Platon jedoch nicht davon ab, seine eigenen politischen Vorstellungen weiter auszuarbeiten. Im Jahr seiner Rückkehr nach Athen, 387, gründete er seine eigene philosophische Schule, die berühmte »Akademie«, vor den Toren der Stadt. Hier nahm nun, in den Jahren nach seiner ersten Syrakusreise, sein Hauptwerk über den Staat Gestalt an.

Es ist bestimmt von Platons Versuch, seinen Konservatismus philosophisch zu begründen und die Konsequenzen aus seinen reichhaltigen Erfahrungen zu ziehen. Er wollte das Bild einer Gesellschaft entwerfen, in der die Grenzen zwischen Herrschern und Beherrschten wieder klar gezogen waren, in der die Machtstellung der Herrschenden aber durch unverrückbare Prinzipien und nicht durch die Tradition begründet wurde. Es sollte ein Gemeinwesen sein, das von einer Elite regiert wird, die diesen Namen verdient und nicht – wie Dionysios oder die Dreißig Tyrannen von Athen – ihre Macht tyrannisch missbraucht. *Der Staat* wurde geschrieben als mächtiger philosophischer Schutzwall gegen die Herausforderung der sophistischen Aufklärung. Nun spricht Platon in eigener Sache. Sokrates wird zu seiner Sprechpuppe, zum Verkünder platonischer Lehrmeinungen.

Dabei baut Platon auf dem bereits vorhandenen Dialog zwischen Sokrates und Thrasymachos über die Gerechtigkeit auf, der an den Anfang des neuen Werks gesetzt wurde und als dessen Einleitung gelesen werden kann. Für Thrasymachos ist das, was durch Gesetze als gerecht festgelegt ist, in Wahrheit identisch mit dem, was den politisch Herrschenden nützt. Andererseits glaubt er, dass das, was normalerweise Ungerechtigkeit genannt wird, in Wahrheit oft als Weisheit und Tugend angesehen werden muss, weil es den eigenen Interessen dient. Thrasymachos vertritt also eine typisch sophistische Position: Normen und Werte gelten nicht von Ewigkeit her, sondern sie sind veränderbar und von Interessen und Konventionen abhängig.

Sokrates dagegen glaubt, dass Gerechtigkeit eine Kunst oder eine Fertigkeit ist, die wie die ärztliche Kunst nach bestimmten unveränderbaren Regeln und auch im Sinne der Patienten, das heißt der Bürger, ausgeübt wird. Als Tugend des einzelnen Menschen ist sie so etwas wie die Gesundheit der Seele, das heißt, die psychischen und geistigen Kräfte des Menschen müssen sich in einer bestimmten Ordnung befinden.

Diese Auffassung ist der Ausgangspunkt für Platons weitere Diskussionen im *Staat*: Gerechtigkeit ist für ihn eine Art feststehender Ordnung. Sie ist eine Grundtugend, die Tugend nämlich, die alle Ziele und Bedürfnisse, aber auch alle anderen Tugenden des Menschen in ein bestimmtes Verhältnis zueinander setzt. *Der Staat* ist der Versuch, diese Ordnung und dieses Verhältnis in Form eines Gesellschaftsmodells zu beschreiben.

Im zweiten Buch des *Staates* überträgt Platon den Gedanken der Gerechtigkeit als einer Ordnung der menschlichen Seele auf die Gesellschaft. In der gesellschaftlichen Ordnung lässt sich nach Platon die Ordnung der Seele wie in einem Vergrößerungsglas erkennen. Er orientiert sich dabei an der Ordnung einer griechischen »Polis«. Entsprechend lautet der Titel seines Werks *Politeia*, also wörtlich: die »Lehre von der ›Polis‹«. Die »Polis« war kein Staat im modernen Sinne, sondern ein Stadtstaat, vergleichbar etwa der Größe eines Schweizer Kantons. Deshalb erscheint »Polis« in deutschen Übersetzungen manchmal als »Staat« und ein anderes Mal als »Stadt«. In der »Polis« hatten nur so genannte »freie« Bürger Stimmrecht, zu denen weder Frauen noch Sklaven zählten. Sklaverei war für Platon noch eine ganz normale und unbestrittene Institution. Die Stellung der Frauen dagegen wertet er in seinem Idealstaat erheblich auf, da sie wie die Männer Zugang zur herrschenden Schicht erhalten.

Platon erläutert nun etwas genauer, was er unter der Gerechtigkeit als einer Gesundheit der Seele versteht. Die Seele, griechisch »psyche«, ist für ihn der Bereich aller geistigen und gefühlsmäßigen Kräfte. In ihr unterscheidet er drei verschiedene Vermögen: die Vernunft, den Willen und die Leidenschaften. Ihnen sind drei Tugenden zugeordnet, nämlich Weisheit, Tapferkeit und Besonnenheit. Der Mensch ist nach Platon vornehmlich ein Vernunftwesen, das heißt, der Vernunft muss Vorrang vor den anderen Vermögen gegeben werden. Die gerechte Ordnung der Seele ist dann hergestellt, wenn die Vernunft mit Hilfe des Willens die Leidenschaften beherrscht.

In ein politisches Bild gebracht, heißt dies: Die Vernunft ist der Herrscher, der Wille stellt das Dienst- und Wachpersonal und die Leidenschaften sind das beherrschte Volk. Genau dieses Bild einer Hierarchie, an deren Spitze die Vernunft steht, bestimmt Platons Vorstellung vom idealen Staat. Der Schlüssel zu seiner Gerechtigkeitsvorstellung liegt in dieser Grundidee, dass die Vernunft der natürliche Herrscher sei – sowohl im einzelnen Menschen als auch im Staat. Gerechtigkeit, Weisheit, Tapferkeit und Besonnenheit sind für Platon die vier »Kardinaltugenden«, wobei die Gerechtigkeit den harmonischen Zusammenhang zwischen diesen Tugenden festlegt.

Indem Platon bestimmte Tugenden mit bestimmten Gesellschaftsschichten in Verbindung bringt, kommt er zur Vorstellung einer Drei-Klassen-Gesellschaft: Ganz an der Spitze stehen wenige, mit königlicher Macht ausgestattete Regenten, die von einer Kriegerkaste, den so genannten »Wächtern«, umgeben sind. Übrig bleibt die große Masse der freien Bürger, die arbeitende Bevölkerung, die nicht an der Herrschaft beteiligt ist. Die Tugend der Regenten ist Weisheit: Sie treffen alle wichtigen Entscheidungen. Die Tugend der Wächter ist Tapferkeit: Sie müssen gegen äußere und innere Gefahren gewappnet sein. Die Tugend der Beherrschten schließlich ist Besonnenheit: Sie müssen ihre Leidenschaften bändigen, Mäßigung und Unterordnung üben. Die Regenten und die Wächter sind eng miteinander verbunden: Sie bilden zusammen die herrschende Schicht, werden zusammen erzogen und sind in dem Interesse vereint, die Ordnung des Staates aufrechtzuerhalten. Platons Staat ist wie Sparta ein Militärstaat mit einem stehenden Heer, das nicht nur gegen äußere Feinde schützen, sondern auch innere Unruhen unterdrücken soll.

Gerechtigkeit ist für Platon ganz eng mit Stabilität verknüpft, einer Stabilität, die – wie in der pythagoreischen Lehre – als eine mehrstimmige und doch rational organisierte Harmonie geordnet und in der jede Abweichung ein »Missklang« ist. Mehrstimmigkeit heißt, in die Sprache der Politik übersetzt, eine eindeutige und unveränderbare Hierarchie verschiedener Stände. Politischer Dissens oder gar Revolutionen sind dagegen Merkmale der Ungerechtigkeit.

In Platons Staat werden die Bürger in ihren Stand hineingeboren. Ein Aufstieg in einen höheren Stand ist nur in wenigen Ausnahmefällen möglich. Das Gerechtigkeitsprinzip Platons lautet: Jeder soll das Seinige tun, das heißt, jeder soll den ihm von vornherein zugewiesenen Platz in der vorgesehenen Weise ausfüllen. Hier wird eines der wichtigsten Anliegen Platons deutlich: Einer Demokratie, so wie sie in Athen betrieben und von den Sophisten unterstützt wurde, sollte jede Legitimation genommen werden.

Legitim ist eine Herrschaft dagegen dann, wenn sie von der Vernunft bestimmt ist, und dies kann nur gewährleistet sein, wenn die Herrschenden einer strengen Auswahl unterzogen werden. Deshalb erhalten in Platons Staat nur diejenigen den Status von Regenten, die zu den höchsten Formen der Erkenntnis Zugang haben. Die Erziehung der Regenten und Wächter ist damit von ganz wesentlicher Bedeutung. Platon empfiehlt hierfür eine Mischung aus philosophischer und wissenschaftlicher Erziehung, wie er sie selbst für seine Akademie entworfen hatte, sowie einer militärisch-asketischen Erziehung, wie er sie aus Sparta kannte. Sie wird vom Staat und nicht von den Eltern übernommen.

Doch Platon führt auch ganz neue Elemente ein. Die herrschende Klasse ist eine Art sozialistischer Ordensgemeinschaft, in der sowohl die Sexualpartner als auch der Besitz allen gemeinsam sind. Die normalen Familien- und Besitzstrukturen sind also hier aufgehoben. Frauen und Männer sind gleichberechtigt, das heißt, auch Frauen können die Funktionen von Wächtern und Regenten wahrnehmen. Doch herrscht zwischen den Geschlechtern keineswegs unbeschränkte sexuelle Freizügigkeit. Der Lebensstil der herrschenden Klasse ist eher asketisch und diszipliniert, um jede Versuchung der persönlichen Bereicherung und Machtanhäufung zu vermeiden. Entsprechend ist auch der Sexualverkehr streng geregelt, um den für den Staat besten Nachwuchs zu erzeugen. Dieser wird ebenfalls von allen gemeinschaftlich erzogen. Platon propagiert also eine politisch motivierte Eugenik, eine Lehre von der Zucht der besten Erbeigenschaften, wie sie versuchsweise auch von totalitären Staaten des 20. Jahrhunderts durchgeführt wurde.

Am Beginn der Kinderaufzucht steht eine musische Erziehung, begleitet von regelmäßigen Leibesübungen. Ziel ist es, körperlich trainierten und ideologisch verlässlichen Nachwuchs heranzubilden. Die Möglichkeiten der musischen Erziehung sind allerdings sehr eingeschränkt. Die Kunst darf nur erbauliche Inhalte vermitteln, das heißt solche, die die kriegerische Gesinnung stärken und die ideologische Festigkeit nicht gefährden. Die im antiken Griechenland so populären Epen des Homer mit ihren Schilderungen von Verrat, Grausamkeiten oder Festgelagen haben in Platons Staat keine Chance, die Zensur zu passieren. In der Musik beschränkt sich das Erlaubte auf »phrygische« und »dorische« Tonarten, welche die Tapferkeit und Besonnenheit stärken.

Während Platon die Rolle der Künste abwertet, hat er eine hohe Meinung von der Mathematik, die er wie die Pythagoreer als eine Brücke zur Philosophie ansieht. Mathematik gehört aber nicht zum Pflichtprogramm, sondern wird nur für Freiwillige angeboten. Mit ihr beginnt eine spezielle geistige Ausbildung, die schließlich die Regenten von den Wächtern scheidet. Die wenigen künftigen Regenten werden ab dem dreißigsten Lebensjahr fünf Jahre lang in Philosophie unterrichtet und müssen danach noch fünfzehn Jahre lang in untergeordneten Staatsämtern dienen. Erst im Alter von fünfzig Jahren werden die Besten von ihnen dazu ausersehen, die höchste Form philosophischer Erkenntnis, die »Idee des Guten«, zu schauen. Dann haben sie den Status des Weisen und damit des Philosophenkönigs erlangt und müssen ihr Leben teilen zwischen der praktischen Regierungstätigkeit und der philosophischen Kontemplation.

Mit der »Idee des Guten« kommt Platons Ideenlehre, seine Theorie der Wirklichkeit, ins Spiel. Sie erklärt auch, was Platon mit Weisheit und Vernunfterkenntnis meint. Platon erläutert seine Ideenlehre in dem berühmten Höhlengleichnis, einem Herzstück des *Staats*, in dem er die Verbindung zwischen seinen politischen sowie seinen metaphysischen und religiösen Vorstellungen herstellt.

Wie Gefangene leben die Menschen in einer Höhle, in die Schatten von Gegenständen geworfen werden, die sich im Rücken der Menschen hinter einer Mauer bewegen. Diese Schattenbilder werden von den Menschen für die Wirklichkeit gehalten. Man stelle sich nun vor, ein Gefangener befreite sich aus der Höhle, träte ins Tageslicht und erblickte mit der Sonne die wahre Wirklichkeit, kehrte dann aber wieder in die Höhle zurück und berichtete den Mitgefangenen davon. Sie würden ihm wahrscheinlich zunächst nicht glauben, weil er, von der Erfahrung der Sonne geblendet, nun auch die Schatten an der Wand undeutlicher sieht als vorher.

Die Höhle ist die Welt unserer normalen sinnlichen Wahrnehmung, deren Gefangene wir sind. Der die Höhle verlassende Gefangene ist der Philosoph. Er ist derjenige, der den Menschen Kunde von der wahren Wirklichkeit gibt. Diese wahre Wirklichkeit außerhalb der Höhle ist die Welt der Ideen. Alles, was wir wahrnehmen, hat demnach in der Welt der Ideen ein ideales Muster. Für die vielen Tische, die wir wahrnehmen, gibt es eine Idee des Tisches, ebenso wie auch für alle anderen wahrgenommenen Dinge eine Idee existiert. Der griechische Begriff für »Idee«, »eidos«, heißt eigentlich »ideale Form«. Auch die Ideen befinden sich in einer abgestuften hierarchischen Ordnung. An ihrer Spitze steht die Idee des Guten, das höchste Prinzip der Wirklichkeit, aber auch der Maßstab für Vernunft und tugendhaftes Handeln.

Für Platon gibt es vier Stufen der Wirklichkeitserkenntnis: Die niedrigste wird repräsentiert durch die Kunst, die ein Abbild sinnlich wahrnehmbarer Dinge liefert. Danach kommt die sinnliche Wahrnehmung, die selbst wiederum nur ein Abbild der Welt der Ideen ist. Als Brücke zu den Ideen sieht Platon die reine Anschauung mathematischer Strukturen. Aber erst die Erkenntnis der Ideen ist Ausweis der Weisheit und der wahren Vernunfterkenntnis. Mit dieser Stufenfolge wird schließlich auch der niedrige Rang der Kunst in Platons Staat begründet. Indem sie Abbilder von Abbildern liefert, ist die Kunst eine drittklassige und irreführende Erkenntnis und in jeder Weise geeignet, von der wahren Wirklichkeit abzulenken.

Die Welt der Ideen ist, im Gegensatz zur sinnlichen Welt, ewig und keinen Veränderungen unterworfen. In ihrer unverrückbaren Stabilität wird sie zum Vorbild für die Ordnung des Staates. Indem die Erkenntnis der Ideen den Regenten des platonischen Staats zugewiesen wird, erhalten sie das entscheidende Herrschaftswissen, das zur Begründung ihrer politischen Stellung dient. Diese Erkenntnis darf man sich aber nicht als einen rein intellektuellen Akt vorstellen. Sie ist vielmehr eine Art Vision, ein Akt der Erleuchtung. Im antiken Griechenland waren der Philosoph und der religiöse Seher noch nicht streng voneinander getrennt. Dies gilt auch für Platons Philosophenkönige. Sie stellen einerseits die »akademisch« am besten ausgebildete Elite, haben aber andererseits, wie Priester, als Einzige direkten Zugang zu einer transzendenten Welt.

Diese religiöse Dimension des platonischen Staates wird durch das Ende des Buchs bestätigt. Hier kehrt Platon nämlich noch einmal zu dem Zusammenhang zwischen Gerechtigkeit und der menschlichen Seele zurück. Auch wenn Gerechtigkeit nicht durch Eigennutz definiert werden darf, so gibt es doch so etwas wie einen »Lohn« gerechten Handelns im Jenseits. Schon in seinem Dialog *Phaidon* hatte Platon die These von der Unsterblichkeit der Seele vertreten. Nun fügt er, in der Tradition der Pythagoreer, die Lehre von der Seelenwanderung hinzu, die er in einer mythenhaften Erzählung an den Schluss seines Buchs setzt.

Die Seele durchwandert nach dem Tod die Sphäre des Himmels und büßt dort für ihre Vergehen. Danach wird ihr Gelegenheit gegeben, eine neue Lebensform, sei es als Tier oder als Mensch, zu »wählen«. Platon wollte offenbar bekräftigen, dass das gerechte Leben in Verbindung mit einer Weltordnung steht, über die wir nicht mehr mit rationaler Argumentation, sondern nur noch mit Hilfe des Mythos sprechen können.

Im 20. Jahrhundert hat ein anderer großer politischer Philosoph, Karl R. Popper, Platons Idealstaat als totalitär kritisiert. Begriffe wie »Gerechtigkeit« oder »Idee des Guten« sollten in der Tat nicht den Blick davor verschließen, dass dies ein von wenigen Auserwählten gelenkter Staat ist, in dem Zensur herrscht und der Zugang zur Bildung nur wenigen Privilegierten gestattet ist. Platon ist mit seinem elitären Konservatismus auch keineswegs repräsentativ für sein Zeitalter. Von dem vierzig Jahre älteren Philosophen Demokrit ist zum Beispiel die Aussage überliefert, dass »die Armut in einer Demokratie um so viel besser ist als das so genannte ›Glück‹ am Hofe der Mächtigen, wie die Freiheit besser ist als ein Sklavendasein«. Die politischen Meinungen gingen auch im alten Griechenland weit auseinander.

Dennoch war selbst ein so entschiedener Kritiker Platons wie Popper fasziniert von dem »Zauber«, der von diesem kunstvoll konstruierten Entwurf einer in sich geschlossenen Gesellschaft ausgeht. Platons ungeheure Wirkung in der europäischen Geistesgeschichte beruht genau auf dieser visionären Kraft. *Der Staat* hat das gesamte utopische Denken der europäischen Philosophie maßgeblich inspiriert. Dabei spielte auch immer wieder die Vorstellung einer weisen und zugleich asketisch lebenden Machtelite eine Rolle.

In der Renaissance wurde das Werk zum Vorbild zahlreicher Staatsutopien. Aber auch das von den Marxisten des 19. und 20. Jahrhunderts formulierte Ziel einer klassenlosen Gesellschaft trägt den utopischen Keim in sich, den Platon gepflanzt hat. Platon hat die

Herausforderung angenommen, die verlangt, dass Gerechtigkeit nicht nur ein Wort oder eine Forderung sein darf, sondern auch mit der konkreten Vorstellung eines Gesellschaftsmodells verbunden sein muss. Er hat damit nicht nur die Fantasien der politischen Philosophen bis heute angeregt, er hat auch an den tief verwurzelten Traum der Menschen vom politischen Schlaraffenland gerührt.

Ausgaben:

PLATON: Sämtliche Werke, Band 3: Phaidon, Politeia. Übersetzt von F. Schleiermacher. Herausgegeben von W. F. Otto, E. Grassi und G. Plamböck. Hamburg: Rowohlt 1958.

PLATON: Der Staat. Übersetzt von R. Rufener. München: dtv 1998.

Bekehrung eines Intellektuellen

AURELIUS AUGUSTINUS: Bekenntnisse (ca. 400)

Intellektuelle tun sich normalerweise schwer mit dem Ansinnen, sich einfach auf einen religiösen Glauben einzulassen. Sie sind es gewohnt, ihren Wissenshintergrund einzubringen und nach dem Warum zu fragen. Sie haben einen unstillbaren Drang nach rationaler Erklärung – während die Verfechter der Religion gerade darauf hinweisen, dass eine Religion eigentlich überflüssig wäre, wenn der Mensch alles auf rationale Art erklären könnte.

Noch komplizierter wird der Fall, wenn ein erfolgreicher und hochgebildeter Akademiker sich auf eine noch junge Religion einlässt, die von seinen Kollegen mit Naserümpfen betrachtet wird und deren Anhänger eher für ihren Rigorismus und ihre Verachtung der Philosophie bekannt sind. Eine solche Begegnung ist konfliktreich, aber häufig auch sehr intensiv: Sie verlangt von dem neu Bekehrten eine radikale Veränderung, sowohl in seiner geistigen Einstellung als auch in seiner Lebensführung. Ganz selten ist der Fall, dass die Religion selbst in den Händen des Bekehrten sich wandelt und eine neue Gestalt annimmt.

Die um die Wende zum 4. Jahrhundert entstandenen *Bekenntnisse* des römischen Bürgers Aurelius Augustinus sind Zeugnis einer solchen schwierigen Annäherung eines Intellektuellen an einen religiösen Glauben, bei der beide Seiten sich verändern. Aus einem Karriereakademiker wurde ein berühmter Religionslehrer. In Folge seiner Bekehrung wurde der Universitätsdozent Augustinus zu einem der bekanntesten Bischöfe seiner Zeit und ging als »Kirchenvater« in die Geistesgeschichte ein. Und die junge Volksreligion des Christentums, die sich auf Offenbarungen und Gleichnisse stützte, erhielt durch das Denken und Fragen des Intellektuellen Augustinus prägende philosophische Anstöße.

Die Begegnung des Augustinus mit dem Christentum markiert eines der wichtigsten Daten in der Entstehung der frühchristlichen Theologie. Aber auch die Philosophie nahm von da an einen völlig neuen Weg. Mit Augustinus beginnt das mittelalterliche Denken, das ganz neue Schwerpunkte setzt: Die zeitliche und vergängliche Existenz des Menschen, das Verhältnis zwischen Diesseits und Jenseits und die Rolle der Geschichte wurden nun in neuen Zusammenhängen gesehen. Mit Augustinus trat die Philosophie in den Dienst der Theologie.

Augustinus hatte sich schon vor seiner Bekehrung viele Jahre mit dem Christentum auseinander gesetzt. Seine Mutter Monnica war Christin und hatte die Hoffnung nie aufgegeben, den Sohn einmal für ihren Glauben gewinnen zu können. Auch seinen Vater Patricius, einen kleinen römischen Beamten in der nordafrikanischen Stadt Thagaste im heutigen Algerien, brachte sie schließlich dazu, sich taufen zu lassen. Doch ihr Hauptinteresse galt ihrem Sohn Aurelius. Während der Vater seine Bemühungen vor allem darauf richtete, dem Sohn durch eine gute Ausbildung eine Karriere und den sozialen Aufstieg zu ermöglichen, ging der Ehrgeiz der Mutter viel weiter: Sie projizierte ihre gesamten Lebenshoffnungen auf diesen Sohn und setzte alles daran, seine geistige und religiöse Entwicklung zu beeinflussen.

Der Ehrgeiz des Sohnes war ähnlich stark wie der der Mutter, doch er richtete sich zunächst darauf, die Sprossen der Karriereleiter zu erklimmen. Klassische Bildung war dafür eines der bevorzugten Mittel, wobei die Rhetorik als akademisches Grundlagenfach galt: Seine Sache in mündlicher, freier, argumentativ gegliederter Rede vertreten zu können, war Voraussetzung für einen Erfolg in allen gesellschaftlichen Institutionen, sei es in der Politik, im Rechtswesen oder an der Universität. Durch sein Studium der Rhetorik im benachbarten Karthago löste sich Augustinus aus dem Milieu seiner Eltern, die diese Ausbildung unter großen persönlichen Opfern finanzierten. Nach Beendigung des Studiums und einer Lehrtätigkeit in Karthago nahm er auch Abschied von der nordafrikanischen Provinz und schaffte den Karrieresprung in die Zentren des Reiches: Er ging nach Rom und schließlich an die kaiserliche Residenz nach Mailand.

Augustinus liebte den weltlichen Erfolg, aber er erwarb klassische Bildung nicht nur aus beruflicher Notwendigkeit, sondern pflegte sie auch mit Leidenschaft. Er wurde ein großer Kenner der Literatur seiner lateinischen Muttersprache. Sein Stilgefühl prägte er an Vergils *Aeneis* aus, einem Werk, in dem er über viele Jahre jeden Tag las. Ciceros Schrift *Hortensius* führte ihn mit neunzehn Jahren in die Fragen der antiken Philosophie ein. In seiner damaligen Sicht standen die christlichen Evangelien den Werken der römischen Literatur stilistisch weit nach und enthielten auch philosophisch zu viele Ungereimtheiten: Ein Gott, der zugleich auch Mensch geworden ist? Der, obwohl allmächtig und allgütig, auch das Böse zugelassen hat? Eine Welt, die »erschaffen« wurde, also irgendwann einmal »begonnen« hat?

Sehr viel überzeugender erschienen ihm die Antworten der Manichäer, einer Religionsgemeinschaft, die sich auf den persischen Propheten Mani berief und im späten Römischen Reich viele einflussreiche Anhänger hatte. Die Manichäer sahen die Welt beherrscht von einem Dualismus, das heißt von zwei unterschiedlichen, sich bekämpfenden Prinzipien: dem Prinzip des Bösen und dem Prinzip des Guten. Die Welt verstanden sie als ewigen Kampf des Reiches des Bösen mit dem Reich des Guten. Die Manichäer waren vor allem aus zwei Gründen für Augustinus attraktiv: Sie konnten das Böse in der Welt erklären, und sie standen der antiken Philosophie mit ihrer Betonung der Vernunft aufgeschlossen gegenüber.

Beides zog Augustinus an. Doch es gab noch einen weiteren Grund, weswegen er neun Jahre lang einer ihrer Anhänger blieb. Die Manichäer bildeten in römischen Institutionen das, was man eine »Seilschaft« nennen könnte: ein Netzwerk von Beziehungen, das auch Augustinus in seiner akademischen Karriere immer wieder behilflich war.

Die Verbindung zu den Manichäern war es auch, die ihm die Stelle als Rhetoriklehrer an der kaiserlichen Residenz in Mailand verschaffte. Man hoffte, er werde den Gegenpart des dort residierenden christlichen Bischofs Ambrosius einnehmen. Doch die Begegnung mit Ambrosius führte im Gegenteil zu seiner Annahme des christlichen Glaubens, nach Kräften gefördert von der Mutter, die dem jungen Akademiker inzwischen nach Italien gefolgt war.

Der aus Trier stammende Ambrosius, einer der bekanntesten Kirchenlehrer des frühen Christentums, überzeugte den Intellektuellen Augustinus durch die Art, wie er den christlichen Glauben mit philosophischen Argumenten stützte. Ambrosius war als Theologe vom Neuplatonismus beeinflusst, einer von dem Philosophen Plotin im 3. Jahrhundert geprägten Strömung, die die Philosophie Platons in eine mystische Richtung fortentwickelte. Plotin behauptete, die gesamte Wirklichkeit sei durchdrungen von dem »Einen«, einem geistigen Prinzip, das in verschiedenen Graden in die Wirklichkeit »ausströmt« und an den Dingen teilhat. Vor allem aber lieferte der Neuplatonismus eine völlig andere Erklärung des Bösen als die Manichäer: Das Böse ist danach keine selbstständige, positive Kraft, sondern ein Mangel. Böse ist das, was sich von dem geistigen Urprinzip des Einen entfernt, was am wenigsten vom Einen durchdrungen ist. Das gilt besonders für alle materiellen Dinge. Diese neuplatonische Erklärung des Bösen hat Augustinus auch noch in den *Bekenntnissen* vertreten, wobei er das neuplatonische Eine mit dem christlichen Gott identifiziert.

Augustinus' Bekehrung fand im Jahr 386 statt, als er gerade zweiunddreißig Jahre alt war. Sie war ein Wendepunkt, von dem an sein Leben sich radikal veränderte. Er gab nicht nur seine Tätigkeit als Rhetoriklehrer auf, sondern wählte die von vielen frühen Christen propagierte Lebensform des Zölibats. Er entschloss sich, zusammen mit Freunden ein zurückgezogenes, beinahe klösterliches Leben zu führen. Gemeinsam zogen sie zunächst in das nördlich von Mailand gelegene Landgut Cassiciacum, um sich ganz in religiöse Inhalte zu versenken und ein neues Leben zu beginnen. Erst nach einem Jahr ließ sich Augustinus in Mailand offiziell taufen.

Das Christentum hatte sich im späten Römischen Reich von einer orientalischen Sekte zur einflussreichsten Religion des Reiches entwickelt. Unter Kaiser Konstantin war den Christen 313 zunächst staatliche Toleranz garantiert worden. 391, fünf Jahre nach Augustinus' Bekehrung, wurde es offiziell zur Staatsreligion erklärt. Doch die römische Bildungselite sah eher verächtlich auf diese plebejische und philosophisch unausgereifte Religion herab. Gelehrte bekannten sich eher verschämt oder heimlich zu ihr. Auch im Kaiserhaus hatte das Christentum noch Gegner. Augustinus wusste, dass Christsein für eine akademische Karriere nicht unbedingt förderlich war. Er wusste aber vermutlich auch, dass mit dieser Religion eine zukünftig sehr mächtige geistige Kraft heranwuchs, die ihm selbst, einem ehrgeizigen und stolzen Intellektuellen, Möglichkeiten der geistigen Einflussnahme bot.

Diese Möglichkeiten öffneten sich ihm sehr bald nach seiner Rückkehr in seine nordafrikanische Heimat. Auf Drängen der dortigen Christen empfing er zunächst die Priesterweihe und ließ sich wenig später auch zum Bischof der Stadt Hippo Regius machen. Er war damit ein offizieller Repräsentant des Christentums geworden, der in öffentlichen theologischen Kontroversen Stellung beziehen musste. In diesen ersten Jahren als Bischof, zwischen 397 und 401, entstanden die *Bekennntisse.*

Sie waren Teil eines kirchenpolitischen Kampfes zur Durchsetzung des Alleinvertretungsanspruchs der katholischen Kirche gegenüber anderen christlichen Glaubensrichtungen, aber auch Teil des Kampfes, den Augustinus führte, um seine Position innerhalb der Kirche durchzusetzen. Das Buch schrieb er in seiner ohnehin knapp bemessenen Freizeit. Als Bischof hatte er nicht nur seelsorgerliche Aufgaben, er musste auch weite Strecken zurücklegen, um an Zusammenkünften vom Kirchenvertretern teilzunehmen. Bischof in einer jungen, strukturell noch nicht gefestigten Kirche zu sein bedeutete Engagement rund um die Uhr.

Zwischen dem Bekehrungserlebnis und dem Abfassen der *Bekenntnisse* liegen somit mehr als zehn Jahre, in denen nicht nur im Leben des Augustinus, sondern auch in seinem Denken wichtige Entwicklungen stattfanden. Aus dem klassisch gebildeten Rhetor war ein Theologe, aus dem Liebhaber der antiken Kultur ein Eiferer gegen die weltliche Bildung geworden. Der Karriere-Intellektuelle hatte sich zu einem Intellektuellen im Dienst der Kirche gewandelt.

In den *Bekenntnissen* setzt sich Augustinus mit seiner Lebensgeschichte bis zu seiner Bekehrung auseinander. Doch es handelt sich nicht um eine normale Autobiografie. Die letzten Kapitel des Buchs haben sogar überhaupt nichts mehr mit dem Leben des Autors zu tun und widmen sich ganz der Ausdeutung der biblischen Schöpfungsgeschichte. Die Bedeutung des lateinischen Wortes »confessio« ist vielfältig: Es meint Sündenbekenntnis im Sinne einer Beichte, Glaubensbekenntnis und Gotteslob gleichermaßen. Die *Bekenntnisse* umfassen alle diese Bedeutungen. Sie sind ein persönliches, religiöses und philosophisches Bekenntnisbuch, aber auch ein Missionierungsbuch, das seine eigentliche Kraft erst dann entfaltet, wenn es vor einer Zuhörerschaft laut vorgelesen wird, wie es zu Augustinus' Zeiten auch üblich war.

Das Buch enthält mindestens drei miteinander verwobene Themenbereiche beziehungsweise Auseinandersetzungen: eine theologische Auseinandersetzung, das heißt die von Augustinus vorgenommene Deutung der christlichen Lehre; damit eng zusammenhängend die Geschichte seiner eigenen geistigen und persönlichen Entwicklung bis hin zum Bekehrungserlebnis; und schließlich philosophische Fragestellungen, die weit über die Theologie hinausreichen und die westliche Philosophie bis heute beeinflusst haben.

Die »Bekenntnisse« des Augustinus sind also Bekenntnisse aus einer bestimmten Perspektive. Die eigene Lebensgeschichte soll als theologisches Exempel dienen, um Anhänger zu gewinnen und um für eine bestimmte Sicht des Glaubens zu werben. Im Mittelpunkt des Buchs steht das Bekehrungserlebnis. Alles, was vorher war, wird auf dieses Ereignis zulaufend, und alles, was später kam, von diesem Ereignis herrührend geschildert. Augustinus beschreibt seine Hinwendung zum Christentum als einen Vorgang, der sich in langen Jahren und in schweren inneren Kämpfen vorbereitet hatte und sich in einer Art Erleuchtung Durchbruch verschaffte. Die *Bekenntnisse* schildern das Leben des Augustinus vor seiner Bekehrung als einen von Gott inszenierten beispielhaften Glaubensfindungsprozess.

Das Werk enthält bereits vieles von dem, was später als augustinische Lehre in die christliche Theologie Eingang fand. Großen Einfluss auf diese Lehre übten die Schriften des Apostels Paulus aus, der im 1. Jahrhundert n. Chr. die neue Religion im Mittelmeerraum verbreitet hatte und dessen Missionierungsbriefe in das Neue Testament aufgenommen worden waren. Zwischen Paulus und Augustinus gab es viele Gemeinsamkeiten: Beide waren sie Intellektuelle, die erst spät zum Christentum übertraten und dennoch dieser jungen Religion ihren philosophischen Stempel aufdrückten. Nicht zufällig setzt Augustinus seine Bekehrung in einen engen Zusammenhang mit der Lektüre eines Paulus-Textes.

Von Paulus beeinflusst vertritt Augustinus in den *Bekenntnissen* vor allem zwei sehr grundlegende theologische Lehren: die Prädestinations- oder Gnadenlehre und die Lehre von der Erbsünde. Nicht durch eigene Werke werden wir des Himmels würdig, sondern nur durch den Willen Gottes. Im Willen Gottes ist es prädestiniert, das heißt vorherbestimmt, wer in den Himmel aufgenommen und wer zur Hölle verdammt wird. Auserwählt sind nur wenige, und verdient hat es niemand. Diese scheinbar willkürliche Auswahl Gottes unter den Menschen kann Augustinus nur rechtfertigen, wenn er gleichzeitig annimmt, dass kein Mensch durch eigenes Verdienst würdig ist, von Gott aufgenommen zu werden. Die Begründung dieser Annahme liegt in der Lehre von der Erbsünde. Der Mensch, so glaubte Augustinus, sei von Natur aus böse. Selbst in Kindern zeige sich schon diese böse Natur. So ist es einzig die Gnade Gottes, die den Menschen, völlig gegen alle rationalen Gründe und Verdienste, zur Erlösung auserwählt. Diese Wahl hat Gott schon vor der Geburt jedes Einzelnen getroffen.

Diese Thesen waren in der frühen christlichen Kirche höchst umstritten und mussten in Predigten und Streitschriften immer wieder verteidigt werden. Aber Augustinus hatte, so glaubte er, ein starkes Argument für die Gnadenlehre: sein eigenes Leben. War er nicht selbst als weltlicher, sündiger Mensch völlig wider alle Erwartungen von Gott aufgenommen worden? Er war zutiefst davon überzeugt, dass seine eigene Bekehrung ein unwiderlegbarer Beweis der Gnade

Gottes war. In diesem Licht wählt er Ereignisse seiner Kindheit und Jugend aus und deutet sie. Moralische Wertungen, wie wir sie heute als normal empfinden, treten dabei in den Hintergrund.

So bemüht er sich, seinen eigenen kindlichen Willen und seine kindlichen Bedürfnisse als böse darzustellen, um seine These von der Erbsünde und der bösen Natur des Menschen stützen zu können. Während er über die Tatsache, dass er sich in Mailand von seiner langjährigen Gefährtin mit einem Schlag trennt und ihr auch noch den gemeinsamen Sohn wegnimmt, mit wenigen Worten hinweggeht, schildert er im zweiten Kapitel ausführlich den berühmten Birnendiebstahl, den er als Jugendlicher mit Freunden beging. Wichtig an diesem an sich harmlosen Jungenstreich ist für Augustinus, dass der Diebstahl ohne eigentliches Motiv war: Er geschah nicht aus Hunger oder weil die Birnen besonders schmackhaft waren. Es gab, so formuliert Augustinus, »für meine Bosheit keinen anderen Grund als die Bosheit selbst«. Meine angeborene Bosheit, so lautet die Botschaft, war offensichtlich, und niemand war weniger würdig, von Gott aufgenommen zu werden, als ich. Und dennoch ist es geschehen.

Bei der Schilderung seiner »bösartigen« Neigungen spielt die Sexualität eine herausragende Rolle. Die immer wieder überlieferte Meinung, Augustinus habe ein ausschweifendes Leben geführt, findet in den *Bekenntnissen* kaum Nahrung. Augustinus hat, nach allem, was wir wissen, ein normales sexuelles Leben geführt. Ein Problem entstand für ihn aber dadurch, dass er sich einerseits an Sexualität gewöhnt hatte, andererseits Christsein mit der Forderung nach Keuschheit verband. Immer wieder betont er in den *Bekenntnissen*, dass die Forderung nach Keuschheit seine Bekehrung zum Christentum wiederholt hinausgezögert habe. Sexualität wird für ihn am Ende zum Musterbeispiel für Sünde. Es war Augustinus, der die Abwertung der körperlichen Liebe in der christlichen Theologie ganz wesentlich beeinflusst hat.

Die Auseinandersetzung mit der Sexualität spielt aber nicht nur eine wichtige Rolle in seiner theologischen, sondern auch in seiner persönlichen Entwicklungsgeschichte. In den *Bekenntnissen* gibt es nur zwei eigentlich bedeutsame Hauptfiguren: Augustinus und seine Mutter Monnica. Der Vater und die Geschwister werden nur am Rande erwähnt. Diese äußerst enge Mutter-Sohn-Beziehung bietet für psychoanalytisch geschulte Leser unendlichen Stoff, ihr Grundmuster ist aber auch ohne psychologische Tiefendeutung leicht erkennbar.

Monnica ist eine besitzergreifende Mutter, die ihren Lieblingssohn nicht loslassen kann. Besonders seine Sexualität erscheint ihr bedrohlich. Als der Vater seinen heranwachsenden Sohn beim Bad beobachtet und der Mutter stolz von seiner geschlechtlichen Reife erzählt, reagiert diese mit Unbehagen. Sie fürchtet die Hinwendung zu anderen Frauen als eine Abwendung von ihr selbst. So arbeitet sie darauf hin, die jahrelange Beziehung des Augustinus zu seiner Konkubine, mit der er auch einen Sohn hat, zu beenden, was ihr schließlich gelingt. Sie versucht zu verhindern, dass Augustinus seine Heimat verlässt. Als er im Begriff ist, mit dem Schiff nach Rom überzusetzen, kann er den Widerstand der Mutter nur durch die Notlüge überwinden, er wolle lediglich bei einem Freund übernachten, der auf seine Abfahrt warte. Als sie bemerkt, dass er weg ist, ist sie untröstlich. Schließlich folgt sie ihm und lebt bis zu ihrem Tod bei ihm in Italien. Seine Hinwendung zum Christentum ist ihr ganz persönlicher Triumph.

Kurz nach der Bekehrung gibt es eine von Mutter und Sohn gemeinsam erlebte mystische Vereinigungsszene mit Gott. Ganz in der neuplatonischen Tradition erfahren Mutter und Sohn einen gemeinsamen inneren Aufstieg von der Anschauung materieller Dinge zum reinen geistigen Sein, zur ewigen Weisheit. Dieser Prozess kulminiert in einer Art Seelenvereinigung, deren Schilderung bei Augustinus nicht ohne erotische Nebentöne ist: »Und da wir von ihr sprachen und nach ihr seufzten, berührten wir sie mit vollem Schlage unseres Herzens ein kleines wenig, atmeten tief auf und ließen dort angeheftet ›die Erstlinge unseres Geistes‹.« Die Wendung »Erstlinge unseres Geistes« ist ein Bibelzitat, das hier aber neuplatonisch gedeutet wird: Mutter und Sohn erreichen für einen Augenblick den Zustand der vollkommenen Harmonie mit dem Einen, das heißt mit Gott.

Die Geschichte der Bekehrung des Augustinus in den *Bekenntnissen* ist auch die Geschichte einer versuchten und schließlich gescheiterten Loslösung von seiner Mutter Monnica. Im Buch selbst wird diese bereits wie eine Heilige stilisiert. Als heiliger Augustinus und heilige Monnica gingen beide gemeinsam in die Schar der von der Kirche Auserwählten ein.

Auch die Schilderung seiner Bekehrung in der berühmten Mailänder Gartenszene des achten Kapitels trägt deutliche Züge einer kunstvollen literarischen Stilisierung. Sie ist der erzählerische Höhepunkt des Buchs, eine dramatische Szene, bei der Augustinus alle rhetorischen Register zieht und mit der er den Wendepunkt seines Lebens und die Gnadenwahl dem Leser eindringlich zu machen versucht. Augustinus schildert, wie ihn beim Nachdenken über seine Situation ein »innerer Sturm« ergriff, er sich unter Tränen unter einen Feigenbaum warf und Gott um Beendigung seines innerlich zerrissenen Zustandes bat. Darauf hörte er aus dem Nachbarhaus eine Kinderstimme »tolle lege« (»nimm und lies«) sagen, woraufhin er das Neue Testament aufschlug und die Worte im Römerbrief des Paulus las, mit denen dieser die Menschen auffordert, ihr Leben »nicht in Fressen und Saufen, nicht in Kammern und Unzucht, nicht in Hader und Neid« zu verbringen, sondern sich stattdessen dem Herrn Jesus Christus zuzuwenden. Dies war der endgültige Anstoß für Augustinus, seinen weltlichen Lebenswandel aufzugeben und sich zum Christentum zu bekennen.

Nach der Schilderung der Bekehrung ändert das Buch sein Gesicht. An die Stelle einer biografisch orientierten Erörterung tritt eine subtile rationale Argumentation. Augustinus setzt sich nun, zum Teil Wort für Wort, mit der Schöpfungsgeschichte des Alten Testaments auseinander. Vor allem in diesem letzten Teil erhält der Dialog zwischen Augustinus und Gott einen ausgesprochen philosophischen und intellektuellen Charakter. Es ist allerdings ein einseitiger Dialog, bei dem der eine Gesprächspartner, Augustinus, bohrende Fragen stellt und der andere, Gott, nie direkt antwortet, sondern quasi überlegen lächelnd mit dem Finger auf die heiligen Schriften und die Schöpfung weist.

Es gehört zu den Eigentümlichkeiten des Buches, dass es Intellektualität und Bildung gegenüber dem Glauben an und dem Vertrauen in Gott herabsetzt, gleichzeitig aber diese Intellektualität und Bildung in der Argumentation demonstriert. Stolz, Wollust und Wissbegierde: Dies sind für Augustinus die drei großen Feinde des Glaubens. Sie sind aber auch genau die Leidenschaften, die sein eigenes Leben beherrscht haben. Wissbegierde und bohrendes Fragen prägen die *Bekenntnisse* vom ersten Kapitel an, das mit einer Anrufung Gottes beginnt. Doch schon wenig später wird auch dieser Akt des Anrufens selbst in Frage gestellt: »Aber wie soll ich meinen Gott anrufen, meinen Gott und Herrn, da ich ihn doch herein zu mir rufen muss, wenn ich zu ihm rufe? Wo ist der Raum in mir, wohin zu mir käme mein Gott?«

Das gesamte Buch hindurch ist sich Augustinus bewusst, dass er es mit einem rational nicht erkennbaren Gott zu tun hat. Gott ist für ihn das »ganz Andere«, vor dem die menschliche Vernunft Demut üben muss. Dennoch hört er nicht auf, von diesem Gott rationale Antworten zu verlangen. Die Probleme eines persönlichen Gottes, der Schöpfung in oder außerhalb der Zeit, die Erschaffung des leiblichen Menschen als Ebenbild Gottes – all dies sind Zumutungen für den Intellektuellen Augustinus, auch nach seiner Bekehrung. »Ich glaube deinen heiligen Büchern«, so ruft er im zwölften Kapitel aus, »aber ihre Worte sind sehr geheimnisvoll.« Obwohl sich Augustinus in zahlreichen »Bekenntnissen« der Weisheit Gottes beugt, hat der Leser das Gefühl, dass er nie aufhören wird, seinen Glauben dem Prüfstand rationaler Fragen auszusetzen.

Genau dieses kritische, bohrende Fragen, dieses Sich-nicht-zufrieden-Geben hat aber immer auch den philosophischen Reiz der *Bekenntnisse* ausgemacht. Besonders einflussreich war in dieser Hinsicht stets das elfte Kapitel des Buches, in dem Augustinus sich mit dem Wesen der Zeit beschäftigt. Er tut dies in Form einer Introspektion, das heißt einer Analyse der Vorgänge, die in unserem Inneren ablaufen, wenn wir Zeit erfahren. Am Ende des 19. Jahrhunderts und zu Beginn des 20. Jahrhunderts haben Philosophen wie Henri Bergson, Edmund Husserl und Martin Heidegger die Zeit als wesentliches Merkmal der menschlichen Existenz herausgearbeitet und ihre subjektiven und psychologischen Komponenten untersucht. Dabei beriefen sie sich ausdrücklich auf das elfte Kapitel der *Bekenntnisse.*

Ob Augustinus die Zeit wirklich als etwas »Subjektives« begriffen hat, ist sehr umstritten. Sein Ausgangspunkt ist zunächst theologisch, nämlich die Frage, ob es eine Zeit vor Erschaffung der Welt gegeben habe und in welchem Verhältnis Zeit und Ewigkeit zueinander stehen. Die Zeit ist für Augustinus Ergebnis der Schöpfung. Gott selbst ist ihr nicht unterworfen. Sie ist aber auch kein Gegenstand oder Zustand, auf den wir verweisen können: Die Vergangenheit war einmal, aber sie ist nicht mehr; die Zukunft ist noch nicht, und auch die Gegenwart entgleitet unserer äußeren Wahrnehmung: Sie ist, streng genommen, nicht dieser Tag oder diese Stunde oder Minute, sondern ein Augenblick, den wir nicht fassen können. Dass wir Zeit überhaupt erfahren können, hängt mit der Erinnerung zusammen, einer inneren Fähigkeit, die es uns erlaubt, Zustände und Zeiträume festzuhalten und zu messen. Augustinus behauptet nicht, dass die Zeit selbst etwas Subjektives ist, sondern dass sie in einer ganz anderen Art erfahren wird als »normale« Dinge der Welt.

Die *Bekenntnisse* wurden das bekannteste Werk des Augustinus und zugleich eines der meist gelesenen Bücher der Philosophiegeschichte. Es ist ein einzigartiges Buch: Autobiografie, Bekenntnisbuch, theologischer Traktat und philosophische Analyse zugleich. Es war höchst ungewöhnlich, dass im Mittelpunkt eines philosophischen Buchs nicht der Mensch im Allgemeinen und die ewigen Gesetze der Vernunft, sondern ein einzelner Mensch mit einer ganz besonderen Lebensgeschichte steht, der sich an einen persönlichen Gott wendet, eine Gottesvorstellung, die den antiken Philosophen noch fremd war. Augustinus wertet damit die Subjektivität, die individuelle Persönlichkeit des Menschen auf.

Die mystischen und nichtrationalen Seiten seines Gottesbegriffs haben die Philosophie des gesamten frühen Mittelalters bestimmt. Seine Gnadenlehre, aber auch seine Art, mit Gott in ein persönliches

Gespräch zu treten, haben wiederum auf Martin Luther und auf die protestantische Theologie gewirkt. Vor allem aber demonstrieren die *Bekenntnisse* eine sehr persönliche, »existenzielle« Art, Philosophie zu treiben. Philosophische Fragen werden als unmittelbare Lebensfragen begriffen und die Erfahrungen der eigenen Person zum Ausgangspunkt genommen. Dies haben im 17. Jahrhundert die französischen Philosophen Michel de Montaigne, René Descartes und Blaise Pascal ebenso aufgenommen wie im 19. Jahrhundert Sören Kierkegaard und die von ihm beeinflusste, im 20. Jahrhundert entstandene Existenzphilosophie.

Ganz am Anfang der *Bekenntnisse* formuliert Augustinus den an Gott gerichteten, berühmten Satz: »Unruhig ist unser Herz, bis es ruhet in dir.« Die Art des Augustinus, dem Glauben mit unablässigem Fragen zu begegnen, hat die intellektuelle Unruhe in die Philosophie getragen und sie damit bis heute befruchtet. Die *Bekennntisse* zeigen wie kein anderes Buch ihren Autor als einen der großen Unruhestifter der europäischen Geistesgeschichte.

Ausgaben:

AURELIUS AUGUSTINUS: Bekenntnisse. Mit einer Einleitung von K. Flasch. Übersetzt und mit Anmerkungen versehen und herausgegeben von K. Flasch und B. Mojsich. Suttgart: Reclam 1989.
AURELIUS AUGUSTINUS: Bekenntnisse. Übersetzt von W. Thimme. München: dtv 1982.

Handbuch des Machtkalküls

Niccolò Machiavelli: Der Fürst (1532)

Moralische Urteile über Menschen oder Gruppen von Menschen sind so alt wie das menschliche Zusammenleben selbst. Ein moralisch ganz besonders verabscheuungswürdiges Exemplar nennen wir einen »Schurken«, und selbst für bestimmte Staaten, denen man finsterste Absichten unterstellt, hat sich der Name »Schurkenstaat« eingebürgert. Doch gibt es auch »Schurkenbücher«? Vielleicht fallen uns dazu Schriften verbrecherischer Diktatoren wie Hitler oder Stalin ein. Die wenigsten jedoch werden dabei an philosophische Bücher oder gar an einen philosophischen Klassiker denken. Und doch hat eines der wichtigsten Bücher der politischen Philosophie, Niccolò Machiavellis *Der Fürst*, seit mehreren hundert Jahren genau diesen Ruf.

Hier finden wir angeblich das Rezept des »Machiavellismus«, jener verruchten Haltung, die alle Schändlichkeiten rechtfertigt, wenn sie nur im Dienst der eigenen Macht geschehen. Als der preußische König Friedrich II., selbst ein nicht gerade zimperlicher Machtpolitiker, sich wieder einmal in philosophischer Stimmung befand, schrieb er seinen »Anti-Machiavell« und machte bereits durch diesen Titel auf den scheinbar humanen und aufgeklärten Charakter seiner eigenen Herrschaftsvorstellungen aufmerksam.

Der Begriff »Machiavellismus« ist bis heute ein Schimpfwort geblieben. Eine Anekdote erzählt, Machiavelli habe auf seinem Sterbebett auf das Drängen, den Teufel und alle seine Werke zu verfluchen, geantwortet: »Dies ist nicht der Zeitpunkt, sich Feinde zu machen.« War Machiavelli also wirklich »des Teufels Philosoph«?

Machiavelli war ein Kind der Renaissance, eines Zeitalters, in dem so viele neue Perspektiven auf allen Gebieten der Kultur eröffnet wurden. Betrachtet man *Il Principe*, wie das Buch im Original heißt, im Zusammenhang der Philosophiegeschichte, so fällt einem, unabhängig von der moralischen Wertung, vor allem das Neue und Bahnbrechende auf. Viele Bücher mit diesem Titel hatte es vorher gegeben, doch keines ließ sich mit dem Werk Machiavellis vergleichen. Hier wurde das politische Geschäft zum ersten Mal »nackt« betrachtet: ohne metaphysische, moralische oder theologische Beigaben.

Mit Machiavelli beginnt die politische Philosophie der Neuzeit, die den Staat als eine vom Menschen selbst geschaffene Organisationsform begreift und versucht, das politische Geschäft auch ohne die moralische Brille zu betrachten. Machiavelli ist dabei nicht so sehr unmoralisch als vielmehr amoralisch – er will nicht bewusst die Moral in Frage stellen, sondern er lässt sie in seiner politischen Philosophie einfach draußen vor der Tür.

Der Fürst hat ein ebenso einfaches wie wichtiges Thema: Wie kann Politik zu einem effektiven Handwerk gemacht werden? Wie muss ein Herrscher handeln, wenn er erfolgreich und auf Dauer seine Macht behaupten will? Das Revolutionäre an Machiavellis Buch ist, dass es das Thema Politik von einem neuen Blickwinkel aus, dem Blickwinkel der Effizienz, diskutiert. Es ist das erste Handbuch des rationalen Machtkalküls in der Geschichte der politischen Philosophie. Machiavelli ist der Erfinder der politischen Klugheitslehre.

Diese Klugheitslehre stützt sich auf die Erfahrung. Machiavelli ist der erste wichtige politische Philosoph der Neuzeit, der seine Theorie auf konkreten Erlebnissen und Beobachtungen aufbaut. Dies verbindet ihn mit bedeutenden Forschern seiner Zeit, die parallel die empirischen Naturwissenschaften begründeten, wie zum Beispiel der Astronom Nikolaus Kopernikus, der nur vier Jahre jünger als Machiavelli war. Nicht mehr die abstrakte Vernunft galt ihm als Autorität, sondern das, was er selbst beobachtet hatte, oder das, was glaubhaft bezeugt war. Machiavellis Buch ist deshalb voller Beispielmaterial, das er als Beleg für seine Thesen anführt und das er im Wesentlichen aus zwei Quellen schöpft: aus den politischen Ereignissen seiner Zeit und aus Begebenheiten, die von Historikern überliefert waren.

Was man Machiavelli auch vorwerfen mag – ein philosophischer Schreibtischtäter war er nicht. Wie kaum ein anderer Philosoph vor oder nach ihm hat er ein Praktikum im wirklichen Leben absolviert: Machiavelli war selbst über viele Jahre Politiker und Diplomat. Eher könnte man umgekehrt sagen: Machiavelli wurde zu einem Philosophen aus Verlegenheit – sein Buch entstand, als ihm eine politische Zwangspause verordnet wurde.

In der Rückschau muss man feststellen, dass Machiavellis Leben bis zu dem Zeitpunkt, als er den *Fürst* schrieb, als eine geradezu ideale Vorbereitung auf sein philosophisches Werk angesehen werden kann. 1469 geboren, wuchs er in einer Stadt auf, die in der Kunst und Politik der italienischen Renaissance eine entscheidende Rolle spielte: Florenz. Die Republik Florenz war, wie viele andere Staaten in Italien, ein Stadtstaat, der mit seiner Umgebung ein Territorium von etwa zweitausend Quadratkilometern umfasste. Florenz war die Stadt großer Renaissancekünstler und eine Wiege der humanistischen Gelehrsamkeit, in der die Bildungsinhalte der griechischen und römischen Antike wieder zugänglich gemacht wurden. Diese Bedeutung der Stadt war eng verknüpft mit dem Aufstieg der Medici, ursprünglich eine Kaufmanns- und Unternehmerfamilie, die ihren Reichtum zur Förderung der Künste, aber auch zum Erwerb politischer Macht benutzte. Hinter der Fassade einer republikanischen Verfassung hatte sich praktisch eine neue Familienoligarchie etabliert.

Auch Machiavellis eigenes Schicksal blieb auf vielfache Weise an die Medici gebunden. Er wuchs zunächst unter der Herrschaft des Medici Lorenzo des Prächtigen auf, wurde aber bereits in jungen Jahren Zeuge radikaler politischer Veränderungen in seiner Heimatstadt. 1492 starb Lorenzo, zwei Jahre danach wurden die Medici von der Macht verdrängt. Es begann die Zeit, in der der Dominikanermönch Girolamo Savonarola großen Einfluss auf die Politik der Stadt gewann. Savonarola war ein puritanisch gesinnter politischer Fundamentalist. Er trat für eine demokratische, aber streng religiös und moralisch orientierte Ordnung ein, in der es keinen Platz für Lustbarkeiten und sinnliche Genüsse gab. Unter Savonarola fanden Bilder- und Bücherverbrennungen statt. Doch 1498 wurde er selbst als Häretiker hingerichtet. Es war das Jahr, in dem sich eine neue republikanische Führung in Florenz festigte, aber auch das Jahr, in dem Niccolò Machiavelli in die Politik eintrat.

Sein Vater Bernardo Machiavelli war Rechtsanwalt und gehörte damit dem Mittelstand und nicht einer der großen Familien der Stadt an. Dennoch hatte er enge Kontakte zu den humanistischen Gelehrten der Universität, die auch häufig hohe politische Ämter ausübten. Er sorgte dafür, dass sein Sohn eine exzellente humanistische Ausbildung erhielt, in deren Mittelpunkt die lateinische Sprache und die Kenntnis der antiken Philosophie, Literatur und Geschichte standen. Die vielfältigen Beziehungen des Vaters verschafften Machiavelli nach Abschluss der Ausbildung auch den Posten des Vorstehers der Zweiten Staatskanzlei der Republik Florenz. Bereits kurze Zeit später wurde er ausersehen, dem Komitee für diplomatische und auswärtige Beziehungen zur Verfügung zu stehen. In der Praxis bedeutete dies: Machiavelli übte die Funktion des Chefdiplomaten der Republik Florenz aus, deren Interessen er bis 1512 in zahlreichen Missionen vertrat. Diese Tätigkeit lieferte auch das Anschauungsmaterial, auf das sich sein Buch stützt.

Um die äußerst komplizierten Aufgaben, vor welchen der Diplomat Machiavelli stand, richtig einschätzen zu können, muss man sich die politische Lage der Republik Florenz und Italiens zu Beginn des 16. Jahrhunderts vor Augen halten. Italien war in zahlreiche, untereinander zerstrittene Einzelstaaten zersplittert, die wechselseitig Bündnisse gegeneinander eingingen. Zu den bedeutendsten italienischen Staaten gehörten neben Florenz Venedig, Mailand, der Kirchenstaat des Papstes in Rom und Neapel. Sie wurden immer wieder zu Spielbällen der ambitionierten Großmächte Frankreich, Spanien und Habsburg, die allein von 1494 bis 1525 drei größere Kriege auf italienischem Boden führten. Die Armeen bestanden häufig aus Söldnern, deren Interessen nicht immer und nicht auf Dauer mit denen ihrer Auftraggeber übereinstimmten und die deshalb auch häufig die Fronten wechselten. Machiavellis Italien war das Brett im Schachspiel der großen Mächte. Es war Opfer und nicht Akteur der europäischen Politik.

Florenz galt als ein traditioneller Verbündeter Frankreichs und Machiavelli reiste mehrmals in diplomatischer Mission an den Hof in Paris. Eines der prägendsten und für sein Buch einflussreichsten Ereignisse seiner diplomatischen Laufbahn war allerdings die Mission, die ihn zu Cesare Borgia, dem Sohn des Papstes Alexander VI. und ehrgeizigen Herrscher über die Romagna, führte. Cesare Borgia schickte sich an, Italien von der Mitte aus zu erobern. Dabei war auch Florenz bedroht. Machiavelli verbrachte 1502 vier Monate in unmittelbarer Nähe Cesare Borgias, den er als militärischen Gegner fürchtete, als politischen Strategen aber bewunderte. So erlebte er auch, wie Borgia, einem falschen Versprechen Glauben schenkend, die Wahl seines Widersachers Julius II. zum Papst unterstützte und damit seinen eigenen Untergang einleitete.

Der neue Papst war es auch, der ein Bündnis mehrerer italienischer Staaten mit Spanien schmiedete, das sich vor allem gegen Frankreich richtete. Florenz beteiligte sich aus Loyalität zu Frankreich nicht daran und wurde deshalb 1512 von spanischen Truppen besetzt. Dies bedeutete das Ende der alten florentinischen Republik. Mit den Spaniern kehrten auch die Medici zurück. Hatte deren Sturz zwanzig Jahre zuvor die diplomatische Karriere Machiavellis befördert, so bedeutete ihre Wiedereinsetzung als Herrscher von Florenz für Machiavelli den entscheidenden Karriereknick.

Er wurde seines Amtes enthoben und wenig später sogar der Verschwörung angeklagt, gefangen genommen und auf der Streckbank gefoltert. Erst als ein Mitglied der Medici-Familie zum Papst gewählt und deshalb in Florenz eine Amnestie erlassen wurde, kam er wieder in Freiheit. Man verbannte ihn jedoch auf sein kleines Landgut Sant' Andrea in der Umgebung der Stadt. Jede politische Aktivität wurde ihm untersagt.

In dieser Verbannung wurde der politische Philosoph Machiavelli geboren. Er fand nun Zeit zur Lektüre und zum Ausarbeiten seiner zahlreichen Notizen, die er sich während seiner diplomatischen Tätigkeit gemacht hatte. *Der Fürst*, sein Hauptwerk, war nicht nur die wichtigste Frucht dieser Arbeit. Es sollte ihm auch – so die Hoffnung Machiavellis – den Weg zurück auf die politische Bühne ebnen. Die

Schrift wurde in der zweiten Hälfte des Jahres 1513 entworfen und bereits zu Weihnachten desselben Jahres fertig gestellt. Machiavelli widmete sie ironischerweise dem Mann, der ihn entmachtet hatte, der aber gleichzeitig der Einzige war, der seine Verbannung beenden konnte: Lorenzo, der neue Herrscher von Florenz, ein Enkel Lorenzos des Prächtigen.

Machiavelli wollte nicht nur zeigen, wie man die strategischen Fehler der Vergangenheit vermeiden kann. Es ging ihm um ein Ziel, das weit über die Lokalpolitik seiner Heimatstadt hinausreichte: die politische Einigung und die Befreiung Italiens von der Fremdherrschaft. Das letzte Kapitel seines Buches trägt den Titel: »Aufruf, Italien von den Barbaren zu befreien«. Gemeint sind die Deutschen, Franzosen, Schweizer und Spanier. Machiavelli wollte dazu beitragen, dass dem zerrissenen Land »nach so langer Zeit ein Retter erscheine«. *Der Fürst* ist die Beschreibung eines solchen Retters und der Eigenschaften, die er besitzen muss. Machiavelli wollte sich mit dem Buch als Politikberater und als theoretischer Wegbereiter der nationalen Erneuerung empfehlen.

Dass eine Schrift mit dem Titel *Der Fürst* zunächst keine besondere Aufmerksamkeit erfuhr, hing damit zusammen, dass sehr viele Bücher mit diesem Titel in Umlauf waren. Es gab seit dem Mittelalter eine eigene Tradition dieser Schriften, eine Gattung, die man »Fürstenspiegel« nannte. Mit den Fürstenspiegeln sollte den politisch Mächtigen das Idealbild eines perfekten Herrschers wie in einem Spiegel vorgehalten werden. Sie waren in der Regel, wie Machiavellis Buch auch, einem bestimmten regierenden Fürsten gewidmet.

So hatte der bekannteste mittelalterliche Philosoph, Thomas von Aquin, sein Werk *Über die Herrschaft des Fürsten* an den König von Zypern adressiert. Der berühmte Humanist Erasmus von Rotterdam veröffentlichte 1516, drei Jahre, nachdem Machiavellis Buch geschrieben worden war, seine *Fürstenerziehung*, die er an Karl von Burgund richtete. Die Fürstenspiegel legten an die Politik die Messlatte der Moral an: Nur derjenige ist danach ein guter Herrscher, der sein Handeln an moralischen Grundsätzen ausrichtet und elementare Rechte seiner Untertanen achtet. Weisheit und Güte sind zum

Beispiel zwei der Eigenschaften, die Erasmus von seinem idealen Fürsten fordert.

Machiavelli greift die Tradition des Fürstenspiegels auf, doch er benutzt ihn nur wie eine Hülle, in die er ganz andere Inhalte steckt. Die Werte der Moral sind nach Machiavelli ungeeignet, um den Fürsten in seinem politischen Handeln zu lenken. Der Fürst lebt nicht in einer Welt von Engeln, sondern in einer Welt der Macht, der Intrigen und Missgunst. »Daher muss ein Fürst«, schreibt er, »der sich behaupten will, auch imstande sein, nicht gut zu handeln und das Gute zu tun und zu lassen, wie es die Umstände erfordern.«

Machiavelli führt in die Gattung des Fürstenspiegels völlig neue Bewertungsmaßstäbe ein: Entsprechend radikal verändert sich das Bild des idealen Herrschers, der nun nichts mehr mit dem moralisch vollkommenen Fürsten zu tun hat. Machiavelli lenkt seinen Blick vielmehr, im wörtlichen Sinn, auf den »Boden der Tatsachen«: »Ich lasse also die Fantasien über den Fürsten beiseite und rede von dem Tatsächlichen«, so umschreibt er sein Programm.

Die konkrete Erfahrung, wie sich Herrscher und Beherrschte in ihrer Beziehung zueinander verhalten, führte Machiavelli zunächst zu einem veränderten Menschenbild. Die klassische politische Philosophie, wie sie in der Antike vor allem von Platon oder Aristoteles entwickelt worden war, sah den Menschen als ein Vernunftwesen, bei dem die Vernunft die natürliche Herrschaft über die Leidenschaften und Triebe innehat. In einer politischen Ordnung, die genau nach diesem Modell der Vernunftherrschaft aufgebaut ist, findet der Mensch seine natürliche Selbstverwirklichung. So gelangte zum Beispiel Platon zu seiner Idee der Philosophenkönige.

Machiavellis Mensch dagegen wird vor allem von Leidenschaften beherrscht. Ein Herrscher, der immer vernünftig handelt oder bei seinen Untertanen vernünftige Reaktionen voraussetzt, muss scheitern. Der Herrscher, der wie bei Erasmus Güte und Weisheit zeigt, wird von seinem Volk als schwach verachtet und von seinen Rivalen hintergangen werden. Der Herrscher hingegen, der nach Machiavellis Theorie erfolgreich sein will, soll sich nicht vornehmlich an die Vernunft, sondern an die Leidenschaften der Menschen wenden. Er muss auf der Klaviatur der Stimmungen spielen können. Machiavelli hat also bereits jene Form der politischen Strategie im Auge, die man heute als »Populismus« bezeichnet.

Aber auch in anderer Beziehung ist Machiavellis Fürst eine eher moderne Figur. Er ist kein mittelalterlicher Feudalherr mehr. Die Bezeichnung »Herrscher« oder »Machthaber« ist sehr viel treffender, weil Machiavelli Herrschaft nicht mehr auf Geburt oder Erbfolge gründete. Die politischen Verhältnisse im Italien der Renaissance lieferten Anschauungsmaterial genug, um zu begreifen, dass der Anspruch auf Herrschaft sich nur noch in wenigen Fällen auf dynastische Rechte berief. Viel häufiger waren inzwischen Machtergreifungen durch Umsturz, Eroberung oder geschickte Diplomatie. Sie konnten mit Hilfe eigener oder fremder Waffen, durch eigenes Verdienst oder durch ein glückliches Schicksal erfolgen.

Machiavelli interessiert sich charakteristischerweise am meisten für den Fall, der das größte Risiko in sich trägt und der von dem neuen Herrscher das meiste Geschick erfordert: den Machterwerb mit Hilfe fremder Waffen und des Schicksals, der »Fortuna«. An diesem Modell kann er am ehesten demonstrieren, wie ein kluger Umgang mit Macht aussieht. Hier zeigt sich das wahre politische Genie. Machiavellis Fürst ist kein Herrscher »von Gottes Gnaden«, sondern ein politischer Selfmademan, ein Mechaniker der Macht.

Das lebende Vorbild dafür war Cesare Borgia, dessen Verhalten Machiavelli aus der Nähe studiert hatte. Borgia hatte sein Herzogtum durch eine Schenkung seines Vaters erhalten. Er vergrößerte seine Macht zielstrebig, schuf sich eigene Streitkräfte und erwarb sich den Respekt seiner Untertanen. Er nutzte die Gunst Fortunas durch eigene Tatkraft. Aber es war andererseits der blinde Glaube an Fortuna, der ihn wieder zu Fall brachte, als er einen ehemaligen Feind zu mächtig werden ließ. Cesare Borgia ist für Machiavelli in vielem ein idealer Herrscher – jedoch um vollkommen zu sein, fehlt ihm die Fähigkeit, Fortuna nicht nur zu folgen, sondern sie auch zu steuern.

»Fortuna« ist einer der beiden Schlüsselbegriffe in Machiavellis politischer Philosophie. Der zweite ist »Virtu«, der traditionell mit

»Tugend« übersetzt wurde. Der ideale Herrscher zeichnet sich dadurch aus, dass er die Virtu entwickelt, mit der er Fortuna beherrschen kann. Dies stand noch ganz im Einklang mit der Tradition, vor allem mit der politischen Philosophie der Antike. Machiavelli übernimmt das humanistische Verständnis von Fortuna, das sich an die Antike anlehnte: Fortuna ist keine blinde Macht mehr wie im Mittelalter. Sie ist zwar oft undurchschaubar, doch sie beeinflusst unser Leben nur zur Hälfte. Die andere Hälfte liegt in unserer eigenen Verantwortung.

Es ist die Virtu, die uns dazu befähigt, einen Teil unseres Schicksals in die eigene Hand zu nehmen. Im Gegensatz zu Fortuna wird der Begriff der Virtu bei Machiavelli jedoch völlig neu bestimmt. Hier stellt er sich in einen Gegensatz zur Tradition, die vor allem durch den römischen Politiker und Philosophen Cicero repräsentiert wird, dessen Begriffe und Aussagen er immer wieder aufnimmt, um sie dann radikal in seinem Sinne zu verändern.

Virtu hat nun nichts mehr mit Tugendhaftigkeit zu tun. Sie ist bei Machiavelli vielmehr die Fähigkeit der strategischen Flexibilität im Umgang mit der Fortuna. Um das Verhältnis zwischen Virtu und Fortuna zu erklären, bedient sich Machiavelli des Bildes einer erotischen Beziehung: Fortuna ist eine Frau, unberechenbar, wechselhaft, launisch. Virtu, abgeleitet von dem lateinischen Wort »vir« = »Mann«, bezeichnet männliche Entschlossenheit und Kühnheit im Ergreifen des günstigen Augenblicks. Der ideale Herrscher ist also der Eroberer der Fortuna mit Hilfe der Virtu. Er beherrscht die Kunst, die Situation realistisch einzuschätzen und in seinem Sinne zu nutzen. Das deutsche Sprichwort vom »Glück des Tüchtigen« drückt sehr gut diese von Machiavelli beschriebene Beziehung zwischen Virtu und Fortuna aus: Virtu als politische Klugheit besteht weder in pessimistischer Schicksalsergebenheit noch in blauäugigem Optimismus, sondern in der Kunst, die »Gunst der Stunde« zu nutzen.

Dazu gehört auch die Möglichkeit, mit Gewalt oder List zu handeln. Cicero hatte behauptet, Gewalt sei eine Eigenschaft des Löwen, Betrug und List wiederum seien Eigenschaften des Fuchses. Wenn der Mensch sich dieser Mittel bediene, begebe er sich also auf das Niveau von Tieren herab. Machiavelli übernimmt das Bild vom Löwen und vom Fuchs, und er übernimmt auch die Meinung, dass Gewalt und List als Mittel eher den Tieren als dem Menschen eigentümlich sind. Aber sein Argument ist auch hier erfahrungsgeleitet und illusionslos: Da die menschlichen Mittel im politischen Alltag häufig nicht ausreichen, muss man zu den tierischen greifen. Der Herrscher muss imstande sein, sowohl als Löwe als auch als Fuchs zu handeln. Der Mensch ist nicht so, wie die antiken Philosophen sich ihn vorgestellt haben: Er ist vielmehr moralisch höchst unzuverlässig, und man muss jeden Augenblick vor ihm auf der Hut sein. Er ist aggressiv wie ein Wolf und spricht mit gespaltener Zunge wie eine Schlange: »Man muss also Fuchs sein«, so Machiavelli, »um die Schlangen zu kennen, und Löwe, um die Wölfe zu schrecken.« Gewalt und List sind für Machiavelli deshalb legitime Werkzeuge der Virtu.

Machiavelli empfiehlt damit auch das, was man heute als »Charaktermaske« bezeichnet. Der Herrscher muss sich je nach Situation dem Volk in einer bestimmten Weise präsentieren, er muss die Kunst der politischen Inszenierung beherrschen. Wenn Unruhen zu befürchten sind, tritt er als der Entschlossene auf, wenn der öffentliche Friede es erfordert, spielt er den wohltätigen und milden Herrscher. Auch die Masken von Mensch und Tier müssen ihm wahlweise zu Gebot stehen. Machiavelli ist der Erste, der lange vor der Entstehung der modernen Medienwelt erkannt hat, dass Politik sich nicht in Gesetzgebung und Verwaltung erschöpft, sondern auch in der richtigen Vermittlung von Maßnahmen, in der Kommunikation zwischen Herrscher und Volk besteht.

Machiavellis Herrscher ist kein gewaltbesessener Diktator, sondern ein politischer Schachspieler, der jeden seiner Züge kalkuliert hat. Ziel seines Handelns ist die Stabilisierung von Herrschaft. Die wichtigste Regel für den Herrscher in seiner Beziehung zum Volk ist daher die, dass er gefürchtet werden muss, ohne gehasst zu werden. Hass entsteht durch Tyrannei, Verachtung durch Schwäche. Beides gefährdet die Herrschaft. Eine Schwäche ist es nach Machiavelli auch, wenn der Herrscher das Ziel verfolgt, vom Volk geliebt zu werden. Genau dieses Ziel hatte Cicero noch für den Herrscher vorgegeben. Machiavelli aber will, dass zwischen Herrscher und Volk ein Abstand gewahrt wird, der nur dann erhalten werden kann, wenn sich der Fürst mit der Aura des Majestätischen, der Machtfülle umgibt. Machiavelli denkt dabei nicht an eine »natürliche«, durch Geburt und Stand verliehene Ausstrahlung, sondern an eine bewusste Inszenierung, die durch wirkungsvolle, gut kalkulierte Handlungen hervorgerufen wird.

Auch hier diente ihm wieder Cesare Borgia als Beispiel. Als dessen Herrschaft in der Romagna dadurch in Gefahr geriet, dass einer seiner Heerführer durch seine Grausamkeit Hass in der Bevölkerung erzeugte, ließ er diesen vor den Augen der Bürger hinrichten – mit einem doppelten Effekt: Er besänftigte den Hass und erzeugte gleichzeitig die Furcht und den Respekt, der seiner eigenen Herrschaftssicherung diente.

Dem Ziel, diesen Respekt zu erhalten, müssen sich alle politischen Maßnahmen unterordnen. Deshalb lehnt Machiavelli auch die von antiken Philosophen empfohlene Milde und Freigebigkeit des Herrschers ab. Wer zu nachgiebig ist, sieht sich zu einer umso grausameren Bestrafung veranlasst, wenn es zu spät ist. Besser ist es, mit gut dosierten, gezielt eingesetzten Grausamkeiten vorzugehen.

Auch ein Fürst, der voreilig seine Ressourcen verschwendet, gefährdet seine Macht. Geiz im Sinne eines äußerst sparsamen Umgangs mit finanziellen Mitteln ist im Gegenteil die Voraussetzung dafür, dass sich der Fürst politische Handlungsfreiheit bewahren kann. Großzügig umgehen sollte man nach Machiavelli lediglich mit den Mitteln anderer, etwa mit denen, die man auf Feldzügen erbeutet hat. Sie können bewusst dazu eingesetzt werden, beim Volk gute Stimmung zu erzeugen.

Die Herrschaft des Fürsten beruht nach Machiavelli auf zwei Säulen: gute Gesetze und Waffen. Dabei spielen im *Fürst* die Waffen die weitaus größere Rolle. Ohne den Schutz einer Armee, so Machiavelli, können sich die besten Gesetze nicht halten. Aus der negativen Erfahrung mit Söldnerheeren zieht er die Konsequenz und tritt für eine Armee ein, die aus den Bewohnern eines Territoriums selbst gebildet wird. Auch dies hatte Cesare Borgia bereits vorgemacht. Im

Gegensatz zu Söldnerheeren ist eine solche Armee nach Machiavelli besser motiviert, von materiellen Anreizen unabhängiger und in ihrer Loyalität verlässlicher. Lange vor der Einführung einer allgemeinen Wehrpflicht im 19. Jahrhundert wird Machiavelli damit zu einem frühen Verfechter der Idee eines Volksheeres.

Ruhm und Ehre sind für Machiavelli letztlich der Lohn eines erfolgreichen Herrschers. Er denkt an einen zweiten Cesare Borgia, der keine Fehler macht und seine politischen Fähigkeiten in den Dienst der ganzen italienischen Nation stellt. Dieser könnte sich damit schmücken, der Befreier und Einiger Italiens zu sein. Machiavelli sah Italien an einem entscheidenden Punkt seiner Geschichte stehen und er hoffte, mit seinem Buch ein Fanal zu zünden, das ihn selbst wieder ins Rampenlicht setzen und den neuen florentinischen Herrscher zur politischen Tat veranlassen könnte.

Doch die mit dem Buch verbundene Hoffnung Machiavellis wurde enttäuscht. Es wurde eher unterkühlt aufgenommen. Der Medici-Fürst Lorenzo sah keinen Anlass, im Sinne Machiavellis aktiv zu werden oder diesen gar auf die politische Bühne zurückzuholen. Auch die politische Einigung Italiens wurde erst mehr als vierhundert Jahre später verwirklicht.

Als Diplomat und Politiker scheiterte Machiavelli. So richtete er sich in den folgenden Jahren, dem Zwang gehorchend, als Autor ein und schrieb philosophische, historische und literarische Bücher, von denen die *Discorsi*, in denen er seine politische Philosophie weiterentwickelte, das bekannteste ist.

Doch Machiavellis philosophiegeschichtliche Karriere als politischer Denker war umso eindrucksvoller. *Der Fürst* wurde nicht nur das umstrittenste, sondern ist bis heute auch eines der meistdiskutierten Bücher der politischen Philosophie, obwohl seine anfängliche Aufnahme eher bescheiden war. Es zirkulierte zunächst unveröffentlicht in florentinischen Kreisen und wurde erst 1532, nach dem Tode des Autors, auf Geheiß des Papstes gedruckt. Aber schon 1559 setzte die Kirche die Schrift auf den Index. Es war nicht die von Machiavelli empfohlene Skrupellosigkeit im Umgang mit der Macht, die dieses

Verbot auslöste. Es war vielmehr die gänzliche Trennung von Politik und Theologie, die für die Kirche inakzeptabel war. Machiavellis politische Welt ist eine Welt ohne Gott. Weder braucht der Herrscher Gott als Legitimation, noch macht sich Machiavelli irgendwelche Gedanken über göttlichen Lohn oder Strafe. Als erster neuzeitlicher Denker hatte er eine politische Philosophie begründet, die auf das Fundament der Religion verzichten konnte. Er hatte den Staat und seine Interessen absolut gesetzt.

Dass Machiavelli auch ein »Machiavellist« war, der alle moralischen Skrupel im Umgang mit der Macht den Interessen des Staates unterordnete, ist unbezweifelbar. Doch die Erkenntnis, dass es eigenständige Interessen des Staates, ein »Staatswohl« also, gibt, bleibt eines der Verdienste seines Buchs. Es war Machiavelli, der den Bereich der Politik als unabhängigen Bereich des Handelns erst für die Philosophie entdeckt hat. Jeder, der heute von »Staatsräson«, von »politischen Kampagnen« oder von »politischem Handlungsbedarf« spricht, steht in den Stiefeln Machiavellis. Und nie geklärt werden wird, wie viele Politiker diesen Klassiker der Philosophiegeschichte auf ihrem Nachttisch liegen haben.

Ausgaben:

Niccolò Machiavelli: Der Fürst. Herausgegeben und übersetzt von R. Zorn. Stuttgart: Kröner 1978.

Niccolò Machiavelli: Il Principe/Der Fürst. Zweisprachige Ausgabe. Stuttgart: Reclam 1986.

Aus den Papieren eines Weltweisen

Michel de Montaigne: Essais (1580–1588)

In allen Bereichen des Lebens gibt es Puristen, also Menschen, die bestimmte Dinge nur in absolut reiner Form genießen können. Die Whiskypuristen verabscheuen es, ihr Lieblingsgetränk mit irgendetwas zu mixen, und bestimmte Liebhaber klassischer Musik müssen sich dazu zwingen, ein Jazz- oder gar Rockkonzert anzuhören. So gibt es auch Philosophiepuristen, die nur das als Philosophie anerkennen, was in schwerer theoretischer Rüstung daherkommt: logisch streng argumentierende, möglichst in Paragrafen gegliederte Traktate, die bereits im Titel plakativ verkünden, dass es ihnen um die letzten Dinge und um sonst gar nichts geht.

Für die Philosophiepuristen waren die *Essais* des französischen Renaissancephilosophen Michel de Montaigne immer schon ein Ärgernis. Ein Kraut-und-Rüben-Philosoph, der über die Auswahl seiner Themen allen Ernstes behauptet: »Kein Gegenstand ist so geringfügig, dass er nicht mit Fug und Recht in diese bunte Folge aufgenommen würde.« Ein Zitat aus einem Essay, der den nicht gerade philosophischen Titel »Förmlichkeiten bei der Begegnung von Königen« trägt. Überhaupt die Titel. Nehmen wir einen der berühmtesten dieser Essays, das so genannte »Hexenfragment«, dem Montaigne die Überschrift »Von den Hinkenden« gegeben hat. Was erwartet den Leser?

Von »Hinkenden« ist zunächst überhaupt keine Rede. Montaigne scheint sein Thema schlicht zu ignorieren. Er beginnt vielmehr wie ein Journalist mit einem konkreten Aufhänger: der in Frankreich im 16. Jahrhundert durchgeführten Kalenderreform. Sie führt ihn zu dem Gedanken, dass unsere sehr unzuverlässige Wahrnehmung der

Welt dadurch überhaupt nicht beeinflusst wird. Daraufhin erörtert er die Leichtgläubigkeit der Menschen, Wunder und Hexenglauben, also die Neigung, eher den absonderlichsten Erklärungen Vertrauen zu schenken, als auf die Tatsachen zu schauen. All dies stützt er nicht mit irgendeiner logischen Beweisführung, sondern mit eigener Erfahrung, die er durch Zitate, Anekdoten und Sprichwörter ergänzt. Ein Sprichwort schließlich bringt auch die Hinkenden ins Spiel: Sie seien besonders gut zur körperlichen Liebe geeignet. Auch dafür gibt es nach Montaigne die unterschiedlichsten Erklärungen, eine so gut wie die andere. Der Essay schließt mit der Aussage, dass all dieses Hin- und Herschwanken zwischen unbeweisbaren Meinungen zeige, dass der Mensch kein Maß, keine Ruhe und kein Ziel habe, bis Not und Unvermögen ihn zur Ruhe zwingen.

Auf den Titel kann man sich jedenfalls nicht verlassen, wenn man wissen will, welches Thema ein Essay Montaignes behandelt. Montaigne ist wie jemand, der uns einen Spaziergang zu einem bestimmten Ort ankündigt, dann aber jeden Nebenpfad einschlägt, der ihm begegnet, und schließlich an einen ganz anderen, neuen Ort gelangt. Als Musiker wäre er ein Meister des Free-Jazz. In der Tat ist Montaigne der erste große Improvisator in der Philosophiegeschichte. Wenn einer seiner Titel verlässlich ist, dann der seines dreibändigen Hauptwerks: *Essais*, zu Deutsch: »Versuche«.

Es handelt sich dabei um eine in der Literaturgeschichte neue Textform, die auf jeweils ein paar Seiten einen Gedanken oder ein Thema »versuchsweise« erörtert, ohne sich an irgendein Schema zu halten. Die *Essais* sind keine Abhandlungen eines Fachphilosophen, sondern ausformulierte Notizen eines Weltweisen, der uns unmittelbar an seiner Auseinandersetzung mit der Welt teilnehmen lässt. Montaigne lesen heißt, den Prozess des Denkens beim Lesen selbst mitzuverfolgen, Denken also »live« zu erleben.

Montaigne hat den modernen Essay sozusagen erfunden: Er ist eine Form, die zwischen Argumentation und Erzählung, zwischen Philosophie und Literatur hin und her pendelt. Genau deswegen hat sie auch seit jeher mehr Leser außerhalb als innerhalb der Fachphilosophie gefunden.

Und doch gelangt man auf Montaignes verschlungenen Wegen mitten in die Fragen der Philosophie. So ist auch der Essay »Von den Hinkenden« voller brisanter philosophischer Thesen: die menschliche Unfähigkeit, die Dinge so zu erkennen, wie sie sind, die Neigung und Fähigkeit des Menschen, die Welt mit Hilfe von Fiktionen zu deuten, und schließlich die Unstetigkeit eines Wesens, das nicht mehr in der Sicherheit seiner Instinkte ruht. Alle diese Erkenntnisse haben später in der Philosophiegeschichte Karriere gemacht und dicke Folianten gefüllt. Montaigne präsentiert sie en passant, also im Vorbeigehen, mehr hinweisend als behauptend. Montaigne ist ein Philosoph der leichten Hand, ein großer Anreger. Seine *Essais* bilden eine unendliche Fundgrube philosophischer Denkanstöße.

Aus der unsystematischen Art seines Philosophierens und aus den Bescheidenheitserklärungen, die Montaigne immer wieder abgibt, sollte man allerdings nicht schließen, dass die *Essais* für ihren Autor nur eine zweitrangige Bedeutung gehabt hätten. Im Gegenteil. Montaigne hat sie als die wichtigste Frucht seines Lebens angesehen, als das Ergebnis eines jahrzehntelangen Prozesses, mit sich und der Welt ins Reine zu kommen. Als die Erstausgabe der *Essais* 1580 erschienen war, überreichte er das Werk voller Stolz dem französischen König Heinrich III. in Paris und, im Rahmen einer ausgedehnten Reise, dem damaligen Papst Gregor XIII. in Rom.

Montaigne war zu diesem Zeitpunkt siebenundvierzig Jahre alt, ein französischer Aristokrat, der sich von öffentlichen Geschäften weitgehend zurückgezogen hatte und, für seinen Stand ungewöhnlich, seine Zeit der Lektüre und dem Schreiben widmete. Ein Berufsphilosoph ist er nie gewesen. Selbst die Tätigkeit eines philosophischen Schriftstellers hat ihm ursprünglich nicht vorgeschwebt. Es waren vielmehr die Repräsentation und das öffentliche Engagement, auf die er durch eine standesgemäße Ausbildung vorbereitet werden sollte. Dennoch erwarb er sich an Schule und Universität wichtige Grundlagen für sein späteres Schreiben.

Das geistige Leben im 16. Jahrhundert wurde in Westeuropa von den Humanisten beherrscht, einer Bildungsbewegung, die die Schriften der antiken Klassiker wieder für ein breites Publikum zugänglich machten. Humanistische Bildungsprogramme hatten die von der Kirche geprägten Lehrinhalte abgelöst. 1533 geboren, erhielt Montaigne eine der besten humanistischen Ausbildungen, die in jener Zeit in Frankreich möglich war.

Als Kind wurde er von einem deutschen Hauslehrer unterrichtet, der mit ihm nur Latein sprach. Er besuchte die Eliteschule Collège de Guyenne, an der einige der berühmtesten Humanisten der damaligen Zeit lehrten, und er begann bereits mit dreizehn Jahren ein Studium der Rechtswissenschaften in Bordeaux und Toulouse, das er 1554 abschloss. Montaigne erwarb durch diese Erziehung eine große Vertrautheit mit antiken Autoren, aus denen er in seinen *Essais* immer wieder zitiert. Die antike Literatur wird ihm zu einer unerschöpflichen Fundgrube, aus der er sich immer wieder ganz unsystematisch und eigenwillig bedient.

Eine seiner ersten öffentlichen Funktionen bekleidete Montaigne ab 1557 als Ratsherr von Bordeaux, ein Amt, das innezuhaben in der Familientradition lag. Sein Vater hatte der Stadt jahrelang als Bürgermeister gedient. Hier lernte Montaigne den zwei Jahre älteren Étienne de La Boëtie kennen, einen Kollegen, der zu seinem engsten Freund und wichtigsten geistigen Anreger werden sollte. La Boëtie hatte bereits mit achtzehn Jahren eine Aufsehen erregende Abhandlung, »Über die freiwillige Knechtschaft«, geschrieben, in der er sich gegen den Machtpragmatismus des Italieners Niccolò Machiavelli wandte und zum Widerstand gegen jede Tyrannei aufrief.

Die Jahre des intensiven geistigen Austauschs mit La Boëtie hat Montaigne später als die wichtigsten und glücklichsten seines Lebens bezeichnet. In seinem Essay »Über die Freundschaft«, der sich wie ein Nachruf auf seinen Freund liest, stellt er, in der Tradition der antiken Philosophie, die Freundschaft zwischen Männern weit über jede andere Beziehung.

Der frühe Tod La Boëties, der 1563 an der Ruhr starb, bedeutete für Montaigne eine tief greifende Zäsur, eine emotionale Erschütterung, die seinem Leben eine neue Richtung gab. Montaigne beginnt nun, seine äußeren Lebensumstände endgültig zu regeln, sich aber gleichzeitig vom öffentlichen Leben zu distanzieren. Er geht in eine Art selbst gewählter innerer Emigration. 1565 heiratet er die Tochter eines Ratskollegen, 1568, nach dem Tod des Vaters, tritt er das Erbe des Familienbesitzes an. Doch beides, Ehe und Vermögen, sollten in seinen Schriften kaum eine Rolle spielen.

Montaigne baut sich die Fassade einer konventionellen Existenz auf, hinter der sich nun sein eigentliches Leben, das des Weltweisen, abspielt. Am 28. Februar 1571 fällt der endgültige Entschluss, sich in den Turm seines Schlosses zurückzuziehen, in dem er sich ein Arbeitszimmer und eine Bibliothek eingerichtet hat. In den folgenden zwanzig Jahren bis zu seinem Tod wird er zwar vereinzelt Reisen antreten oder Ämter und Missionen übernehmen. Die ganz überwiegende Zeit jedoch ist jenem Prozess der geistigen Aneignung und Auseinandersetzung gewidmet, aus dem schließlich die *Essais* hervorgehen.

An die Stelle der Gespräche mit dem Freund tritt nun der intime Umgang mit den Büchern, der über die Lektüre zum Schreiben führt. Montaigne beginnt, Exzerpte zu machen und Zitate zu entnehmen. Sogar die Decke des Turmzimmers wird mit Merksprüchen und Lektürenotizen versehen. Wenn auch der heutige Leser der *Essais* die zahlreichen und scheinbar wahllos eingestreuten Zitate möglicherweise als überflüssigen Ballast ansehen mag, so liegt in ihnen doch der Kern, aus dem sich die neue literarische Form des Essays entwickelt hat. Montaigne selbst hat diese Form mit einem Wandgemälde verglichen, das mit unzusammenhängenden Grotesken gefüllt ist. Vor allem im ersten Band seines Werks, in dem die einzelnen Essays noch erheblich kürzer sind als in den nachfolgenden Bänden, kann man die Spuren eines Schreibprozesses entdecken, der als Kommentierung und Erläuterung einzelner Sprichwörter, Anekdoten oder Zitate begonnen hat und zu einem locker strukturierten Text auswucherte.

Besonders häufig bezog Montaigne sich dabei auf Autoren der römischen Spätantike, die für ihn immer eine große Anziehungskraft behielten. Die spätantiken Philosophenschulen legten keine großartigen philosophischen Systeme mehr vor, sondern betrieben Philosophie als eine praktische Orientierungswissenschaft und als Lebenshilfe. Seine beiden Lieblingsautoren waren der griechische Philosoph und Historiker Plutarch sowie Seneca, einer der bekanntesten römischen Vertreter der Stoiker. Durch sie wurde er zu seiner literarischen Form inspiriert, aus ihnen schöpfte er seine Lebenshaltung, die ihm gebot, jede Art von Extremen zu meiden. In dem Essay »Verteidigung Senecas und Plutarchs« geht er sogar so weit zu behaupten, sein Buch sei »allein aus ihren Spänen gezimmert«. Vor allem Plutarchs Neigung, Persönliches und Anekdotisches mit frei assoziierenden Reflexionen zu verbinden, hat Montaignes Schreiben beeinflusst.

Montaigne hat dieses Schreiben einer höchst unruhigen und gefährlichen Umwelt abgetrotzt. In Frankreich herrschte seit Mitte des Jahrhunderts ein religiös motivierter Bürgerkrieg zwischen protestantischen Hugenotten und königstreuen Katholiken. In der berüchtigten Bartholomäusnacht von 1572 wurden in Paris mehr als zwanzigtausend Hugenotten ermordet. Attentate, Plünderungen und die Ermordung Unschuldiger waren an der Tagesordnung. Die Region um Bordeaux lag zwischen den Fronten, war also unmittelbares Bürgerkriegsgebiet. Montaigne bekannte sich zum Katholizismus, pflegte jedoch auch immer Kontakte zur protestantischen Seite. Dies bewahrte ihn jedoch nicht davor, mehrfach in seinem Schloss überfallen und mit dem Tod bedroht zu werden. Mehrere Male musste er sich wegen der zu großen Gefahr sogar ausquartieren.

Montaigne hat in seinen *Essais* aus dem religiösen Fanatismus seiner Zeit Schlussfolgerungen gezogen. Was die grundlegenden metaphysischen und theologischen Fragen anging, blieb er immer ein Skeptiker. Er bezweifelte, dass es möglich ist, persönliche Glaubensüberzeugungen zu »beweisen«. Vor allem hielt er es für gefährlich, wenn aus diesem Wahrheitsanspruch politische Forderungen und vor allem die Rechtfertigung einer Gewaltanwendung gegen andere abgeleitet wird. In seinem Essay »Über die Gewohnheit und dass man ein überkommenes Gesetz nicht leichtfertig ändern sollte« hält er es für eine Anmaßung, »wenn man seine persönlichen Überzeugungen derart wichtig nimmt, dass man zu ihrer Durchsetzung nicht davor zurückschreckt, den öffentlichen Frieden zu brechen und all den Übeln und der entsetzlichen Sittenverderbnis Tür und

Tor zu öffnen, die bei Dingen von solchem Gewicht Bürgerkriege und politische Umwälzungen zwangsläufig mit sich bringen«. So blieb Montaigne Katholik nicht aus theologischer Überzeugung, sondern weil das Festhalten an der traditionellen Religion den gesellschaftlichen Frieden am ehesten garantiert. Als ein undogmatischer Konservativer wollte er kirchliche Missstände nicht durch eine Abkehr vom alten Glauben, sondern durch innere Reformen beseitigen. Als Philosoph war er, zweihundert Jahre vor der Aufklärung, ein Verfechter der Toleranz.

In unmittelbarer zeitlicher Nähe zur Bartholomäusnacht, von 1572 bis 1573, schrieb Montaigne den ersten Band der *Essais* nieder. Der zweite Band entstand Ende der siebziger Jahre, von 1577 an: in dem Jahr, in dem ihn der König zum Kammerherrn ernannte, aber auch in dem Jahr, in dem er zum ersten Mal von seiner – in den *Essais* häufig erwähnten – schmerzhaften Nierenkrankheit befallen wurde. Erst Ende der achtziger Jahre hatte er schließlich den dritten Band fertig gestellt, wobei er seine früheren Essays einer erneuten Überarbeitung unterzogen hatte.

Haben die *Essais* ein Thema? Gibt es so etwas wie einen roten Faden, der sich durch alle drei Bände hindurchzieht? Montaigne hat darauf überraschenderweise eine eindeutig positive Antwort gegeben: Thema seines Buches sei er selbst, alles, was er hier schreibe, sei Ausdruck seines Ichs. Er habe das Buch nicht für die Öffentlichkeit geschrieben, sondern ausschließlich, um über sich selbst Rechenschaft abzulegen.

Diese Selbstaussage Montaignes ist geeignet, bei heutigen Lesern Verwirrung und Missverständnisse hervorzurufen. Missverständisse deshalb, weil Montaigne keineswegs die Absicht hatte, eine Autobiografie oder ein Bekenntnisbuch zu schreiben. Wer Auskunft über Privates oder gar intime Enthüllungen erwartet, wie sie in der europäischen Literatur ab dem 18. Jahrhundert üblich wurden, sieht sich getäuscht. Montaigne interessiert sich vielmehr, wie man sagt, für »Gott und die Welt«, er beschreibt Bräuche, kommentiert Bücher und berichtet von charakteristischen Erlebnissen. Die umfangreichste Abhandlung der *Essais*, die »Apologie für Raymond Sebond«, beschäftigt sich zum Beispiel mit einer Schrift des katalanischen Theologen Raimundus Sebundus, die Montaigne selbst 1569 übersetzt hatte und in der versucht wird, die Glaubenswahrheiten aus der Vernunft abzuleiten. Ein auf den ersten Blick sehr theoretisches Thema, in dem das Ich keinen Platz zu haben scheint.

Wenn Montaigne sein Ich in den Mittelpunkt stellt, dann meint er damit, dass er nicht von vorgefertigten theoretischen Konzepten, sondern von Erfahrungen ausgeht, und zwar von Erfahrungen, die er selbst gemacht hat. Montaigne ist neugierig auf alles, was in der Welt vorgeht. Aber er nimmt diese Eindrücke, die ihm zugänglichen Informationen und die aus Büchern entnommenen Aussagen, nicht als selbstverständlich hin. Er schickt sie durch den Filter seines Ichs. Auch der Essay über die Vernunfttheologie des Raimundus Sebundus ist kein akademischer Kommentar, wohl aber eine im Licht der eigenen Erfahrung vorgenommene kritische Prüfung menschlicher Vernunftansprüche. Für Montaigne, der bekennt, er habe »der Philosophie nie etwas bereitwillig geglaubt«, gibt es keine »Vernunftwahrheiten«, die sich von selbst verstehen. Das Ich ist für ihn der Schild, mit dem er sich gegen abstrakte Wahrheiten schützt.

Die Hinwendung zur Welt und die gleichzeitige Betonung des Individuellen gegenüber dem Allgemeinen ist eines der Charakteristiken der Renaissance. Sie war die Zeit, in der die europäischen Seeleute fremde Kontinente und Völker entdeckten und die Künstler begannen, ihren Blick auf realistische Details zu richten. Nicht zufällig haben sich in der Malerei dieser Zeit die räumliche Perspektive und die Porträtmalerei durchgesetzt. Diesen »realistischen« Blick hat auch Montaigne. Für ihn ist die charakteristische Einzelheit wichtiger als eine mögliche theoretische Bedeutung. Montaigne ist ein unermüdlicher Jäger und Sammler von Erfahrungsmaterial, sei es auch scheinbar noch so unbedeutend. Deshalb zeichnen sich seine *Essais* durch eine Liebe zum Besonderen, durch eine Fülle von Details aus, die nicht zusammenhängend oder stimmig sein müssen, die aber die Augen für die Vielfältigkeit der Welt öffnen sollen.

Durch diese Art der empirischen Selbstbeobachtung und Selbsterforschung wird Montaigne zu einem der Väter der modernen Anthropologie, der Lehre vom Menschen. Die scholastische Philosophie des Mittelalters sah den Menschen über die Natur erhoben und durch die vom Körper getrennte, unsterbliche Seele mit Gott verbunden. Eine solche Trennung von Mensch und Natur und von Körper und Geist widerspricht nach Montaigne aber der Erfahrung. Der Mensch bleibt für ihn Teil der Natur, den gleichen Bedürfnissen und Gefährdungen ausgesetzt wie andere Kreaturen. An sich selbst beobachtet er, wie eng geistige und körperliche Zustände miteinander verwoben sind. Deshalb widmet er sich auch ausführlich einem Thema, das in der mittelalterlichen Philosophie tabu war: dem Körper und seinen Funktionen.

Wegen seiner Zugehörigkeit zur materiellen und sinnlichen Welt galt der Körper in der scholastischen Philosophie des Mittelalters als Hort der Sünde. Selbst Ärzte gerieten unter den Verdacht, mit dem Teufel zu paktieren. Montaigne dagegen redet oft und ausführlich über seine Krankheiten, über Geschlechtsverkehr, über Schlaf, über Essen und Trinken, über seinen kahlen Schädel und über seinen dichten Schnurrbart. Er findet den Zugang zum Menschen über den Körper, nicht über den Geist.

Von Montaigne hört man deshalb auch keinen Lobpreis des Menschen als Krone der Schöpfung. In seinen Augen ist der Mensch vielmehr schwach, wankelmütig und leichtgläubig. Er ist kein Vernunftwesen, sondern ein Wesen voller Widersprüche, das auf schwankendem Boden steht. Gerade die Vernunft, die den Menschen angeblich aus dem Reich der Natur heraushebt, erscheint ihm als besonders unzuverlässig. Jeder scheinbar begründeten Meinung lässt sich eine Gegenmeinung, jedem angeblichen Beweis ein Gegenbeweis entgegenstellen.

Montaigne steht hier in der Tradition der spätantiken Schule der Skeptiker, die von der Unmöglichkeit einer sicheren Erkenntnis über die Dinge überzeugt war. Auch die von Sokrates überlieferte Aussage »Ich weiß, dass ich nichts weiß« dient ihm als Bestätigung der Erkenntnis, dass sich die Widersprüche der Welt nicht durch Vernunft auflösen lassen. In diesem Punkt befinden sich Philosophie und Lebenserfahrung für Montaigne im Einklang: »Es ist meine eigne Erfahrung«, so stellt er fest, »die mich die menschliche Unwissenheit so groß herausstellen lässt: Dies wird uns meiner Ansicht nach von der Schule der Welt als das Unbezweifelbare schlechthin gelehrt.«

Dieses von Skepsis und Bescheidenheit geprägte Menschenbild führt auch zu einem veränderten Blick auf die menschliche Kultur und ihre Werte. Montaigne sieht die eigene Kultur nicht als Vorbild für andere an. Er ist einer der ersten Philosophen, die den Eurozentrismus, das heißt die These von der Überlegenheit der europäischen Kultur, in Frage stellen. In seinen Augen ist es lediglich mangelnde Vertrautheit, die uns dazu verleitet, andere Kulturen als »barbarisch« zu bezeichnen. Deshalb verfolgte Montaigne auch aufmerksam alle ihm zugänglichen Nachrichten, die Reisende von fremden Ländern und Kontinenten mitbrachten.

So waren ihm auf einer seiner Reisen nach Paris brasilianische Indianer vorgeführt worden. Auf diese Informationen stützt er sich in seinem Essay »Über die Menschenfresser«. Die Kultur der so genannten »Wilden« ist nämlich geeignet, auch unsere eigene in einem neuen Licht zu betrachten. Was ist eigentlich humaner, fragt Montaigne provozierend, wenn ich meinen Gegner schnell und schmerzlos töte und anschließend verspeise oder wenn ich ihn langsam und grausam foltere, so wie dies gerade zu Zeiten der Religionskriege in Europa üblich war? Bei genauerem Hinsehen stellen wir nämlich fest, wie viel wir von fremden Kulturen lernen können. Die Völker, die wir »barbarisch« nennen, sind der westlichen Kultur in einem entscheidenden Punkt voraus: Sie sind näher an der Natur, ihre Wünsche richten sich nach den natürlichen Bedürfnissen. Dadurch entgehen sie nicht nur den Lastern, die aus Luxus und Überfluss herrühren, sondern auch dem, was Montaigne als den Grundfehler der eigenen Kultur ansieht: ihre Maßlosigkeit, ihr Streben nach immer mehr, ihr Hang zur Perfektion, der zu einer zerstörerischen Energie wird. Statt der Überheblichkeit gegenüber anderen Kulturen empfiehlt Montaigne Toleranz und Lernbereitschaft.

Aus dieser kritischen Betrachtung der menschlichen Natur und der menschlichen Zivilisation leitet Montaigne seine Weisheitslehre, seine Ansichten von einem glücklichen und gelungenen Leben, ab.

Er will jedoch keine Lehre im herkömmlichen Sinn, kein Dogma und kein System, sondern eine Lebenshaltung vermitteln. Wie bei den spätantiken Philosophen richtet sich seine Weisheit auf das, was erreichbar ist, auf den irdischen Lebensgenuss und nicht auf eine jenseitige Erlösung. Obwohl er nominell ein katholischer Christ war, spielt die Ausrichtung auf ein Jenseits in seiner Lebensphilosophie kaum eine Rolle. Montaigne ist ein ganz am Diesseits orientierter Denker, der die Forderung der griechischen Philosophie: »Lebe in Einklang mit der Natur und in Übereinstimmung mit dir selbst« wieder aufgreift. Der Mensch muss seine Selbstüberschätzung ablegen und wieder in eine enge Verbindung zu seiner kreatürlichen Umwelt treten.

Dazu gehört zuerst, dass er sich auch in seiner Vergänglichkeit und Sterblichkeit annimmt. Aus dem Dialog *Phaidon* des griechischen Philosophen Platon ist die Aussage des Sokrates überliefert: »Leben heißt sterben lernen.« Montaigne macht sie zum Titel eines seiner berühmtesten Essays. Gemeint ist damit aber keine romantische Todessehnsucht oder eine morbide, lebensfeindliche Haltung. Wie immer plädiert er für einen lebensnahen Realismus. Er, der jeden Tag Menschen, die durch Krankheit, Unfälle oder Krieg ums Leben kamen, vor Augen hatte, glaubte, dass wir nur durch den ständigen Umgang mit dem Tod ihn seiner Unheimlichkeit berauben und uns von irrationalen Ängsten freimachen. Wer jedoch den Tod aus seinem Leben verdrängt, ist auch nicht in der Lage, den Wert des Lebens zu würdigen.

Montaigne propagiert ein entspanntes Leben, das auf große Projekte verzichtet und Freude an den kleinen Dingen, dem Erreichbaren findet. Es ist kein abenteuerliches, die Grenzen austestendes Leben. Im Gegenteil: Montaigne befürwortet eine Existenz, die vielen als geradezu spießig erscheinen mag. So macht er sich zum Anwalt der Gewohnheit und der Behaglichkeit. Die Gewohnheit bezeichnet er als Zaubertrank der Göttin Circe, die uns die Plagen vom Hals hält und uns mit der Natur versöhnt. Auch hier bleibt er ein Konservativer: Jeder sollte so leben, wie es die Sitten und Gebräuche seiner Kultur und Region überliefern und wie es seinem eigenen Lebensrhythmus entspricht. Der Hast, dem Ehrgeiz, den großen Projekten setzt er das alte antike Lebensideal der Muße entgegen.

In der Annahme der eigenen, natürlichen Grenzen und im maßvollen, sinnlichen Lebensgenuss liegt das Glück, das dem Menschen möglich ist. Montaigne ist ein Hedonist, also jemand, der in der »Lust« (griechisch »hedone«) dieses Glück verwirklicht sieht. Auch wenn wir nach Tugend streben, so haben wir in Wahrheit die lustvolle Befriedigung im Blick, die uns ein tugendhaftes Leben gewährt. Der Weg zum Glück führt bei Montaigne über die Sinne, nicht über die Rationalität. Es ist jedoch keine auf die Spitze getriebene Sinnlichkeit. Jede Art von Ekstase oder Entrückung ist ihm fremd. Montaigne ist ein Genießer der kleinen, alltäglichen und natürlichen Formen der Sinnlichkeit: Essen, Trinken, Sexualität. Er setzt sich hier von einer Tradition ab, die seit Platon und Aristoteles die Philosophie beherrscht hatte: Die Selbstverwirklichung des Menschen besteht für ihn nicht mehr in der geistigen Kontemplation als der Herrschaft der Vernunft über die Sinne, sondern in der bewussten Entfaltung der sinnlichen Anlagen.

Die Pflege der sinnlichen, intuitiven Fähigkeiten ist es auch, die die verloren gegangene Instinktorientierung und damit den Kontakt zur »Mutter Natur«, wie Montaigne sie nennt, wieder herstellen kann. Montaigne greift hier Ideen auf, die auch in den östlichen Meditationslehren des Buddhismus, Hinduismus oder Taoismus eine Rolle spielen: die Fähigkeit loszulassen, eigenes Streben aufzugeben und auf die Dinge »hinzuhören«. Bei Montaigne tritt der Mensch seiner Umwelt nicht als homo faber, als Macher, entgegen, sondern als jemand, der sich öffnet, aufnimmt und lernt. Im letzten Essay des dritten Bandes, »Über die Erfahrung«, beschließt Montaigne sein Buch nicht zufällig mit einem Gebet an den heidnischen Gott Apoll, den Gott der »fröhlichen Weisheit«. In der Welt Montaignes stehen die Götter nicht außerhalb der Natur, sondern sind ein Teil von ihr.

Montaignes *Essais* waren ein »work in progress«, ein Werk, das bis zu seinem Tod 1592 immer neue Zusätze und Veränderungen erfahren hat. Mit der Fertigstellung des zweiten Bandes 1580 konnte die Erstausgabe der *Essais* erscheinen. Sie bescherte ihm nicht nur Leser, sondern auch erste Anhänger, darunter die 1565 geborene Marie de Gourney, eine philosophisch interessierte Adelige aus der Picardie, mit der er in einen brieflichen Austausch trat und die er später sogar als seine »Adoptivtochter« bezeichnete. Als er 1588, aus Anlass des Erscheinens der ersten Gesamtausgabe, die nun auch den dritten Band enthielt, nach Paris reiste, stattete er ihr einen persönlichen Besuch ab. Sie war eine der ganz wenigen, mit denen Montaigne nach dem Tod Etienne de La Boëties geistigen Austausch pflegte. Nach seinem Tod wurde sie Herausgeberin seiner Werke und besorgte 1595 die erste posthume Ausgabe.

Die Tatsache, dass Montaigne eines der ersten Exemplare dem Papst persönlich überreicht hatte, konnte nicht verhindern, dass die katholische Kirche das Buch 1676 auf den Index setzte. Die kirchlichen Zensoren hatten immerhin einige Jahrzehnte gebraucht, bis sie erkannten, dass der bekennende Katholik Montaigne in Wahrheit ein vorchristlicher Naturanbeter war.

Auch die Universitätsphilosophen haben Montaigne immer wieder links liegen lassen. Doch seine Spuren sind überall in der Philosophie- und Literaturgeschichte zu finden. Seine essayistische Form des Philosophierens, gepaart mit einer skeptischen Sicht des Menschen und einer pragmatischen Weisheitslehre, hat die neuzeitliche europäische Moralistik begründet, die vor allem in Frankreich in La Rochefoucauld, La Bruyère und Chamfort ihre Fortsetzer fand. Das von Montaigne begonnene Programm der Selbsterforschung des Ichs wurde von René Descartes aufgegriffen. Pascal ist ihm mit seiner Diagnose des schwachen und unsteten Menschen gefolgt. Jean-Jacques Rousseaus Wahlspruch »Zurück zur Natur« kann sich ebenso auf Montaigne berufen wie die Toleranzforderungen der Aufklärer, die der europäischen Kultur ihren Spiegel vorhielten. Auch Friedrich Nietzsche, der mit seiner »Umwertung der Werte« den Leib gegenüber dem Geist aufwertete, steht in den Fußstapfen Montaignes. Und Montaigne war es auch, der mehrere hundert Jahre vor der Existenzphilosophie die Forderung nach einer Auseinandersetzung mit der eigenen Sterblichkeit zur Voraussetzung des »eigentlichen« Lebens erhob.

Vor allem aber haben Montaignes *Essais* der Philosophie jene Glaubwürdigkeit, Konkretheit und Leichtigkeit verliehen, mit denen sie auch diejenigen Leser erreichte, die sich die Philosophie nicht als Studienobjekt, sondern als Lebensbegleiter wünschten.

Ausgabe:

Michel de Montaigne: Essais. Übersetzt von H. Stilett. Frankfurt/Main: Eichborn 1998 bzw. München: Goldmann 2002.

Reise ins Innere der Vernunft

René Descartes: Abhandlung über die Methode (1637)

Die großen Entdecker in der Geschichte der Menschheit wussten selten, wie groß das Land ist, das sie gerade betreten hatten, oder welche Bedeutung die von ihnen gemachte Erfindung erlangen sollte. Oft hatten sie ihre Expedition oder ihr Projekt unter ganz anderen Vorzeichen begonnen. Als Christoph Kolumbus Ende des 15. Jahrhunderts seinen Fuß auf amerikanischen Boden setzte, glaubte er noch, den lang gesuchten Seeweg nach Indien gefunden zu haben. Welch riesigen Kontinent er entdeckt hatte und welche Rolle dieser einst in der Geschichte spielen sollte, ahnte er nicht. Der sächsische Alchemist Johann Friedrich Böttiger experimentierte zu Beginn des 18. Jahrhunderts jahrelang mit dem Ziel, Gold mit Hilfe chemischer Substanzen zu erzeugen. Ihm gelang etwas ganz anderes: die Herstellung des Porzellans.

Genau solche Entdecker, deren Funde weit über das hinausgehen, was sie selbst gesucht haben, gibt es auch in der Geschichte der Philosophie. Der französische Mathematiker und Philosoph René Descartes gehört zweifellos zu ihnen. Heute ist es ein Allgemeinplatz, dass die neuzeitliche europäische Philosophie den Pfaden gefolgt ist, die Descartes in seiner *Abhandlung über die Methode* erschlossen hat. Mit »Methode« meint Descartes einen neuen Zugang zur Erkenntnis der Welt und des Menschen, die sich vom theologisch geprägten mittelalterlichen Denken grundsätzlich unterschied. Allerdings hatte Descartes mit seiner *Abhandlung* überhaupt nicht vor, die Grundlagen der christlichen Theologie zu untergraben. Er gab sich vielmehr alle Mühe, Gott und die göttliche Weltordnung auf eine neue Art rational zu erschließen.

Die Behauptung, Gott offenbare sich in der äußeren Welt, in der Zweckmäßigkeit der Natur, überzeugte ihn jedoch nicht. Stattdessen richtete er seinen Blick auf die Innenräume der Vernunft. Dass im menschlichen Subjekt, in seinen Denk- und Bewusstseinsprozessen, der Schlüssel lag, um sich der Wahrheiten über »Gott und die Welt« zu vergewissern, war ein Gedanke, der sich als revolutionär erweisen sollte. René Descartes hat mit seiner *Abhandlung über die Methode* eine erste Erkundungsreise in dieses bisher noch unerforschte Land gemacht. Diejenigen, die sich auf seine Spuren begaben, stellten fest, dass er, weit über seine ursprünglichen Absichten hinaus, die Philosophie zu einem neuen, großen Kontinent geführt hatte.

Descartes' ungeheure Wirkung in der Philosophiegeschichte steht in eigentümlichem Gegensatz zu seinem Leben, das er ständig auf der Flucht vor der Öffentlichkeit verbrachte. Dies hing vor allem mit seiner Furcht zusammen, in die Fänge der kirchlichen Zensur zu geraten. In Frankreich hatte zwar der religiöse Bürgerkrieg des 16. Jahrhunderts durch das Toleranzedikt von Nantes 1598 ein Ende gefunden, doch die Verfolgung anders Denkender durch die katholische Amtskirche hielt ungebrochen an. Die Kirche sah sich nicht nur durch den Protestantismus, sondern auch durch die Thesen der neuen empirischen Naturwissenschaften herausgefordert.

Das von der Kirche propagierte Weltbild, das von der Naturphilosophie des Aristoteles und von der sich an ihn anschließenden mittelalterlichen Scholastik geprägt wurde, war vor allem durch die Theorie des Kopernikus in Frage gestellt worden, nach der sich nicht die Sonne um die Erde, sondern die Erde um die Sonne dreht. Jede abweichende theologische, philosophische oder wissenschaftliche Aussage hatte gesellschaftspolitische Sprengkraft und konnte Karriere und Existenz vernichten. So wurde der italienische Philosoph und Dominikanermönch Giordano Bruno, der die These von der Unendlichkeit des Universums vertrat, im Jahr 1600 auf dem Campo dei fiori in Rom öffentlich verbrannt.

Der 1534 gegründete Jesuitenorden hatte die Aufgabe, die Kirche intellektuell zu modernisieren, um den neuen Entwicklungen entgegentreten zu können. Die überall entstehenden jesuitischen Bildungseinrichtungen errangen schnell Berühmtheit. René Descartes wurde in einer solchen Schule erzogen. Sein Vater gehörte dem niederen Adel an, was dem Sohn nicht nur eine gute Ausbildung ermöglichte, sondern auch von einer Erwerbstätigkeit unabhängig machte.

1596, vier Jahre nach dem Tod Montaignes geboren, trat Descartes 1604 in das etwa zweihundert Kilometer südwestlich von Paris gelegene Collège Royal in La Flèche ein, eine Eliteschule, die erst ein Jahr zuvor gegründet worden war. Das Lernprogramm war auf dem nach damaligen Maßstäben neuesten Stand. Es umfasste neben Latein und klassischer Literatur Logik und Ethik, aber auch Physik und Mathematik. Auch die Beschäftigung mit ganz »modernen« wissenschaftlichen Forschungsgebieten wie der Astronomie oder der Optik wurde von den Jesuiten keineswegs blockiert, sondern im Gegenteil gefördert. In La Flèche wurde Descartes' Leidenschaft für die Wissenschaften und insbesondere für die Mathematik geweckt.

Nach Abschluss der Schule 1612 erwarb Descartes zwar noch ein juristisches Diplom an der Universität von Poitiers, doch er beschäftigte sich vornehmlich mit mathematischen Studien. Zu diesem Zweck zog er sich für einige Zeit nach Paris zurück.

1618, zu Beginn des Dreißigjährigen Krieges, lässt er sich in den Niederlanden in der Armee des Prinzen Moritz von Oranien zum Offizier ausbilden. Nach Expeditionen quer durch Europa befindet er sich im Winter 1619/20 im Winterquartier in Neuburg an der Donau. Im nahen Ulm erfährt er in der Nacht vom 10. auf den 11. November 1619 seine entscheidende philosophische Inspiration. Aus der Deutung dreier sehr intensiver Träume zieht er den Schluss, dass es ihm aufgegeben sei, eine Methode zu entwickeln, die allen Wissenschaften als Grundlage dienen könne. Diese Suche nach einer »Universalmethode« wird ihm von diesem Zeitpunkt an zum Lebensprogramm.

Doch noch sieht er die Zeit nicht gekommen, sich ganz den Wissenschaften und der Philosophie zu widmen. Er tritt in das Heer des Herzogs von Bayern ein und nimmt 1620 an der Schlacht am Weißen Berg gegen den »Winterkönig« Friedrich von der Pfalz teil. Erst danach verabschiedet er sich vom Militärleben. In den Jahren darauf ist er unablässig unterwegs, vornehmlich in Frankreich und Italien. Er lebt, wie er selbst formuliert, hinter einer »Maske« und folgt dem Ratschlag des griechischen Philosophen Epikur: »Lebe im Verborgenen!«

Dass seine rastlose Reisetätigkeit sowie seine Kontaktaufnahme zu Gelehrten in verschiedenen Ländern Europas mit seiner Nähe zu der Bruderschaft der Rosenkreuzer zusammenhängt, ist häufig vermutet, aber bis heute nie ganz geklärt worden. Die Rosenkreuzer verbanden eine mystische Geheimlehre mit einer aufklärerisch-humanitären Praxis. Wissenschaftliche Forschung und Austausch gehörten ebenso zu ihren Grundsätzen wie gegenseitige Gastfreundschaft und Hilfe. Descartes hat auf allen seinen Reisen Aufnahme bei wissenschaftlichen Gesprächspartnern gefunden. Nicht wenige davon waren Mitglieder der Bruderschaft.

Seine Kontakte zu holländischen Gelehrten mögen eine Rolle bei der Entscheidung gespielt haben, 1628 in die Niederlande zu emigrieren, wo er mehr als zwanzig Jahre bleiben sollte. Aber auch das liberale politische Klima und die damit verbundenen Möglichkeiten einer freien wissenschaftlichen Forschung haben ihn vermutlich angezogen. Wiederum versucht er, möglichst unerkannt zu leben, und wechselt ständig seinen Wohnort. Er hält sich zeitweise in Amsterdam auf, zieht sich aber immer wieder aufs Land zurück. Vieles in seinem Leben bleibt ein Geheimnis. Descartes' Maske ist nie ganz gelüftet worden.

In den Niederlanden verwirklichte Descartes nun seine Absicht, sein Leben der Philosophie und Wissenschaft zu widmen. Wie viele seiner Zeitgenossen war er von den Ergebnissen der neuen empirischen Naturforschung fasziniert. So führte er selbst zahlreiche Experimente auf den Gebieten der Medizin und Naturwissenschaften durch, aber er trieb auch weiterhin mathematische Studien, immer mit dem Ziel, der wissenschaftlichen Universalmethode auf die Spur zu kommen. Hiermit beschäftigte er sich auch in seiner Schrift *Regeln zur Leitung des Geistes*, die vermutlich schon vor seiner Emigration nach Holland, spätestens aber im Jahr 1628 entstand. Sie ist Fragment geblieben und wurde erst posthum veröffentlicht.

Die *Regeln* enthalten in Grundlinien das, was man heute als Wissenschaftstheorie bezeichnen würde. Als Vorbild für die gesuchte Universalmethode sieht Descartes hier die Mathematik, vor allem aber die Geometrie. Der geometrische Beweis galt ihm als die wissenschaftliche Beweismethode schlechthin. Wissenschaftliche Aussagen müssen, so Descartes' These, durch Analyse auf ihre Bestandteile und Voraussetzungen zurückgeführt werden, um zu möglichst wenigen Grundsätzen, den so genannten »Axiomen«, zu gelangen, deren Gewissheit intuitiv einsichtig ist. Aus diesen Grundsätzen werden dann durch Deduktion, das heißt durch logische Ableitung, die einzelnen Gesetzmäßigkeiten einer Wissenschaft abgeleitet. Nach dem Vorbild der Mathematik ist Wissenschaft für Descartes ein System sicherer Sätze, dessen Axiome intuitiv erkannt und dessen Folgesätze deduktiv bewiesen werden.

Wie eine solche Methode in einzelnen Wissenschaften zu Erkenntnissen führt, versuchte er in einer groß angelegten Schrift mit dem Titel *Die Welt* zu demonstrieren. Sie sollte Descartes' naturwissenschaftliches Hauptwerk werden und entstand in den ersten Jahren seiner niederländischen Emigration. Zu ihr gehörten zum Beispiel die beiden Untersuchungen zur Dioptrik und zur Meteorologie. Descartes stellt sich dabei auf den Boden des kopernikanischen Weltbildes, das gerade von dem italienischen Mathematiker und Astronomen Galileo Galilei durch die Entdeckung der Jupitermonde untermauert worden war. Auch schloss er sich Galileis neuer mechanistischer Naturerklärung an, nach der Naturvorgänge nicht mehr durch innewohnende Zwecke oder verborgene Kräfte, sondern durch das mechanische Prinzip von Druck und Stoß erklärt werden. Wie Galilei glaubte Descartes, dass sich Naturgesetzlichkeiten als mathematische Gesetze, das heißt in Form von Zahlenverhältnissen, ausdrücken lassen. Descartes gilt noch bis heute als der Philosoph, der für den Glauben steht, die Welt sei im wörtlichen Sinne »berechenbar«.

Jedoch auch *Die Welt* wurde zu Lebzeiten Descartes' nie veröffentlicht. Der Grund dafür lag vor allem in der Verurteilung Galileis durch die päpstlichen Behörden im Jahr 1633. Spätestens ab diesem Zeitpunkt war klar, dass die öffentliche Parteinahme für das kopernikanische Weltbild von der katholischen Kirche als Häresie betrachtet wurde. Der Prozess gegen Galilei war ein europäisches Ereignis und derart spektakulär, dass sich Descartes auch in den liberalen Niederlanden nicht sicher genug fühlte, Galileis Thesen in seinen Schriften zu unterstützen. Er zog es deshalb vor, das Manuskript zunächst zurückzuhalten.

Einer seiner niederländischen Freunde, der berühmte Physiker und Sekretär des Prinzen von Oranien, Christiaan Huygens, überredete Descartes jedoch, wenigstens Teile des Manuskripts zu veröffentlichen. So entschloss er sich zur Publikation dreier Abhandlungen, nämlich über Dioptrik, Meteorologie und Geometrie. Diesen Essays sollte ein Vorwort vorangestellt werden, in dem Descartes auf Methoden und Grundlagen der wissenschaftlichen Forschung eingehen wollte. Da diese Erörterungen aber weit über den Rahmen eines schlichten Vorworts hinausgingen, wählte Descartes etwas später den Titel »Projekt einer universalen Wissenschaft, die unsere Natur zum höchsten Grad der Perfektion erheben kann«.

Doch auch dieser Vorschlag hatte keinen Bestand. Als die Schrift schließlich erschien, lautete der vollständige Titel: *Abhandlung über die Methode, seine Vernunft richtig zu leiten und die Wahrheit in den Wissenschaften zu suchen. Dazu die Dioptrik, die Meteorologie und die Geometrie, die Versuche in dieser Methode sind.* Descartes' berühmte *Abhandlung* sollte also ursprünglich nichts anderes sein als die Skizze eines Forschungsprogramms, das er an Stelle seines großen naturwissenschaftlichen Werks veröffentlichte. Die nachgestellten Essays sollten Beispiele dieses Programms sein.

Der ursprünglich als Vorwort geplante Teil wurde dabei allerdings immer mehr als die eigentliche Hauptschrift erkannt, so dass in späteren Buchausgaben die naturwissenschaftlichen Essays nicht mehr mit abgedruckt wurden. Als *Discours de la Méthode* fand die Schrift Eingang in den klassischen Kanon der Philosophiegeschichte. Mit ihr betrat Descartes erstmals die öffentliche Bühne als philosophischer Schriftsteller. Allerdings erschien sie anonym und, für damalige wissenschaftliche Publikationen höchst ungewöhnlich, in französischer Sprache. Descartes verhielt sich also weiterhin vorsichtig und wollte sein Buch aus dem Blickfeld der Kirchenzensoren nehmen, die vor allem das zur Kenntnis nahmen, was in der Wissenschaftssprache Latein geschrieben wurde.

Die literarische Form der *Abhandlung* ist deutlich von den *Essais* Michel de Montaignes beeinflusst, mit denen dieser dem scholastischen Traktat eine subjektive und unsystematische Art des Philosophierens entgegengesetzt hatte. Wie Montaigne schreibt Descartes in der Ich-Form und gibt der Schrift damit einen ausgesprochen persönlichen Charakter. Deshalb hätte er auch die Übersetzung *Abhandlung über die Methode* für das französische *Discours de la Méthode* abgelehnt. Seine Schrift, so hat er in einem seiner Briefe betont, solle eben keine »Abhandlung«, also kein »Traité de la Méthode« sein, kein Buch also, das den Anspruch erhebt, eine Methode zu »lehren«. Er wolle lediglich einen »Discours«, einen Bericht über seine Methode, erstatten.

»Es ist also nicht meine Absicht«, so schreibt er im ersten Teil der *Abhandlung*, »hier die Methode zu lehren, die jeder befolgen muss, um seinen Verstand richtig zu leiten, sondern nur aufzuzeigen, wie ich versucht habe, den meinen zu leiten.« Genau dies tut er auch: Er erzählt dem Leser, welches seine Methode ist und wie er zu ihr gelangt ist. Eine solches »erzählendes« philosophisches Werk entsprach seinem Selbstverständnis als philosophischer Autor. In der Tradition Montaignes war es sein Ziel, philosophische Werke zu schreiben, die genauso lesbar sein sollten wie Romane. Die *Abhandlung über die Methode* ist deshalb auch kein paragrafengeschwängertes Lehrwerk, sondern eine Mischung aus Essay und philosophischer Autobiografie.

Die Schrift besteht aus sechs locker zusammengefügten Teilen, die keineswegs einer systematischen Anordnung folgen. Im ersten berichtet Descartes von seinem geistigen Werdegang und seiner Suche nach Gewissheit. Im zweiten stellt er die vier Grundregeln seiner Methode auf. Im dritten rechtfertigt er die »provisorische« Moral, die Lebensregeln, nach denen er sich in der Zeit gerichtet hat, in der er noch keine Erkenntnisgewissheit hatte. Zu dieser Gewissheit führt erst der vierte Teil, der die eigentlich metaphysischen Fragen erörtert. In Abschnitt fünf geht Descartes auf den Plan seiner unveröffentlichten Schrift *Die Welt* ein und erörtert mögliche Anwendungen seiner Methode, um sich im sechsten und letzten Teil zu der Frage zu äußern, warum er mit seinen Thesen an die Öffentlichkeit gegangen ist.

Zunächst rechtfertigt Descartes seine Abkehr von der unbefriedigenden Art, wie in den Schulen und Universitäten seiner Zeit Wissenschaft betrieben wird. Das erste Wort des Buchs ist »bon sens«, der allen Menschen gemeinsame Verstand. Wie für Montaigne liegt für ihn hier der Ausgangspunkt jeder Untersuchung. Statt sich auf Autoritäten zu berufen, soll man sich an die eigene Urteilsfähigkeit wenden, wenn man wahre Erkenntnis sucht. Dies ist ein deutlicher Seitenhieb auf die scholastische Schulphilosophie, die Descartes schlicht »L'École«, die »Schule«, nennt. Für sie war »das Buch«, nämlich die Bibel und deren theologische Ausdeutungen, die entscheidende Autorität.

Descartes zeigt sich sowohl von der Schriftgläubigkeit als auch von der Tatsache enttäuscht, dass keines der einzelnen Lehrfächer und keine der Wissenschaften auf einem sicheren Fundament ruht. Auch diejenige Disziplin, die eigentlich die Grundsätze für alle anderen Wissenschaften bereitstellen müsste, die Philosophie nämlich, hat seiner Meinung nach bei ihrer Aufgabe bisher völlig versagt. Als einzige Ausnahme gilt ihm lediglich die Mathematik. In ihr allein, so Descartes' Schulerfahrung, finden sich sichere und evidente Beweisgründe.

Aus der Mangelhaftigkeit des akademischen Wissens erklärt Descartes seinen eigenen unsteten und unakademischen Lebensweg. Wie andere große Wissenschaftler und Philosophen der frühen Neuzeit wandte er sich dem »Buch der Natur« zu, zunächst in der Form, dass er möglichst viele Erfahrungen in der Welt sammeln wollte. Anders als viele seiner Zeitgenossen blieb er dabei jedoch nicht bei dem »großen Buch der Welt«, wie er es hier nennt, stehen. Auch aus der Vielfalt der Welterfahrung gewann er keine Erkenntnissicherheit. Weder aus bloßer Spekulation ohne Erfahrungshintergrund noch aus bloßer Empirie lassen sich für Descartes die gesuchten Grundsätze sicherer Erkenntnis gewinnen. Ausgehend von seinem einschneidenden Traumerlebnis von 1619 beginnt daher seine eigene Suche, die ihn auf einen ganz neuen Weg führte.

Diesen »Weg«, griechisch »methodos«, beschreibt Descartes im zweiten Teil des Buches, in seinen vier »Hauptregeln der Methode«. Dem Vorbild der Mathematik folgend, muss Erkenntnis den Kriterien der »Klarheit« und »Deutlichkeit« genügen. Plausibles, wahrscheinliches oder ungefähres Wissen ist noch keine Erkenntnis. In diesem Sinn fordert der erste methodische Grundsatz, nichts zu akzeptieren, was man nicht evidentermaßen als wahr erkennt. Diese Erkenntnis kommt nur der Vernunft, dem Denken, zu. Sinnliche Wahrnehmungen alleine sind immer Täuschungen unterworfen und können niemals zu sicheren, zweifelsfreien Aussagen führen. Aus dieser ersten Hauptregel ergibt sich auch der Zweifel als Erkenntnismotor: Zu der geforderten »klaren« und »deutlichen« und damit sicheren Erkenntnis gelange ich erst, wenn ich jedes Urteil zunächst als »Vorurteil« behandele und dem Zweifel unterwerfe. Descartes wird damit zum Vater und berühmtesten Vertreter des »methodischen Zweifels«.

Der zweite Grundsatz verlangt, jedes Problem in so viele Teile zu zergliedern, wie notwendig sind, um eine Lösung zu finden. Es ist das Prinzip der Analyse: Ein Problem ist leichter zu lösen, wenn man es in verschiedene Teilprobleme auflöst. Die dritte Regel besagt, dass man eine Ordnung im Bau der Erkenntnis dadurch schafft, dass man bei einfachen Erkenntnissen beginnt und von dort zu den komplexeren Erkenntnissen aufsteigt. Es ist der Grundsatz der Deduktion, des Aufbaus einer Wissenschaft aus wenigen Grundsätzen, aus denen die vielen einzelnen Gesetze logisch abgeleitet werden. In der letzten Hauptregel schließlich fordert Descartes eine möglichst vollständige Klassifikation aller Erkenntnisse. Das Haus des menschlichen Wissens ist nach Descartes ein durchkonstruierter Bau, in dem kein Stein fehlt und jeder seinen Platz hat.

Es soll ein Haus aus einem Guss sein, auf dessen Fundament alle Wissensbereiche, einschließlich der Moral und der Politik, aufbauen sollen. Wie soll man aber, so fragt Descartes im dritten Teil seiner *Abhandlung*, leben, wie soll man sich in der Gesellschaft verhalten, solange man auf keinem Gebiet des Wissens über sichere Grundsätze verfügt?

Descartes antwortet auf diese Frage mit einer »Moral auf Zeit«. Solange das neue Haus noch nicht bezugsfertig ist, muss man sich außerhalb, in einer provisorischen Wohnung, einquartieren. Descartes empfiehlt wie Montaigne einen vorsichtigen Konformismus, verbunden mit Gelassenheit und Zielstrebigkeit. Sein erster Grundsatz ist der, an den Gesetzen seines Landes und seiner Religion festzuhalten. Der zweite verlangt, einen einmal eingeschlagenen Weg ohne Schwanken beharrlich zu verfolgen. Der dritte besteht in der Einsicht, dass wir nur über unser Denken, nicht aber über unser Schicksal Macht haben. Schließlich sollte jeder sich bemühen, die für ihn passende Lebensform zu finden. Er selbst habe sich dafür entschieden, sein Leben der Erkenntnissuche zu widmen.

Nachdem er sich in einem provisorischen Haus einquartiert hat und die Bauanleitung, also die »Hauptregeln der Methode«, in Händen hält, skizziert Descartes im vierten Teil die Fundamente, auf denen das Haus des Wissens errichtet werden soll. Die Mathematik, die für diese Methode Pate gestanden hat, ist allein nicht imstande, diese Fundamente zu bauen. Sie liefert mit den Prinzipien der Analyse, Intuition und Deduktion zwar wichtige methodische Werkzeuge, doch reicht sie an die Erkenntnis der ersten Prinzipien der Wirklichkeit nicht heran. Die mathematischen Gesetze können nicht die Frage klären, ob die Gegenstände, auf die sie sich beziehen, wirklich existieren oder nicht.

Descartes verdeutlicht dies im vierten Teil seiner *Abhandlung* an einem Beispiel aus der Geometrie: Der Satz, dass die drei Winkel eines Dreiecks zwei rechten Winkeln entsprechen, ist zwar unbezweifelbar wahr, aber er sagt nichts darüber aus, ob es ein solches Dreieck wirklich gibt. Doch genau um die Frage nach der Wirklichkeit geht es bei den letzten Gewissheiten. Descartes sieht sich, mit anderen Worten, von der Mathematik auf die Metaphysik zurückgeworfen. Er muss die uralte Frage der Philosophie klären: Welches sind die ersten Prinzipien der Wirklichkeit, und kann der Mensch sie erkennen? Gibt es überhaupt einen Nachweis dafür, dass wir nicht in einem Traum leben, der uns die Wirklichkeit nur vorgaukelt?

Das methodische Prinzip, Aussagen so lange auf ihre Begründbarkeit zu analysieren, bis man auf sichere Grundsätze stößt, die intuitiv einsichtig sind, wendet er nun auf diese metaphysischen Fragen an. Doch er geht mit diesen Fragen anders als alle seine Vorgänger um. Er unternimmt eine philosophische Introspektion, eine Selbstbefragung der Vernunft. Mit Hilfe des methodischen Zweifels testet er, am Beispiel des eigenen Denkens, alle scheinbar selbstverständlichen metaphysischen Aussagen der Vernunft.

Die Blickrichtung auf das eigene Ich hatte ihm schon Montaigne vorgegeben, der in seinen *Essais* dieses Ich zum Prüfstein aller Erkenntnis und Erfahrung macht. Montaigne hatte nicht mehr – wie die antiken und mittelalterlichen Philosophen – die Stellung des menschlichen Subjekts aus dem Zusammenhang des Kosmos, sondern umgekehrt, die Welt durch den Filter des Ichs erschlossen. Im Unterschied zu Montaigne jedoch, der gegenüber jeder Art von Erkenntnisgewissheit skeptisch blieb und sich auch gegenüber jeder »Methode« durch seine bewusst unsystematische Art des Philosophierens abgrenzte, glaubte Descartes, dass man auch das Ich methodisch erforschen und auf diesem Weg zu einer letzten Erkenntnisgewissheit gelangen könne. Montaigne machte planlose Streifzüge durch das Land des Ichs, Descartes dagegen betrat es mit voller Ausrüstung, um in ihm den archimedischen Punkt der Vernunft zu finden.

Gemäß seinen eigenen methodischen Grundsätzen zweifelt Descartes an allem, was ihm als nicht evident wahr erscheint. Die Frage, die er an sein Bewusstsein richtet, lautet also: Gibt es etwas, das ich weiß und das nicht bezweifelt werden kann? Keine einzige Aussage über die Welt kann diese Evidenz beanspruchen. Unsere Sinneswahrnehmungen können uns täuschen. Auch die Wahrnehmung des eigenen Körpers kann auf einer Sinnestäuschung beruhen. Doch während dieses Zweifeln eine Gewissheit nach der anderen zerstört, bringt es auch eine neue, unbezweifelbare Gewissheit hervor. Ich kann alles anzweifeln, aber der Akt des Zweifelns selbst, der Akt des

Denkens, ist unbezweifelbar. »Je pense, donc je suis« – »Ich denke, also bin ich« – dies ist die fundamentale Gewissheit Descartes', auf der alle anderen Gewissheiten aufbauen. In der lateinischen Form »Cogito ergo sum«, wie sie in seinen späteren Schriften zu finden ist, wurde sie zum vielleicht berühmtesten Schlagwort der Philosophiegeschichte. »Ich denke, also bin ich« ist für Descartes der intuitiv einsichtige »Grund-Satz«, aus dem das System absolut sicherer Sätze abgeleitet werden soll.

Kann man aus diesem »Cogito ergo sum« also eine ganze Theorie der Wirklichkeit entwickeln? Ist es der Grundstein, auf dem das Haus des menschlichen Wissens errichtet werden kann? Descartes war davon überzeugt. Aus der Gewissheit des Denkens schließt er zum Beispiel auf die Natur des Menschen. Der Mensch hat zwar auch einen Körper und ist insofern mit den Tieren und der übrigen Natur verbunden. Doch als körperliches und zugleich denkendes Wesen ist er eine Doppelnatur. Das Ich, das sich im Denken offenbart und das Descartes mit der Seele identifiziert, ist für ihn das eigentliche Wesensmerkmal des Menschen. Wie die meisten antiken und mittelalterlichen Philosophen definiert Descartes den Menschen vom Geist, von der Vernunft, vom Bewusstsein her.

Der Geist hebt den Menschen weit über seine natürliche Umwelt hinaus. Denn Körper und Geist sind für Descartes zwei unterschiedliche Substanzen, die Kluft zwischen ihnen ist nicht überbrückbar. Das charakteristische Merkmal der Materie ist Ausdehnung. Der Körper ist somit eine »ausgedehnte Sache«. Er ist nichts anderes, wie Descartes im fünften Teil seiner Schrift feststellt, als eine Maschine, die allerdings sehr viel kunstvoller konstruiert ist als alle anderen Maschinen. Im Gegensatz zu den Tieren ist der Mensch aber eine Maschine mit Seele. Und dies macht den entscheidenden Unterschied aus. Denn das charakteristische Merkmal der Seele ist Geist. Sie ist eine »denkende Sache« und den physikalischen Gesetzen nicht unterworfen. Daraus schließt Descartes auch auf die Unsterblichkeit der Seele: Da die Seele unabhängig vom Körper ist und demnach nicht mit ihm stirbt, ist sie unzerstörbar.

Aus der Gewissheit des »Ich denke« schließt Descartes auch auf die Existenz Gottes. Der Mensch macht zwar ständig die Erfahrung der Unvollkommenheit und des Irrtums, doch in seinem Denken selbst gibt es auch die unausrottbare Vorstellung der Vollkommenheit. Diese Vorstellung kann er jedoch nicht aus sich selbst entwickeln, da in seiner Welt Vollkommenheit nicht vorkommt. Sie muss ihm von einem vollkommenen Wesen, also von Gott, eingepflanzt worden sein. Gott ist zum Beispiel insofern gegenüber dem Menschen vollkommen, als er nicht mit einem Körper behaftet, sondern reiner Geist und damit wie die Seele unsterblich ist. Die Idee der Vollkommenheit umfasst aber vor allem die Existenz. Würde Gott nicht existieren, wäre er nicht vollkommen.

Die Existenz Gottes wiederum ist die Garantie dafür, dass das, was wir als klar und deutlich erkannt haben, auch wirklich existiert und nicht Teil eines gigantischen Traums ist. Es ist nicht möglich, so Descartes, dass ein vollkommenes Wesen wie Gott uns in einem Zustand permanenter Täuschung belässt. Da Gott kein Betrüger ist, darf alles, was klar und deutlich erkannt wird, auch als wahr anerkannt werden. Gott ist es auch, der uns die Kraft der Vernunft gibt, mit deren Hilfe wir wahre von falschen Vorstellungen unterscheiden können.

Damit glaubte Descartes, das Fundament für die wissenschaftliche Erforschung der Welt gelegt zu haben. Er habe sich bemüht, so schreibt er im sechsten und letzten Teil der *Abhandlung*, »im Allgemeinen die Prinzipien oder ersten Ursachen alles dessen, was auf der Welt ist oder sein kann, zu finden, ohne zu diesem Zweck etwas anderes zu berücksichtigen als Gott allein, der sie geschaffen hat, und ohne sie anderswoher zu nehmen als aus gewissen Samenkörnern der Wahrheit, die unseren Seelen von Natur innewohnen«.

Die »Prinzipien oder ersten Ursachen alles dessen, was auf der Welt sein kann und ist« waren bis zu Descartes das traditionelle Gebiet der Metaphysik. Descartes hat die metaphysische Grundfrage nach dem Wesen der Dinge umformuliert in die Frage nach den Voraussetzungen für die Erkenntnis der Dinge im Bewusstsein des

Menschen. Durch diese Änderung der Blickrichtung von den Objekten zum Subjekt, zu den Erkenntnisvoraussetzungen im Menschen, wird Descartes zum Begründer der neuzeitlichen Erkenntnistheorie und »Bewusstseinsphilosophie«, die an Stelle der Metaphysik, zur »Ersten Philosophie« und damit zur neuen Grundlagendisziplin der Philosophie wird.

Die *Abhandlung über die Methode* erschien am 8. Juni 1637 in der niederländischen Universitätsstadt Leiden. Obwohl Descartes an der Existenz Gottes und der Unsterblichkeit der Seele festgehalten hatte, setzte die Kirche das Buch 1663 auf den Index. Erst 1690 durfte es in Frankreich wieder gedruckt werden, allerdings ohne den Namen des Verfassers zu nennen. Doch die weit reichende Wirkung der Schrift konnte dadurch nicht aufgehalten werden.

Mit seiner *Abhandlung* und ihrer These, dass in der Vernunft selbst unbezweifelbare Wahrheiten liegen, hatte Descartes die Programmschrift des neuzeitlichen Rationalismus verfasst. Spinoza, Leibniz und Christian Wolff folgten ihm nach. Auch Immanuel Kant steht in seiner Auseinandersetzung mit der »reinen Vernunft« noch ganz im Bannkreis der Fragen, die Descartes gestellt hat. In Frankreich hat man den »Cartesianismus« zuweilen sogar zu einem Teil des eigenen Nationalcharakters erklärt, ein Selbstverständnis, das spätestens mit der Französischen Revolution beginnt, die sich in ihrem Anspruch, der Vernunft zur Herrschaft zu verhelfen, bewusst auf Descartes bezieht.

Das »cartesianische Denken« wurde jedoch, weit über die Philosophie hinaus, zu einem Etikett für das westliche Denken schlechthin, für den Ehrgeiz, alles »rational« erklären zu wollen, für die Trennung von Mensch und Natur sowie von Körper und Geist. Als Synonym für die Selbstüberschätzung der Vernunft war es deshalb gerade im 20. Jahrhundert scharfer Kritik ausgesetzt und wurde für Technikwahn und Umweltzerstörung verantwortlich gemacht.

Doch Descartes' *Abhandlung* steht auch, wie nur ganz wenige Werke, für ein Denken bis zum Limit, das den Zweifel als produktive Kraft nutzt, um der Philosophie neue Räume zu erschließen. Wenn auch nur eine Skizze, so ist sie doch die Hinterlassenschaft eines der großen Pioniere in der Philosophiegeschichte. Descartes hat mit ihr ein Territorium betreten, dessen Größe und Grenzen die Philosophie bis heute abzumessen versucht. Selbsterforschung der Vernunft: dies war der Wegweiser, dem die neuzeitliche Philosophie gefolgt ist.

Ausgabe:

René Descartes: Von der Methode des richtigen Vernunftgebrauchs und der wissenschaftlichen Forschung. Französisch – Deutsch. Übersetzt von L. Gäbe. Hamburg: Meiner 1997.

Testament eines Gottsuchers

Blaise Pascal: Gedanken (1669/70)

Es gibt Bücher, die man so lesen sollte, wie ein Läufer einen Parcours absolviert: vom Start zum Ziel, von der ersten bis zur letzten Seite, wobei nichts übersprungen werden darf, will man den Gedankenaufbau nicht verfehlen. Es gibt aber auch Bücher, die man erkundet wie ein noch unentdecktes Terrain. Man erforscht einmal lange, einmal kurze Wege, mit verschiedenen Ausgangs- und Zielpunkten. Man liest sie nicht von der ersten bis zur letzten Seite, sondern schlägt sie an bestimmten Stellen auf, memoriert und durchdenkt einzelne Passagen und beendet die Lektüre wieder.

Auch unter den klassischen Werken der Philosophie gibt es solche, die von ihrer Form her Brevieren ähneln und als solche auch gelesen werden. Zu ihnen gehören die *Pensées*, die *Gedanken* des französischen Mathematikers und Philosophen Blaise Pascal. Es handelt sich hierbei nicht um eine Verkürzung oder Zusammenfassung eines größeren Textes, sondern um eine lockere Sammlung von Aphorismen, Notizen und kleineren Abhandlungen, die erst nach dem Tod des Autors aus einem Konvolut von Aufzeichnungen zusammengestellt wurden. Ein schwer überschaubares Gelände, ein Buch, das nicht wie ein Traktat durchgearbeitet werden kann, sondern auf vielen Streifzügen erforscht werden muss. Unter den sorgfältig ausstaffierten Systemkonzeptionen wirken die *Gedanken* bis heute wie ein ungebetener Gast, der in einem etwas befremdlichen Aufzug erscheint und durch sein ungebührliches Auftreten die Etikette verletzt.

Die *Gedanken* sind Zeugnis einer geistigen Auseinandersetzung zwischen den Ansprüchen der Vernunft und den Forderungen des christlichen Glaubens. Auf seinem Weg der Wahrheitssuche hat Pascal sich in einer geradezu selbstquälerisch intensiven Weise mit den Argumenten der Philosophie und der Wissenschaft auseinander gesetzt. Doch statt die Wahrheit über den Menschen und die Welt zu erfahren, wurden ihm die Ansprüche der Vernunft immer mehr zum Problem. Am Ende ordnet er den intellektuellen Scharfsinn der religiösen Leidenschaft unter. »Der letzte Schritt der Vernunft«, so sein Schluss, »ist die Erkenntnis, dass es eine Unendlichkeit von Dingen gibt, die die Vernunft übersteigen.«

Liebe zur Rationalität und Verzweiflung über ihre Grenzen – von diesem Zwiespalt sind die *Gedanken* geprägt. Sie sind das Testament eines Gottsuchers, eines Menschen, der unablässig nach dem letzten Prinzip unserer Wirklichkeit geforscht und sich bei dieser Suche schließlich der christlichen Religion anvertraut hat. Sie sind aber gleichzeitig ein glänzendes Beispiel philosophischer Rhetorik, beherrscht von der Absicht des Autors, die Rationalisten und Skeptiker auf den Weg des Glaubens zu führen.

In der Zwiespältigkeit seines Werks spiegelt sich auch die Widersprüchlichkeit der Person des Autors. Blaise Pascal war ein zwischen Vernunft und Leidenschaft zerrissener Mensch. 1623 in Clermont-Ferrand, im Herzen Frankreichs geboren, lebte er, früh von Krankheit gezeichnet, bereits in jungen Jahren in dem Bewusstsein, nicht viel Zeit zu haben. Es war ein Leben, gezeichnet von Krankheiten, Brüchen und Krisen, das früh in hellem Licht aufflackerte, aber auch sehr früh, im Alter von neununddreißig Jahren, wieder erlosch. Pascal hat sich wie eine Schlange mehrmals in seinem Leben gehäutet und jedes Mal trat ein neuer Mensch hervor: Wissenschaftler, Lebemann oder religiöser Asket. Und jede dieser Existenzen durchlebte er mit extremer Intensität.

Pascal wuchs in einer Familie auf, in der religiöse und wissenschaftliche Fragen eine große Rolle spielten. Sein Vater, ein hoher Beamter der Steuerverwaltung, hatte engen Kontakt zur intellektuellen Elite des Landes. Die Erziehung seines Sohnes nahm er selbst in die Hand: Klassische Sprachen und Mathematik spielten dabei eine Hauptrolle. Der junge Pascal erwarb sich schnell den Ruf eines Wunderkindes und wissenschaftlichen Genies.

Wie der zweite große französische Philosoph des 17. Jahrhunderts, René Descartes, fühlte sich Pascal von der Mathematik und ihrer Möglichkeit angezogen, rationale Ordnungsprinzipien und Strukturen zu entwerfen. Mit zwölf Jahren erfand er einen großen Teil der Euklidischen Geometrie neu. Mit knapp zwanzig Jahren konstruierte er eine Rechenmaschine, die seinem Vater bei seinen Steuerberechnungen helfen sollte. Aber auch die aufstrebenden Naturwissenschaften faszinierten ihn sehr früh. Er führte zahlreiche physikalische Experimente durch, deren Ergebnisse er der Öffentlichkeit mit großem Selbstbewusstsein vorstellte. Die Möglichkeiten rationaler Erkenntnis und Planung regten ihn immer wieder zu neuen Projekten an. Noch im Jahr seines Todes erhielt er das Patent für den Entwurf eines Transportnetzes, mit dem er die Personenbeförderung in Paris neu organisieren wollte.

Als ein wichtiger Schritt in seinem Denken erwies sich die 1651 erschienene Abhandlung *Über das Leere.* Aristoteles, der über viele Jahrhunderte einflussreichste Naturphilosoph, hatte behauptet, dass es in der Natur kein Vakuum, keine »Leerstellen« geben könne. Auch der Mensch blieb für ihn selbstverständlicher Bestandteil der kosmischen Gesetzmäßigkeit. Pascal kommt zu anderen Schlussfolgerungen. In der Natur gibt es seiner Ansicht nach keinen »horror vacui«, keine »Furcht vor dem Leeren«. Wie Descartes hält er die Natur, im Gegensatz zum Menschen, für geist- und seelenlos. Alles in ihr ist nach rein mechanischen Gesetzen erfassbar. Anders ist es dagegen beim Menschen, der aufgrund seiner Vernunft und seiner unsterblichen Seele weit über die Natur hinausragt.

Das Jahr 1651 markiert gleichzeitig eine erste große Zäsur in seinem Leben. Es ist das Jahr, in dem sein Vater stirbt und seine Schwester Jacqueline beschließt, in das Kloster Port-Royal in der Nähe von Versailles einzutreten. Pascal steht engen religiösen Bindungen zu diesem Zeitpunkt sehr skeptisch gegenüber. Im Gegenteil: Er will in der Welt reüssieren. So lehnt er auch das Vorhaben seiner Schwester vehement ab, ihr Vermögen dem Kloster zu vermachen. Der Schwerpunkt seines Lebens verschiebt sich von der Wissenschaft zur Gesellschaft.

Pascal wird ein »honnête homme«, ein vielseits gebildeter adeliger Lebe- und Weltmann, der in den Pariser Salons verkehrt. Man sieht ihn in Begleitung schöner Frauen, und er nimmt die Manieren eines Höflings an. Auch in seinen Studien setzt er einen neuen Schwerpunkt. Die Lektüre der *Essais* Michel de Montaignes lenkt seine Aufmerksamkeit von der Natur auf den Menschen. In Montaignes Lebensklugheitslehre geht es darum, dem Menschen zu helfen, seine Autonomie und Souveränität im Dschungel einer höfischen Gesellschaft zu behaupten, in der die Gunst mehr wiegt als moralische Integrität oder Leistung. Montaigne zweifelt an der Erkenntnisfähigkeit der menschlichen Vernunft, verzichtet aber völlig auf die Tröstungen und Heilsversprechen der Religion.

Nicht nur Montaignes weltlicher Skeptizismus, auch dessen antike Vorläufer fanden in dieser Lebensphase großen Widerhall im Denken des jungen Lebemanns Pascal. Die antiken Skeptiker lehrten, dass die letzten Gründe der Welt unerkennbar seien und dass man sich eines Urteils darüber enthalten müsse. Auch die Stoiker, die im 16. Jahrhundert überall im westlichen Europa eine Wiedergeburt erlebten, vertraten wie Montaigne eine ganz auf das Diesseits ausgerichtete Lehre der Lebenskunst, die der Unruhe und Leidenschaft des Menschen durch eine kluge Selbstkontrolle begegnen wollte. So genoss das *Handbüchlein der Moral* des Stoikers Epiktet, das wesentlichen Anteil daran hatte, dass die stoische Philosophie im Römischen Reich zur Lebensphilosophie der Gebildeten wurde, auch in den Kreisen der französischen honnêtes hommes große Wertschätzung.

Pascals Abkehr von der weltlichen Lebensklugheitslehre – und damit das Ende dieser Lebensphase – war verbunden mit einer einschneidenden persönlichen Krise. Im Jahr 1654, in der Nacht vom 23. auf den 24. November, kommt es zu Pascals berühmtem religiösen Bekehrungs- und Erweckungserlebnis. Solche Erlebnisse sind psychisch erschütternd und lassen sich kaum beschreiben. Pascal hat versucht, einiges davon in einer Erinnerungsnotiz, einem »Mémorial«, festzuhalten, das er in das Futter seines Mantels einnähte und in dem es unter anderem heißt: »Feuer. Gott Abrahams, Gott Isaaks,

Gott Jakobs, nicht der Gott der Philosophen und der Gelehrten ... nur auf den Wegen, die das Evangelium lehrt, kann man ihn bewahren.« Pascal hatte seinen eigenen, persönlichen Gott gefunden.

Dies war kein rationaler, erklärbarer Gott, kein »Gott der Philosophen«, sondern ein dunkler und – wie der Gott des Alten Testaments – für den Menschen oft unverständlicher Gott. Pascal nahm Abschied von der Überzeugung, Philosophie und Wissenschaft könnten ihn zu den letzten Gründen der Wirklichkeit führen. Mit diesem Bekehrungserlebnis wurde der Glaube an die Kraft der Rationalität durch eine religiöse Leidenschaft abgelöst. Aus dem honnête homme wird ein religiöser Asket.

Pascal gerät nun selbst in den Umkreis des Klosters Port-Royal. Ursprünglich ein reines Frauenkloster, wurde mit der Zeit auch Männern erlaubt, sich als »Solitaires«, als »Einsiedler«, im Umkreis des Klosters niederzulassen. Port-Royal war das Zentrum des französischen Jansenismus, einer Richtung innerhalb der katholischen Kirche, die theologisch dem Protestantismus nahe stand. Die Jansenisten zeichneten sich durch eine strenge moralische Lebensführung aus, geprägt von Disziplin, Askese und Weltabgewandtheit. Als Begründer des Jansenismus gilt der Bischof von Ypern, Cornelius Jansenius, der mit seinem 1640 erschienenen Buch über Augustinus die Programmschrift des Jansenismus verfasst hatte. Wie Augustinus stellten die Jansenisten die menschliche Willensfreiheit hinter die unerforschliche Gnade Gottes. Sie setzten sich damit in einen Gegensatz zur offiziellen Amtskirche und insbesondere zu den Jesuiten, mit denen sie in einem heftigen theologischen Streit lagen. Mehrere führende Jansenisten waren bereits von offiziellen Stellen, so von der Pariser Universität Sorbonne, verdammt und verurteilt worden.

Pascals Familie hatte immer schon enge Verbindungen zu Port-Royal unterhalten. Sein Vater hatte sich zum Jansenismus bekannt und seine Schwester Jacqueline lebte bereits im Kloster. Pascal, der berühmte Wissenschaftler, brillante Intellektuelle und bekannte Weltmann, zieht sich nun immer wieder zeitweise als Solitaire nach Port-Royal zurück. Er legt sich einen eisernen, mit Stacheln besetzten Gürtel an, um der Welt völlig zu entsagen. So beginnt seine Karriere als Philosoph – nicht im Dienst des Wissens, sondern im Dienst des Glaubens. Der Einfluss Montaignes und Epiktets wird durch den des Augustinus abgelöst. Augustinus, selbst ein Intellektueller, der erst spät, ebenfalls nach einem spektakulären Bekehrungserlebnis, zum christlichen Glauben fand, wird zu seinem wichtigsten philosophischen Geistesverwandten. Wie Augustinus wird nun auch Pascal zu einem Verteidiger eines fundamentalistischen, kompromisslosen Christentums.

Er stellt seine intellektuellen Fähigkeiten in den Dienst der jansenistischen Sache und schreibt die gegen die Jesuiten gerichteten achtzehn *Provinzialbriefe*, die unter dem Pseudonym Louis de Montalte 1657 veröffentlicht werden. Form und Präsentation der *Provinzialbriefe* sind jedoch ganz »unjansenistisch«: Es ist gerade nicht der fromme Geist, sondern es sind die logische Stringenz und die glänzend geführte stilistische Klinge, die die *Provinzialbriefe* zu einem großen publizistischen Erfolg werden lassen. Pascal zeigt sich hier als ein Schüler des Augustinus. Er behauptet die völlige Abhängigkeit des Menschen von der göttlichen Gnade. Der Mensch kann sich das ewige Leben nicht verdienen. Wie Augustinus betont Pascal die unüberwindliche Kluft zwischen Mensch und Gott. Seine Autorschaft bleibt nicht lange verborgen. In den Augen der Öffentlichkeit ist Pascal nun der »Rächer der Jansenisten« und der Philosoph von Port-Royal.

Ab 1656 entstehen auch jene Aufzeichnungen, die in die *Gedanken* eingeflossen sind – als eine Rechtfertigung und Selbstvergewisserung des neu erworbenen religiösen Glaubens. Descartes hatte seinem Hauptwerk den Titel *Von der Methode des richtigen Vernunftgebrauchs und der wissenschaftlichen Forschung* gegeben. Pascals *Gedanken über die Religion und einige andere Themen* – wie der Titel später lauten sollte – sind demgegenüber der Versuch, die Ohnmacht von Vernunft und Wissenschaft aufzuzeigen und auch Intellektuellen eine religiöse Alternative anzubieten.

Pascal starb 1662, ohne diese Texte veröffentlicht zu haben. Die *Gedanken* sind Fragment geblieben. Sie enthalten eine Auseinandersetzung mit allen früheren Lebensphasen und Überzeugungen Pascals: mit dem Forschergeist des Wissenschaftlers ebenso wie mit den Lebensklugheitslehren Montaignes, der Skeptiker und der Stoiker. Enthalten sind aber ebenso Teile eines geplanten großen Werks, der »Apologie des christlichen Glaubens«, das nie fertig gestellt wurde. Manche Texte sind als Dialog angelegt zwischen dem Autor und dem skeptischen Mann von Welt – dem honnête homme, der Pascal vor seiner Bekehrung war. Wenn es eine von Pascal selbst gewählte Anordnung der einzelnen Teile gibt, so ist sie schon sehr früh verloren gegangen.

In den *Gedanken* umkreist Pascal in immer neuen Ansätzen das Verhältnis von Natur, Mensch und Gott. Der Mensch ist das große Problem. Die Antwort auf dieses Problem ist der verborgene Gott, der »deus absconditus«.

Seine wissenschaftlichen Studien, aber auch seine Hinwendung zum Jansenismus hatten Pascal zu einem Menschen- und Gottesbild geführt, das sich von dem der offiziellen katholischen Theologie erheblich unterschied. Im Weltbild des Mittelalters hatte der Mensch seinen festen Platz in einer endlichen Welt und einer in Stufen geordneten, überschaubaren Natur, in der sich die Vernunft Gottes widerspiegelte. In Folge der empirischen Naturforschung war diese Überschaubarkeit jedoch verloren gegangen. Unendliche Offenheit von Raum und Zeit waren Teil des neuen mathematisch-naturwissenschaftlichen Weltbildes. Für Pascal steht der Mensch verloren in dieser Unendlichkeit: »Ich sehe diese furchtbaren Räume des Weltalls, die mich umschließen, und ich finde mich an einen Winkel dieser unermesslichen Ausdehnung gebunden, ohne zu wissen, warum ich gerade an diesen Ort gestellt bin und nicht an einen anderen, noch warum mir die kleine Zeitspanne, die mir zum Leben gegeben ist, gerade an diesem und nicht an einem anderen Punkt der ganzen Ewigkeit zugeordnet ist ... Ich sehe auf allen Seiten nur Unendlichkeiten, die mich umschließen wie ein Atom ...«

Auch Montaigne hatte den Menschen als ein Wesen begriffen, das seine Sicherheiten verloren hat und orientierungslos in der Ordnung des Kosmos steht. Während ihm dies jedoch Anlass ist, für Gelassenheit zu plädieren und den Menschen aufzufordern, die Lücke zur Natur wieder zu schließen, betont Pascal bewusst die große Distanz, die den Menschen sowohl von der Natur als auch von Gott trennt. Beide Abstände, zur Natur und zu Gott, sind für ihn unendlich groß.

In beiden Fällen ist es die Vernunft des Menschen, die diese Distanz markiert. Durch die Vernunft ragt der Mensch aus seiner natürlichen Umwelt heraus. Er ist das einzige Wesen, das sich einer Stellung im Kosmos bewusst werden kann. Die Grenzen dieser Vernunft trennen ihn aber auch von Gott. Für viele Theologen und Philosophen vor Pascal war der Mensch gerade durch seine Vernunft mit dem Wesen Gottes verbunden. Pascal jedoch lehnt, wie bereits Augustinus vor ihm, diese Auffassung ab. Die Vernunft kann niemals eine Brücke zwischen Mensch und Gott sein. Gott steht jenseits jeder Vernunft, weswegen jeder Versuch, ihn rational »beweisen« zu wollen, zum Scheitern verurteilt ist.

Die Existenz des Menschen ist für Pascal ein Drama, in dem sich Großartigkeit und Nichtigkeit ständig begegnen. Und er ist bemüht, dieses Drama in den grellsten Farben zu beschreiben. Es geht ihm darum, die verzweifelte, widersprüchliche, aber auch einzigartige Stellung des Menschen im Kosmos deutlich zu machen. Irgendwo in der Mitte zwischen Nichts und Unendlichkeit steht der Mensch, er ist zu großen Entdeckungen fähig, doch wo er eigentlich hingehört, weiß er nicht. Dies ist für Pascal ein Indiz, dass der Mensch ein gefallenes Wesen ist, dass er die ursprüngliche Verbindung zu Gott gekappt hat. Er ist mit der Erbsünde belastet. Er ist von seinen Ursprüngen nicht nur einfach entfernt oder entfremdet, sondern er befindet sich im »Elend«. Pascal vergleicht die Situation des Menschen deshalb immer wieder mit der des alttestamentarischen Hiob, mit einem Zustand des Leidens.

Das hervorstechende Merkmal der menschlichen Situation ist die Unruhe, das rastlose Getriebensein von einem Ziel zum nächsten. Der Mensch, so Pascal, ist das Wesen, das nicht allein in einem Zimmer verweilen kann. Sowohl Augustinus als auch Montaigne hatten diese Unruhe schon hervorgehoben. Doch bei Pascal wird sie dramatisch ausgemalt. Sie ist bei ihm Ausdruck einer existenziellen Verzweiflung, die nur von Gott aufgelöst werden kann. Der an Gott gerichtete Satz des Augustinus, »Unruhig ist mein Herz, bis es ruht in Dir«, könnte wie ein Leitsatz über den *Gedanken* stehen.

Es ist nicht die Natur, sondern der Mensch, der einen »horror vacui«, eine Furcht vor dem Leeren, hat. Um diese Leere zu überdecken, ist er ständig auf der Suche nach Zerstreuungen. Pascal entwirft das Bild des Menschen als eines rastlosen Spielers. Er wird getrieben von der Vorstellung des Gewinns, doch kein Gewinn stellt ihn zufrieden. Hinter seinem ruhelosen Spieltrieb steht in Wahrheit die Angst vor der Sinnlosigkeit. Sein Leben ist also nichts anderes als eine Fluchtbewegung. Für Montaigne und die Tradition der Moralistik ist es der honnête homme, der Mann von Welt, der sich durch innere Autonomie diesem rastlosen Treiben entziehen kann. Für Pascal ist diese Autonomie eine scheinbare und nichts anderes als eine unverzeihliche Gleichgültigkeit gegenüber dem Drama der menschlichen Existenz. Sie ist bestimmt durch die Erfahrung der Krankheit, der Grenzen der Erkenntnisfähigkeit, der Unruhe und der unendlichen Ferne von Gott, aber auch durch die Erfahrung der herausgehobenen Stellung des Menschen in der Natur und seiner einzigartigen Fähigkeit zu geistigen Abenteuern.

All dies findet nun in Pascals Bild vom Menschen als »denkendem Schilfrohr« seinen Höhepunkt: »Der Mensch ist nur ein Schilfrohr, das schwächste der Natur; aber er ist ein denkendes Schilfrohr. Es ist nicht nötig, dass das ganze Weltall sich waffne, ihn zu zermalmen: Ein Dampf, ein Wassertropfen genügen, um ihn zu töten. Aber wenn das Weltall ihn zermalmte, so wäre der Mensch noch edler als das, was ihn tötet, denn er weiß, dass er stirbt, und kennt die Überlegenheit, die das Weltall über ihn hat; das Weltall weiß nichts davon.« Im Bild des denkenden Schilfrohrs verbindet Pascal die Verzweiflung mit der Auserwähltheit der menschlichen Existenz. Es verdeutlicht sowohl die Ohnmacht als auch die Würde des Menschen, die Verbindung der Gegensätze, das Paradox, um den Menschen als das Wesen darzustellen, dem durch Vernunft nicht geholfen werden kann.

Deshalb greifen für Pascal auch die Weisheitslehren eines Montaigne oder eines Epiktet zu kurz. In den *Gedanken* kehrt er immer wieder kritisch zu jenen Philosophen zurück, die einst seine Lehrmeister waren. Montaigne, so Pascal, »verleitet zur Gleichgültigkeit dem Heil gegenüber« und Epiktet merkt nicht, »dass es nicht in unserer Macht steht das Herz zu ordnen«. Beide haben in Pascals Augen nicht begriffen, dass die Ursache des menschlichen Elends nicht in einer Entfremdung von der Vernunft liegt. Es geht nicht um weltliches Glück, sondern um das über das diesseitige Leben hinausgreifende Heil des Menschen. Und der Weg dahin führt nicht über die Vernunft, sondern über das Herz.

»Raison«, das im Deutschen wechselweise mit »Verstand« oder »Vernunft« übersetzt wird, und »coeur«, »Herz«, sind für Pascal die beiden wesentlichen Erkenntnisorgane des Menschen. Vernunft und Verstand sind für eine Erkenntnis zuständig, die sich, wie in der Philosophie, der Logik und den Wissenschaften, auf Argumentationen, Beweise und Schlüsse stützt. Doch dies umfasst für Pascal nicht den gesamten Bereich der Wahrheit. Neben der »Logik der Vernunft« gibt es eine »Logik des Herzens«. Das Herz mit seiner Fähigkeit einer sinnlich-intuitiven Erkenntnis geht tiefer als die Vernunft. Ihm sind Erkenntnisse zugänglich, die wir nicht mehr »begründen« und »beweisen« können. Pascal nennt als Beispiel dafür unsere Erkenntnis, dass der Raum dreidimensional ist oder dass die Zahlen unendlich sind. Gerade die in den wissenschaftlichen Theorien vorausgesetzten ersten Prinzipien lassen sich nach Pascal nicht durch die Vernunft, sondern durch das Herz erkennen. »Die Prinzipien«, so schreibt er, »werden gefühlt, die Lehrsätze werden erschlossen.« Alle großen Theorien, so Pascal, gründen ursprünglich auf einer Intuition.

Die intuitiv-sinnliche Fähigkeit des Herzens, etwas zu erschließen, zeigt sich jedoch nicht nur bei der Erforschung der Natur, sondern in allen Bereichen, insbesondere in der Beziehung zwischen Menschen, aber auch dort, wo es um religiöse Einsichten geht. Es gibt eine eigene »Vernunft«, das heißt einen eigenen Erkenntnisbereich des Herzens. Bei Pascal heißt dies: »La coeur a sa raison, que la raison connait pas.« – »Das Herz hat seine eigene ›Vernunft‹, die die Vernunft im engeren Sinne nicht kennt.« Damit stellt sich Pascal gegen die seit der Antike vorherrrschende »rationalistische« Tradition in der Philosophie, in der gerade die höchsten Wahrheiten nur der Vernunft zugänglich sind. Indem er der »Logik des Herzens« den Vorrang vor der »Logik der Vernunft« gibt, zeigt er im Gegenteil die Begrenztheit und das Unvermögen der Vernunft auf.

Dies gilt vor allem für die Erkenntnis Gottes. Gott als letzter Grund der Welt, als Retter und Erlöser des Menschen ist nur durch die Empfindung des Herzens für den Menschen erreichbar. Sie ist identisch mit der christlichen Liebe. Pascal unterscheidet zwischen einer »Ordnung des Geistes«, die nur der Vernunft, und einer »Ordnung der Liebe«, die nur dem Herzen zugänglich ist. Eine solche Gotteserkenntnis als Empfindung des Herzens, als Liebe, kann aber nicht erworben oder verdient werden, sie wird »geschenkt«. Die Sprache des Christentums hat dafür den Begriff »Gnade« geprägt.

Für den Jansenisten Pascal stand die Gnade im Mittelpunkt seiner religiösen Überzeugungen. Er setzt damit die von Paulus und Augustinus begründete Tradition fort, nach der sich der Mensch so tief im Zustand der Sünde befindet, dass er sich nicht aus eigener Kraft daraus befreien kann. Demütigung der Vernunft und Aufwertung der nichtrationalen Erkenntnis und der Gnade – dies alles sind Thesen, die Pascal vor allem mit seinem großen Vorgänger Augustinus verbinden.

Pascal bleibt sich aber dennoch bewusst, dass er sich mit seinen Thesen in einer öffentlichen Auseinandersetzung befindet und dass seine Leser vor allem im Kreis der Gebildeten zu finden sind. Deshalb lässt er sich in dem berühmtesten Abschnitt des Buchs, dem Abschnitt über die Wette, auf ein strategisches Experiment ein. In einer Auseinandersetzung mit einem weltlich-skeptischen Gesprächspartner, einem honnête homme, verzichtet er ganz auf Begriffe wie »Gnade« oder »Empfindung des Herzens«. Er stellt sich auf die kritische Grundhaltung seines Gegenübers ein und unternimmt es zunächst, ihm die Existenz Gottes auf dem Weg eines rationalen Wettkalküls nahe zu bringen.

Gott steht außerhalb der »Ordnung des Geistes«: Einen »normalen« Beweis seiner Existenz oder seiner Nicht-Existenz kann es also nicht geben. Klar ist aber, dass Gott entweder existiert oder nicht existiert. In unserem Leben müssen wir uns für oder gegen Gott entscheiden. Die Freiheit, sich zu enthalten, gesteht Pascal nicht zu. Wir befinden uns also in einer Wettsituation, in der wir entweder auf die Existenz oder die Nicht-Existenz Gottes setzen müssen. Und in dieser Wette geht es um unendlich viel: nämlich um die ewige Seligkeit. Es sieht so aus, als sei die Wahrscheinlichkeit, richtig zu tippen, 50:50. Die Möglichkeit eines unendlichen Gewinns hebt nach Pascal aber jede Wahrscheinlichkeitsabwägung auf. Der Mensch muss also auf die Existenz Gottes setzen, weil der mögliche Verlust in gar keinem Verhältnis zum möglichen Gewinn der ewigen Seligkeit steht. Selbst die Vernunft, so hält Pascal seinem vernunftgläubigen Gesprächspartner entgegen, »treibt« den Menschen zum Glauben.

Doch Pascals »Beweisführung« ist an dieser Stelle noch nicht zu Ende. Denn der Gesprächspartner, der honnête homme, kann sich nicht zur Wette entschließen und gesteht seine Unfähigkeit zu glauben ein. Nun empfiehlt Pascal einen »nichtrationalen«, lebenspraktischen Weg. Der Mensch soll so handeln, »als ob« er glaubt, er soll den Riten der Religion folgen und damit seine Leidenschaften verringern. Er soll sich erniedrigen, um so dem echten Glauben den Boden zu bereiten. Demut und Selbstbescheidung der Vernunft: Dies ist für Pascal ein Weg, der auch den Intellektuellen zum Glauben führen kann.

Dieser Intellektuelle trägt selbst viele Züge des Autors. In den *Gedanken* ringt der Gläubige Pascal mit dem skeptischen Rationalisten, der er selbst war und von dem er sich lösen möchte. Die *Gedanken* zeigen dem Leser ein doppeltes, ein rational-argumentierendes und ein religiös-meditierendes, Gesicht. Und genau deshalb hat das Buch immer sowohl religiös als auch philosophisch-rational orientierte Leser in gleicher Weise angesprochen. Auch für die Nichtgläubigen unter ihren Verehrern sind die *Gedanken* ein Zeugnis der Hellsichtigkeit ihres Autors geblieben, der aus einer glänzenden Analyse der Situation des Menschen die falschen Schlussfolgerungen gezogen hat.

Das Buch hat eine lange und komplizierte Publikationsgeschichte. Die erste, von Freunden besorgte Ausgabe von 1669/70 wurde vom Buchbinder willkürlich in fünf Abschnitte aufgeteilt. Spätere Herausgeber haben das Textkonvolut immer wieder neu geordnet, die Texte auf jeweils andere Weise rekonstruiert und die Abschnitte nummeriert. So begegnen dem Leser bis heute unterschiedlichste Ausgaben.

Dennoch haben die *Gedanken* von Anfang an eine weit über die philosophische Fachwelt hinausgehende Wirkung gehabt. In Frankreich erlangte das Werk schnell den Status eines Klassikers der Literatur. Die von Montaigne inspirierte freie literarische Form, besonders aber Pascals Menschenbeschreibung und Menschenbeobachtung haben die Moralistik von La Bruyère bis Chamfort beeinflusst. Pascal wurde damit nach Montaigne einer der Väter der philosophischen Anthropologie. Ungeachtet der religiösen Absichten des Buches hat Pascals Mensch die Leser immer mehr fasziniert als Pascals Gott.

Als sein vielleicht engster Geistesverwandter in der Moderne kann der dänische Theologe und Philosoph Sören Kierkegaard gelten, der in der ersten Hälfte des 19. Jahrhunderts vom Menschen verlangte, sich auch gegen die Regeln der Vernunft für eine religiöse Existenz und eine unmittelbare Beziehung zu Gott zu entscheiden. Über Kierkegaard wurde Pascal einer der großen Anreger des Existentialismus des 20. Jahrhunderts. So kehrt sein Bild des Menschen, der verloren im Weltall steht und dennoch in der Suche nach Sinn seine Würde bewahrt, in Albert Camus' *Der Mythos von Sisyphos* wieder.

Gerade in der Moderne haben die *Gedanken* mit ihrer schonungslosen Beschreibung der menschlichen Situation bei vielen einen Nerv getroffen. Nicht nur deshalb sind sie ein klassisches Werk für Sinnsucher geworden, die die Philosophie nicht aus ihrer Verantwortung entlassen wollen, dem Menschen Lebensorientierung zu geben.

Ausgabe:

Blaise Pascal: Über die Religion und über einige andere Gegenstände (Pensées). Herausgegeben und übersetzt von E. Wasmuth. Heidelberg: Lambert Schneider 1994.

Spielregeln des Rechtsstaats

John Locke: Zwei Abhandlungen über die Regierung (1690)

Die Wirkung, die philosophische Bücher auf das Leben der Menschen haben, lässt sich nur selten mit den Auswirkungen technischer Erfindungen oder politischer Umwälzungen vergleichen. Wenn wir daran denken, welche Folgen die Erfindung der Glühbirne, der Dampfmaschine oder des Computers für die modernen Gesellschaften hatte oder wie sich das Leben vieler Millionen Menschen durch die beiden Weltkriege des 20. Jahrhunderts veränderte, so kommt uns die Wirkung klassischer philosophischer Bücher eher vor wie die eines Weltrekords in einer extravaganten Sportart, die von ein paar wenigen Exzentrikern betrieben wird und die es vielleicht einmal im Jahr in die Spalten der Zeitung schafft.

Für John Lockes *Zwei Abhandlungen über die Regierung* trifft dies allerdings nicht zu. Diese in klarer und unprätentiöser Sprache formulierte Schrift, mit der die politische Philosophie der Aufklärung beginnt, entstand nicht im akademischen Elfenbeinturm, sondern war Teil einer Debatte, die eine ganze Nation mit Leidenschaft führte und in der der Autor eindeutig Partei ergriff. Locke begründete, warum Herrscher mit ihrer Macht nicht tun können, was sie wollen, dass diese Macht vom Volk verliehen, nach bestimmten Regeln ausgeübt und gegebenenfalls an das Volk zurückgegeben werden muss.

Nicht zufällig klingen diese Forderungen für uns ganz vertraut. Lockes Thesen zur Volkssouveränität, zum Naturrecht, zur Gewaltenteilung, zum Privateigentum und zum Widerstandsrecht des Bürgers haben die Lunte an das System des Feudalismus und der absoluten Monarchie gelegt und eine Entwicklung angeschoben, die bis zu den modernen demokratischen Verfassungsstaaten führt. Locke ist der philosophische Vater der Menschen- und Bürgerrechte. Seine *Zwei Abhandlungen über die Regierung* formulieren die Spielregeln des modernen Rechtsstaats. Sie setzten damit Veränderungen in Gang, die das Selbstverständnis jedes einzelnen Bürgers berührten.

Eine solche Wirkung wäre ganz im Sinne des Verfassers gewesen. John Locke war kein Schreibstubengelehrter und seine Interessen und Tätigkeiten gingen weit über die Philosophie hinaus. Sein Leben spielte sich nicht am Rande, sondern mitten in der Gesellschaft ab. Dass das Interesse für politische Verhältnisse dabei eine besondere Rolle spielte, war im England des 17. Jahrhunderts unvermeidlich. Religiöse Spaltungen, Bürgerkriege, Putsche und Revolutionen erschütterten das Land. Locke selbst wurde 1632 in einem kleinen Dorf im Westen Englands geboren. Seine Familie gehörte dem aufstrebenden Bürgertum an und kam durch den vom Großvater betriebenen Tuchhandel zu Wohlstand. Als Locke zehn Jahre alt war, schloss sich sein Vater als Offizier der Parlamentsarmee Oliver Cromwells an, die gegen die Königspartei unter dem Stuart Charles I. kämpfte. Es war ein politischer Kampf gegen die Ansprüche der absoluten Monarchie, aber auch eine religiöse Auseinandersetzung zwischen Puritanern und Angehörigen der anglikanischen Staatskirche. Es ging um politische Mitbestimmung, um sozialen Aufstieg und um religiöse Toleranz. Zwei unterschiedliche gesellschaftliche Mentalitäten stießen hier aufeinander, die sich auch noch lange nach Beendigung des Bürgerkriegs gegenüberstehen sollten: sittenstrenge Reformer und königskritische Adelige auf der einen Seite, Lebemänner und königstreue Traditionalisten auf der anderen Seite.

Als Cromwells Puritaner gesiegt hatten und Charles I. am 30. Januar 1649 im Whitehall Palace Yard in London exekutiert wurde, war Locke Schüler der berühmten Westminster School. Von ihren Fenstern aus konnte man die Hinrichtung beobachten. Die Schule galt als eine royalistisch gesinnte Bildungsstätte, ebenso wie die Universität Oxford, auf der Locke von 1652 bis 1658 zum Wissenschaftler ausgebildet wurde. Zwar nahmen philosophische Studien dabei einen großen Raum ein, doch wurde Locke nie ein reiner Fachphilosoph. Die englischen Universitäten bildeten ihre Studenten zu Gentlemen aus, die eine breite Bildung erworben hatten und sich auf dem gesellschaftlichen Parkett bewegen konnten. Im Gegensatz zu seinem Vater war der junge Locke ein königstreuer Konservativer und befand sich damit ganz im Einklang mit dem akademischen Establishment in Oxford. Entsprechend begrüßte er die Rückkehr der Stuarts auf den Thron im Jahr 1660.

Nach dem Studium nahm Locke zunächst eine Tutorenstelle in Oxford an, doch genügte ihm das akademische Leben nicht. 1665 ging er als englischer Botschaftssekretär in das damals brandenburgische Kleve. Nach England zurückgekehrt, widmete er sich medizinischen Studien und erwarb, obwohl er erst 1675 die offizielle Approbation erhielt, den Ruf eines fähigen Arztes.

In den frühen sechziger Jahren schrieb er mehrere Essays zur politischen Philosophie, die sich an die Theorie des Gesellschaftsvertrags seines etwas älteren Landsmanns Thomas Hobbes anlehnten und in denen sich noch seine Vorliebe für einen starken Staat äußerte. In seinem Hauptwerk *Leviathan* (1651) hatte Hobbes zwischen einem vorstaatlichen »Naturzustand« und einem staatlich organisierten Zustand unterschieden. Der Übergang vom Naturzustand zum Staat erfolgt durch eine vertragliche Vereinbarung, die die Menschen auf der Basis der Freiheit und Gleichheit eingehen.

Locke wurde ein Anhänger der Vertragstheorie, die Hobbes in die neuzeitliche Philosophie eingeführt hatte. Die durch sie begründete These, dass sich die Legitimität politischer Herrschaft aus dem Willen der Menschen und nicht aus dem Willen Gottes ableitet, wurde zum festen Bestandteil seiner Überzeugungen. In seinen frühen Essays trat er auch, wie Hobbes, für eine starke Staatsgewalt ein. Er stimmte der These Hobbes' zu, dass der Naturzustand der Zustand der Anarchie, des Chaos und der Rechtlosigkeit sei, der nur dadurch beendet werden könne, dass die Menschen alle Rechte an einen Souverän abgeben, der mit unbeschränkter Gewalt ausgestattet ist. Auch hier stand er also noch ganz auf der Seite des absolutistischen Königtums.

Dies änderte sich, als er 1667 Anthony Ashley Cooper, den späteren Grafen von Shaftesbury kennen lernte. Shaftesbury war einer der prominentesten, einflussreichsten, aber auch einer der umstrittensten Politiker des Landes. Als Vertreter der Whigs setzte er sich, im Gegensatz zu den konservativen Tories, für eine Begrenzung der königlichen Macht und für die Rechte der protestantischen Freikirchen ein. Besonders engagiert vertrat er die britischen Handelsinteressen, die Öffnung der Märkte für britische Produkte und die Erschließung neuer Kolonien. Auf dem politischen Parkett galt er als Hasardeur. Sein Ehrgeiz brachte ihm hohe politische Ämter ein, aber er war auch an zahlreichen Komplotten beteiligt und geriet dadurch immer wieder mit dem König in Konflikt. Zwischen 1677 und 1678 musste er sogar einmal für zwölf Monate im berühmten Londoner Tower einsitzen.

Shaftesbury wurde der Gönner und Protektor Lockes. Er machte ihn nicht nur zu seinem Hausarzt, sondern auch zu einem seiner engsten Vertrauten. Durch ihn wurde aus dem konservativen Tory ein liberaler Whig, aus dem Universitätsdozenten ein Mann von Welt und ein Philosoph von Rang. Shaftesbury vermittelte Locke politische Ämter und wissenschaftliche Ehren. So war es ihm zu verdanken, dass Locke in die Royal Society aufgenommen wurde. In Shaftesburys Londoner Haus trafen sich regelmäßig einige der besten Köpfe Englands. Locke führte hier wissenschaftliche Experimente durch und nahm an politischen und philosophischen Diskussionen teil. Ohne diese anregende intellektuelle Atmosphäre, die ihn nun umgab, wären viele seiner Schriften nicht entstanden.

Durch Shaftesbury wurde Locke auch in die Entscheidungsprozesse der englischen Politik miteinbezogen. Unter seinem Mentor diente er zeitweise als Staatssekretär und war als solcher auch mit der Gründung englischer Kolonien befasst. Dieser Prozess, von der ersten Ankunft der Siedler bis zur Entstehung politischer Institutionen und der Verabschiedung von Verfassungen, war mit der Entstehung neuer Staaten und dem Übergang vom Naturzustand zu einem staatlichen Zustand im Gesellschaftsvertrag vergleichbar. Die Beobachtungen und Erfahrungen, die Locke hier machte, fanden in seine politische Philosophie Eingang.

In den Schriften, die er in dieser Zeit verfasst, zeigen sich sowohl sein neues liberales Gesicht als auch die politischen Rücksichtnahmen, die er nun üben muss. So tritt er in seinem *Essay über Toleranz* (1667) für freie Religionsausübung ein, nimmt allerdings die Katholiken aus. Er begründet dies damit, dass Katholiken sich nur dem Papst und keinem weltlichen Herrscher unterordnen würden und damit eine Gefahr für den gesellschaftlichen Frieden seien. Hintergrund dieser heute etwas befremdlich anmutenden Ausnahme ist die englische Tagespolitik. Der 1660 wieder eingesetzte Stuart-König Charles II., nominell ein Anglikaner, liebäugelte mit dem Katholizismus. Was aber schwerer wog, war die Tatsache, dass er keine legitimen Nachkommen hatte und deshalb zu befürchten war, dass ihm sein katholischer Bruder James auf dem Thron folgen würde. Dies wollten die Whigs um Shaftesbury und ein großer Teil der englischen Öffentlichkeit unbedingt verhindern. Sie verfolgten deshalb eine radikal antikatholische und antipapistische Politik.

Im Misstrauen gegen Charles II. wurzelten auch die Ansichten, die die Whigs zum Problem der Legitimität von Macht hatten. Diese Ansichten hat Locke mitformuliert und philosophisch untermauert. Er wurde, so würde man heute sagen, einer der wichtigsten »Spindoctors« der Whigs. So betont er in seinem *Essay*, dass die Macht dem König ausschließlich zu dem Zweck verliehen wird, sie für das gesellschaftliche Wohl und den öffentlichen Frieden einzusetzen. Ein katholischer König, der sich anmaßt, das Parlament nach Belieben entmachten zu können – so konnte jeder Leser ergänzen –, bedeutet Bruch des öffentlichen Friedens, vielleicht sogar Bürgerkrieg, und verliert deshalb seinen Anspruch auf Legitimität.

Doch auch die Spindoctors der Tory-Seite blieben nicht müßig. Einer von ihnen, John Filmer, veröffentlichte 1680 sein Buch *Patriarcha*, in dem er den Nachweis versuchte, dass die königliche Macht ihre Legitimität von der väterlichen Gewalt herleitet, die Gott Adam im Alten Testament verliehen hat. Politische Macht wurzelt nach Filmer also im »Patriarchat«. Sie ist eine Schenkung Gottes und in ihrer Reichweite unbeschränkt. Adam hat sie an seine Nachkommen weitergegeben. Zu ihnen gehören auch die Monarchen. Der Staat ist nichts anderes als eine größere Organisationsform der Familie, mit dem König an der Spitze. Die Untertanen im Staat haben dem König in derselben Weise Gefolgschaft zu leisten wie die Mitglieder einer Familie ihrem Familienoberhaupt. Filmers Schrift war unter den Tories außerordentlich populär und forderte eine Entgegnung von seiten der Whigs geradezu heraus.

Sehr vieles spricht dafür, dass John Locke, wie andere Whig-Publizisten auch, sich in den Jahren 1680 bis 1682 daran machte, Filmer zu widerlegen. Aus dieser Widerlegung entstand die erste Fassung der *Zwei Abhandlungen über die Regierung*. Sie enthielt jedoch nicht nur eine Kritik an Filmer, sondern auch eine Rechtfertigung der Revolution. Sie lieferte die philosophische Begründung für den Sturz eines illegitimen Königs, ein Sturz, der im Jahre 1682 von Shaftesbury und seinen Anhängern auch tatsächlich geplant wurde. Da die Pläne für den Putsch jedoch aufgedeckt wurden, musste Shaftesbury, als presbyterianischer Pfarrer verkleidet, in die Niederlande fliehen, wo er wenige Monate später starb. Die Anhänger Shaftesburys, unter ihnen auch Locke, hatten nun die Rache des Königs zu fürchten. An eine Publikation seiner Schrift war für Locke unter diesen Umständen nicht mehr zu denken. So setzte er sich 1683 selbst in die Niederlande ab.

Zwei Jahre später trat das ein, was Shaftesbury und seine Gefolgsleute immer befürchtet hatten: Der katholische James II. bestieg den Thron. Was aber noch schwerer wog, war die Tatsache, dass dieser 1688 einen Sohn bekam und damit die Stellung der anglikanischen Staatskirche in Gefahr geriet. Die Whigs setzten ihre Hoffnung nun auf James' protestantische Tochter Mary, die in den Niederlanden lebte und mit Wilhelm von Oranien verheiratet war. Beide wurden deshalb vom protestantischen Adel ins Land gerufen, um James II. zu stürzen. Der Coup gelang. James verlor jeglichen Rückhalt im eigenen Land. Am 20. Februar 1689 setzten William und Mary auf der »Isabella« von Rotterdam nach London über, um die vom englischen Parlament angetragene Königswürde zu übernehmen und damit die so genannte »Glorreiche Revolution« zu vollenden. Auf dem Schiff befand sich auch John Locke, der bei dem zukünftigen Königspaar in großer Gunst stand. Auch er sah nun seine politischen Ziele erfüllt. Mit der berühmten »Bill of Rights« waren sowohl die Rechte des Parlaments als auch der protestantische Charakter der Monarchie festgeschrieben worden.

Nun konnte das Manuskript der *Zwei Abhandlungen über die Regierung* veröffentlicht werden. Teile davon waren allerdings während des Exils verloren gegangen. Im Vorwort bringt Locke seine Schrift in eine unmittelbare Verbindung zur Glorreichen Revolution: »Leser, du hast hier Anfang und das Ende einer Abhandlung über die Regierung. Es ist nicht der Mühe wert, dir zu berichten, was aus den Papieren geworden ist, welche die Mitte ausfüllen sollten und die mehr waren als der ganze Rest. Ich hoffe, dass die übrig gebliebenen ausreichen werden, den Thron unseres großen Retters, des gegenwärtigen Königs Wilhelm, zu festigen und die Berechtigung seines Anspruchs auf die Zustimmung des Volkes zu beweisen ...« Es ging also nicht mehr um eine Aufforderung zur Revolution, sondern um die Rechtfertigung einer konstitutionellen Monarchie. Seitdem werden die beiden *Abhandlungen* häufig als Begleittext zur Glorreichen Revolution gelesen, obwohl Lockes Manuskript auf die frühen achtziger Jahren zurückgeht und später lediglich der neuen Situation angepasst wurde.

Lockes Werk gehört zu den lesbarsten Klassikern der Philosophiegeschichte. In der veröffentlichten Form hat es zwei klar voneinander unterschiedene Teile: In der ersten *Abhandlung* geht es um eine Auseinandersetzung mit »gewissen falschen Prinzipien«, in der zweiten um die Darlegung der wahren Ziele staatlicher Herrschaft. Stellvertretend für die falschen Prinzipien, die das Gottesgnadentum und die absolute Monarchie rechtfertigen, steht Filmers *Patriarcha*, deren Thesen Locke Schritt für Schritt widerlegt. Er tut dies zunächst, indem er sich auf die Autorität der Bibel einlässt, deren Zeugnis Filmer als Begründung für seine These anführt, die Menschen seien von Natur aus ungleich, da Gott von Anfang an mit Adam und seinen Nachfolgern einen Herrscher über sie eingesetzt habe. Auch für Locke war der Bezug zur Bibel für seine Glaubwürdigkeit bei den zeitgenössischen Lesern wichtig. Insbesondere die bibeltreuen Puritaner legten Wert darauf, die Bibel als Stütze der eigenen politischen Überzeugungen anführen zu können.

Locke bestreitet die These, dass Adam von Gott mit einer Herrschaftsgewalt ausgestattet wurde und dass diese Herschaftsgewalt ununterbrochen auf die Könige der Gegenwart übergegangen sei. Den Auftrag, über die Erde zu herrschen, habe Adam vielmehr stellvertretend für die gesamte Menschheit erhalten. Auch von einer zeitlich ununterbrochenen, linearen Nachfolge der Herrschaft Adams, von einer »Dynastie Adam« also, kann nach Locke nicht gesprochen werden. Er weist darauf hin, dass die Herrschaftsfolge im jüdischen Volk mehrere Brüche erlebt hat: so durch das ägyptische Exil, die babylonische Gefangenschaft oder durch die römische Herrschaft. Eine »legitime« Nachfolge der Herrschaft Adams lasse sich somit überhaupt nicht nachweisen.

Mit der Widerlegung der Behauptung, es gäbe natürliche Herrschaftsansprüche, war eine der Grundthesen Filmers gefallen, mit der dieser letztlich die Idee des von Gott verliehenen Königtums begründet hatte: die These von der natürlichen Ungleichheit und Unfreiheit der Menschen. Dass es in der Naturordnung liegt, dass manche als Herrscher und manche als Sklaven geboren werden, war eine Auffassung, die sich seit Platon und Aristoteles in der Philosophie gehalten hatte. Locke dagegen stellt sich gleich im ersten Satz seines Buches auf die Seite der Freiheit und der Menschenwürde: »Die Sklaverei«, so hält er Filmer entgegen, »ist ein so verächtlicher, erbärmlicher Zustand des Menschen und dem edlen Charakter und Mut unserer Nation derartig entgegengesetzt, dass es schwer fällt zu begreifen, wie ein *Engländer*, geschweige denn ein *Gentleman*, sie verteidigen kann.« Sie sei, so formuliert er an einer späteren Stelle, ein »fortgesetzter Kriegszustand« zwischen einem Eroberer und einem Gefangenen, aber kein Zustand, der in einer durch Recht und Gesetz geordneten Gesellschaft Platz habe. Die gegenteilige These, dass nämlich Gott alle Menschen frei und gleich erschaffen hat, wird zur Grundlage seiner eigenen politischen Philosophie, die er in der zweiten *Abhandlung* entwickelt.

Nachdem er sich in der ersten *Abhandlung* noch auf Filmers Ansatz eingelassen hatte, politische Herrschaft sei aus der Herrschaft eines Familienoberhaupts abzuleiten, greift er nun diesen Ansatz an.

Denn für Locke sind die Aufgaben eines Königs und die eines Familienvaters völlig verschieden. Die elterliche Gewalt besteht nach Locke lediglich darin, den Unterhalt der Familie und die Erziehung der Kinder zu sichern. Sie ist zeitlich begrenzt und erstreckt sich auch nicht auf Leben und Eigentum der Familienmitglieder. Politische Herrschaft hat es, weit darüber hinausgreifend, um den zeitlich unbegrenzten Schutz von Grundrechten wie Eigentum und Leben zu tun. Der Herrscher ist deshalb nur in einem metaphorischen Sinn der »Vater« seines Volkes.

Damit ist Locke auch von Hobbes abgerückt, obwohl er die Idee des Gesellschaftsvertrags weiterhin vertritt. Hobbes' Name taucht in den *Abhandlungen* kaum auf, da sein Werk von den Zeitgenossen weitgehend totgeschwiegen wurde und weder bei den Whigs noch bei den Tories Resonanz fand. Bei den Whigs war er unbeliebt, weil er die absolute Monarchie gerechtfertigt hatte. Da er aber andererseits, im Gegensatz zu Filmer, die Herrschaftsgewalt des Königs nicht von Gott, sondern aus einem Vertrag herleitete, wurde er auch von den Tories abgelehnt.

Locke verändert die Vertragstheorie von Thomas Hobbes in mehreren entscheidenden Punkten. Der Naturzustand ist für ihn kein Zustand der Anarchie, sondern ein Zustand, in dem ein Naturrecht herrscht, das er als »Vernunftgesetz« bezeichnet. Von einem »Naturrecht« hatte Hobbes nur in dem Sinn einer Erlaubnis gesprochen, sich im Naturzustand gegen andere zu behaupten und zu wehren. Locke dagegen glaubt, dass das Vernunftgesetz den Menschen schon im Naturzustand zwingt, aus dem Stadium der Vereinzelung herauszutreten und sich auf einen sozialen Zusammenhang mit anderen Menschen einzulassen. Jeder Mensch hat dabei von Anfang an Grundrechte und erwirbt weitere Rechte und Ansprüche. So gibt es Eheverhältnisse und Siedlungsgemeinschaften. Es wird Land bebaut und Waren werden getauscht. Einen solchen Naturzustand hatte Locke konkret vor Augen, wenn er an die Situation der europäischen Siedler in Nordamerika dachte, die sich in einem Land ansiedelten, das nach europäischem Verständnis noch ohne jede Staats- und Rechtsordnung war.

Nach dem »Vernunftgesetz« hat der Mensch im Naturzustand drei grundlegende Rechte: das Recht auf Leben, das Recht auf Freiheit und das Recht auf Besitz. Jeder hat zum Beispiel im Naturzustand das Recht auf angemessene Wiedergutmachung, wenn ihm ein Schaden zugefügt wird. Dabei spielt das Grundrecht auf Besitz, das heißt auf Privateigentum, bei Locke eine besonders herausragende Rolle. Mit ihm trägt er der Entstehung der neuen bürgerlichen Gesellschaften Rechnung, in denen mittelalterlich-feudale Besitz- und Handelsbeschränkungen zunehmend in Frage gestellt wurden. England war in Westeuropa der Vorreiter einer Entwicklung, in der freier Warenverkehr, Privatbesitz an Produktionsmitteln und Erschließung neuer Rohstoffmärkte zu dem führten, was Karl Marx hundertfünfzig Jahre später als »Kapitalismus« bezeichnen sollte.

Locke war auch einer der ersten Philosophen, die den Besitz mit dem Faktor »Arbeit« verknüpften. So hat jeder ein Besitzrecht an dem Land, das er selbst bebaut und bearbeitet hat. Auch hier nahm Locke ein Problem der amerikanischen Kolonisten auf, die ihr Land »in Besitz« genommen hatten, ohne dass es schon eine staatliche Eigentumsordnung gab. Lockes Naturzustand kann also nicht mit Chaos gleichgesetzt werden.

Locke unterscheidet zwei Stadien des Naturzustands: Im ersten beschränken sich die Menschen auf den Erwerb dessen, was sie zum Leben brauchen. Im zweiten Stadium dagegen wird Geld als Tauschmittel eingeführt und damit die Möglichkeit geschaffen, Werte anzuhäufen, die man gar nicht selbst verbrauchen kann. Mit der Einführung des Geldes entstehen nach Locke schon im Naturzustand Ungleichheiten im Besitz. Er hat diese Ungleichheiten als ein notwendiges Übel akzeptiert, weil er in einer freien Geld- und Warenzirkulation die Voraussetzung für eine produktive Volkswirtschaft sah.

Wenn es aber im Naturzustand bereits eine Gesellschaft gibt, in der rechtliche, soziale und wirtschaftliche Beziehungen existieren, welchen Sinn hat dann noch ein Gesellschaftsvertrag, mit dem die Menschen Bürger eines Staates werden? Lockes Antwort ist einfach: Nur der Staat mit seinen Institutionen kann das im Naturzustand geltende Vernunftgesetz auch durchsetzen. Grundrechte zu haben und diese Grundrechte gegenüber jedermann auch geltend machen zu können – dies sind für Locke zwei unterschiedliche Paar Schuhe. Wenn jemand meine Kuh stiehlt, habe ich zwar das Recht, sie mir wiederzuholen, aber wer hilft mir, wenn der andere stark genug ist, dies zu verhindern? Das Vernunftgesetz darf kein Papiertiger bleiben. Die Menschen wollen durch Institutionen gesicherte Lebensverhältnisse, geschriebene und respektierte Gesetze, eine Polizei und unabhängige Gerichte. Der Naturzustand dagegen ist wie ein Haus ohne Dach.

Auch für Hobbes war der Gesellschaftsvertrag das Mittel, Recht und Gesetz durchzusetzen. Doch Recht entstand für ihn erst mit dem Vertrag selbst. Wo keine Macht ist, so Hobbes, gibt es auch kein Recht. Im Gegensatz zu Hobbes aber glaubt Locke, dass das Recht nicht erst durch den Staat und seine Macht geschaffen wird. Mit dem Staat fängt nicht ein neues Recht an, sondern das bereits geltende Recht, das Vernunftgesetz des Naturzustands, soll nun geschützt und gesichert werden. Das Naturrecht wird bei Locke zu einem vorstaatlichen Vernunftrecht, das jeder staatlichen Gesetzgebung als Grundlage dienen muss. Ein Staat ist erst dann legitimiert, wenn er dieses Naturrecht achtet.

Deshalb ist der Gesellschaftsvertrag für Locke nur gültig, wenn er die Grundrechte auf Freiheit, Leben und Besitz garantiert. Die Menschen kommen in einem solchen Vertrag überein, die Macht zur Durchsetzung der Grundrechte an staatliche Institutionen zu übergeben. Sie übergeben diese Macht jedoch nicht bedingungslos und nicht für immer, sondern als eine Art Vertrauensleihgabe. Das englische Wort, das Locke benutzt, heißt »trust«. »Trust« ist der eigentliche Eckstein in seiner politischen Theorie. In diesem »Vertrauen« ist sowohl der »consent«, die Zustimmung des Bürgers, enthalten als auch das Ziel des »public good«, des öffentlichen Wohls, dem die Institutionen des Staats verpflichtet sind. Mit anderen Worten: Handelt ein Herrscher gegen die Zustimmung der Mehrheit der Bürger, so hat er den Gesellschaftsvertrag gebrochen. Der Bürger bleibt der Souverän, von dem alle Macht ausgehen muss. Locke wird damit zu dem eigentlichen Begründer der »Volkssouveränität«.

Die Institution, in der sich diese Souveränität vornehmlich ausdrückt, ist die Legislative, also das gewählte Parlament als Gesetz gebende Versammlung. Sie bleibt als Stimme des Volkes die »oberste Gewalt«. Sie kontrolliert die Exekutive, die ausführende Gewalt, und hat das Recht, über die Verwendung von Haushaltsmitteln zu entscheiden. Locke hat sich damit in dem Kampf zwischen Parlament und König, der sich in England durch das gesamte 17. Jahrhundert hindurchzog, eindeutig auf die Seite des Parlaments gestellt. Der König ist demnach nicht mehr befugt, das Parlament willkürlich aufzulösen oder über den Kopf des Parlaments hinweg Steuergelder auszugeben. Der Legislative – und nicht der Exekutive – fällt auch die Aufgabe zu, unabhängige Richter zu ernennen. Obwohl Locke die richterliche Gewalt noch nicht als eine dritte Gewalt neben dem Parlament und der Regierung gesehen hat, ist er durch die von ihm geforderte Unabhängigkeit der Legislative gegenüber der Exekutive doch zum Vater der modernen Gewaltenteilung geworden.

Damit hatte Locke eine Lehre von der Legitimität politischer Macht entwickelt, nach der eine Monarchie nur noch in eingeschränkter Form, das heißt als »konstitutionelle Monarchie«, möglich war. Das vom Parlament verabschiedete Gesetz hatte immer über der Regierung oder über dem König zu stehen. Vor allem aber enthielt die Theorie einen für Diktaturen revolutionären Sprengstoff. Wenn nämlich die Träger politischer Macht, sei es das Parlament oder die Regierung, diese nur auf Vertrauensbasis vom Volk entliehen haben, so kann ihnen das Volk bei einem Vertrauensbruch die Macht auch wieder entziehen. Locke begriff den Gesellschaftsvertrag als eine Art Handelskontrakt, in den die Beteiligten ihre Interessen einbringen, der aber auch wieder gekündigt werden kann, wenn diese Interessen nicht mehr gewahrt werden. Wenn der Staat seinen Ursprung in einem freiwilligen Zusammenschluss von Menschen hat, so kann er von Menschen auch wieder aufgelöst werden.

Ein solcher Kündigungsgrund, ein Bruch des »trust«, liegt vor allem dann vor, wenn die Grundrechte auf Leben, Freiheit und Besitz verletzt werden. Dazu zählen auch Versuche der Exekutive, das Parlament als die Vertretung des Volkes zu umgehen oder zu entmachten, wie James II. dies in den Augen der Whigs versucht hatte. Dem Bürger ein Kündigungsrecht gegen illegitime Herrschaft zu verleihen: Darin hatte ursprünglich das Hauptmotiv der Schrift gelegen.

Deshalb rechtfertigt für Locke der Vertrauensbruch der staatlichen Institutionen, also ein Verstoß gegen das Naturrecht, den Widerstand der Bürger gegen den Staat. Ein Widerstandsrecht gegen Tyrannei war in der Philosophie nicht neu: Der bekannteste mittelalterliche Philosoph, Thomas von Aquin, hatte ein solches Recht dem Bürger bereits eingeräumt. Doch nie zuvor waren die Rechte des Bürgers so weit gefasst und die Grenzen des Machtmissbrauchs so eng gezogen worden wie bei Locke. Auch Locke dachte nicht daran, bei jedem Gesetzesbruch der herrschenden Politiker zur Revolution aufzurufen. Er hatte vielmehr einen dauernden und wiederholten Verfassungsbruch im Auge, der das Vertrauen der Bürger unterhöhlt.

Dennoch enthalten die *Zwei Abhandlungen über die Regierung* die Rechtfertigung revolutionärer Gewalt unter bestimmten, klar definierten Bedingungen. An eine gewaltlose Absetzung von Diktaturen glaubte Locke nämlich nicht. Wenn dem Bürger Grundrechte entzogen werden, dann muss er auch das Recht erhalten, sich gewaltsam einer illegitimen Herrschaft zu entledigen. Lockes Devise lautet: Im Zweifelsfall für die Bürger und gegen die Machthaber. Es ist gerade diese Einsicht, die *Zwei Abhandlungen über die Regierung* Popularität verschafft hat: dass nämlich der Staat ein Werkzeug des Bürgers und nicht der Bürger ein Werkzeug des Staates ist.

Lockes *Abhandlungen* erschienen, noch im Oktober des Revolutionsjahres 1689, anonym in London bei Awnsham Churchill, einem alten Whig, der sich nun offiziell »königlicher Buchhändler« nennen durfte. Auf dem Titelblatt stand allerdings die Jahreszahl 1690, was seitdem als offizielles Erscheinungsjahr gilt. Für die Zeitgenossen hatten die *Zwei Abhandlungen über die Regierung* die Glorreiche Revolution gerechtfertigt. Als Lockes Autorschaft zu Beginn des 18. Jahrhunderts allgemein bekannt wurde, erregte das Buch, weit über England hinaus, auch internationales Aufsehen.

Es war die französische Aufklärung, die Lockes Philosophie im 18. Jahrhundert auf dem europäischen Kontinent populär machte. Montesquieu entwickelte, auf Locke aufbauend, seine Theorie der Gewaltenteilung. Auch Voltaire und Rousseau benutzten Lockes Theorie als Waffe gegen das Ancien Régime und halfen damit, die Französische Revolution ideologisch vorzubereiten. Thomas Jefferson und Benjamin Franklin nahmen Lockes Ideen mit über den Atlantik und sorgten dafür, dass die Bill of Rights von 1776 und wenig später die amerikanische Verfassung im Geiste Lockes geschrieben wurden.

Die großen Vertreter des Liberalismus des 19. Jahrhunderts wie Alexis de Tocqueville und John Stuart Mill können mit Recht Locke als ihren Stammvater ansehen. Aber auch Karl Marx, der große Gegenspieler des Liberalismus, würdigte Locke als denjenigen, der Fragen der politischen Ökonomie in die Philosophie eingeführt hat. Im 20. Jahrhundert konnte sich die Kritik an den totalitären Ideologien auf Locke und seine Lehre vom Naturrecht berufen. Und auch Lockes Versuch, Menschen- und Bürgerrechte mit Hilfe der Idee des Gesellschaftsvertrags zu begründen, erlebte durch den Amerikaner John Rawls eine Neuauflage.

John Lockes *Zwei Abhandlungen über die Regierung* haben, wie nur wenige Werke der politischen Philosophie, das Selbstbewusstsein des Menschen gestärkt, indem sie ihm das gezeigt haben, was er nicht verlieren kann: die Rechte eines freien Bürgers.

Ausgabe:

JOHN LOCKE: Zwei Abhandlungen über die Regierung. Herausgegeben und eingeleitet von W. Euchner. Übersetzt von H. J. Hoffmann. Frankfurt/Main: Suhrkamp 2000.

Grenzvermessung im Land der Erkenntnis

IMMANUEL KANT: Kritik der reinen Vernunft (1781)

In der Geschichte des Menschen gibt es immer wieder Ereignisse, die als radikaler Bruch mit der Vergangenheit, als Zäsur und Neuorientierung empfunden werden. Man blickt auf sie mit dem sicheren Bewusstsein zurück, dass nach ihnen nichts mehr so war wie zuvor. Die Französische Revolution war, in den Augen der Zeitgenossen und aller nachfolgenden Generationen, ein solches Ereignis. Aber auch die Geschichte des menschlichen Geistes erlebte derartige Umbrüche. Die zu Beginn des 16. Jahrhunderts aufgestellte Lehre des Nikolaus Kopernikus, wonach sich nicht die Sonne um die Erde, sondern vielmehr die Erde um die Sonne dreht, hat nicht nur dem naturwissenschaftlichen Weltbild eine neue Richtung gegeben, sondern auch das Selbstverständnis des Menschen als angeblichem Mittelpunkt des Universums grundlegend verändert.

Etwa zweihundertfünfzig Jahre später erlebte auch die Philosophie eine solche Revolution: Sie ist mit einem Werk verbunden, dem sein Verfasser, der Königsberger Professor Immanuel Kant, den bescheidenen Titel *Kritik der reinen Vernunft* gab. Doch die Ansprüche, die er mit seinem 1781 erschienenen Buch verband, waren keineswegs bescheiden. Was Kopernikus für die Astronomie, das habe er, Kant, nun für die Metaphysik, die wichtigste unter allen philosophischen Disziplinen, geleistet.

Das Unternehmen einer Selbsterforschung der Vernunft, das der französische Philosoph René Descartes im 17. Jahrhundert begonnen hatte, führte Kant auf eine radikale Weise fort. Er untersuchte, wie weit das menschliche Erkenntnisvermögen reicht und was es mit der Erkenntnis der »letzten Dinge«, Gott, Freiheit und Unsterblichkeit, auf sich hat. Dabei setzte er der menschlichen Erkenntnisfähigkeit neue Grenzen.

Die *Kritik der reinen Vernunft* ist nicht nur ein dickes, sondern auch ein für Laien und Fachleute gleichermaßen schwieriges Buch, das hohe geistige Konzentration und Ausdauer verlangt. Doch niemand, der sich ernsthaft mit der philosophischen Grundfrage »Was kann der Mensch erkennen?« auseinander setzen will, kann der Lektüre dieses Buches ausweichen. Es gibt nur wenige Werke in der Philosophiegeschichte, von denen die Kenner einhellig behaupten, dass sie für ein Studium der Philosophie unverzichtbar sind. Die *Kritik der reinen Vernunft* gehört dazu.

Wie Kopernikus verlangt auch Kant von uns also einen Perspektivewechsel in unserer »Weltanschauung«. Kopernikus hatte nicht mehr die Erde, sondern die Sonne in den Mittelpunkt des Universums gestellt. Kant fordert uns auf, den Blick von den Erkenntnisgegenständen auf die Erkenntnisvoraussetzungen zu lenken: War man bisher immer davon ausgegangen, dass sich die Erkenntnis nach den Gegenständen richten müsse, so sollen sich nun die Gegenstände nach der Erkenntnis richten. Das, was wir Gegenstand nennen, ist von unserer eigenen Erkenntnisleistung abhängig. Wollen wir die Grenzen unserer Welt kennen lernen, müssen wir die Grenzen unserer eigenen Erkenntnisfähigkeit ermitteln. Mit Kants *Kritik der reinen Vernunft* ist in der Tat eine, wie er es nannte, veränderte »Denkart« in die Philosophie eingekehrt, die bis heute als »kopernikanische Wende« bezeichnet wird.

»Was lange währt, wird endlich gut« – wenn man dieses Sprichwort überhaupt auf philosophische Werke anwenden will, so hat es im Fall der *Kritik der reinen Vernunft* sicher seine Berechtigung. Es war kein Buch aus einem Guss, geboren aus einer genialen Idee, sondern vielmehr das Produkt einer mühsamen, Schritt für Schritt voranschreitenden Problemarbeit. Kant war sich sicher, dass er sich in ein ganz neues und unbekanntes Gelände vorgewagt hatte und dass überall Gräben und Abgründe lauerten. Geduldig schritt er das Land der Erkenntnis ab und vermaß es neu. Als er nach über einem Jahrzehnt Arbeit das Ergebnis der Öffentlichkeit präsentierte, war er bereits siebenundfünfzig Jahre alt. Zwar markiert die *Kritik der reinen Vernunft* erst den Beginn der großen Hauptwerke Kants, aber sie ist auch schon Ergebnis einer Lebensleistung, einer langen und geduldigen Denkarbeit.

Für eine solche Arbeit war der Handwerkerssohn Immanuel Kant hervorragend geeignet. Er besaß eine ungeheure Arbeitsdisziplin, war hartnäckig in der Verfolgung seiner Ziele und konzentrierte seine gesamte Lebensführung auf die geistige Forschungsarbeit. Dazu gehörte auch, dass er zeitlebens einen Ortswechsel vermied. Die emotionale Verbindung mit seiner Heimat am östlichen Rand des Königreichs Preußen, mit der Hafenstadt Königsberg und ihrer Umgebung, war so eng, dass er sich ein anderes Lebensumfeld für seine Arbeit nicht vorstellen konnte. Angebote, zum Beispiel nach Halle oder Jena zu wechseln, hat er deshalb stets abgelehnt.

Kants Eltern waren Pietisten, streng gläubige Protestanten, für die Selbstbeherrschung, Fleiß und ein moralischer Lebenswandel im Mittelpunkt der Erziehung standen. Auf dem pietistisch ausgerichteten Gymnasium Collegium Fridericianum, das der junge Kant besuchte, waren Ferien unbekannt. Selbstdisziplin und Genügsamkeit forderten ihm aber auch die finanziellen Umstände ab. Kants Vater, ein Sattlermeister mit fünf überlebenden Kindern, konnte die Erziehung seines begabtesten Sohnes kaum bezahlen. Kant selbst gab Privatstunden, auch Kleider- und Geldspenden von Bekannten mussten helfen.

Bereits auf der Königsberger Universität, in die er mit sechzehn Jahren eintrat, fasste er den Entschluss, Universitätsdozent zu werden. Die Universitäten des 18. Jahrhunderts vermittelten keine rein fachphilosophische Ausbildung und auch die Trennung der Fachbereiche war lange nicht so ausgeprägt, wie dies heute üblich ist. Kant studierte neben Philosophie Mathematik sowie den gesamten Bereich der damaligen Naturwissenschaften, darunter vor allem Physik, Astronomie und Geografie. Der Philosoph Kant hielt sein Leben lang den Blick auf die Leistungen der Naturwissenschaften gerichtet und ließ sich von ihnen inspirieren. Auch in seinen Schriften und Vorlesungen nahmen naturwissenschaftliche Themen einen breiten Raum ein.

Bis er jedoch zum fest angestellten, ordentlichen Professor berufen wurde, war es noch ein langer Weg. Nach mehreren Jahren des Studiums verdiente Kant seinen Lebensunterhalt neun Jahre lang als Hauslehrer bei adeligen Familien. 1755 erwarb er die Lehrbefähigung für die Universität und damit den Titel »Privatdozent«, eine Stellung, die nicht bezahlt war, ihn aber dennoch zum regelmäßigen Halten von Vorlesungen verpflichtete. Für seinen Unterhalt musste er auf Nebenjobs wie den eines Unterbibliothekars an der Königsberger Schlossbibliothek ausweichen. Erst im Jahr 1770, im gesetzten Alter von sechsundvierzig Jahren, erhielt der Privatdozent für Philosophie Immanuel Kant den ersehnten Lehrstuhl für Metaphysik und Logik und wurde ordentlicher Professor an der Universität Königsberg.

Inzwischen hatte sich seine eigene philosophische Position herausgebildet, mit der er sich von der damals in Deutschland vorherrschenden Lehre, der Leibniz-Wolffschen Schulphilosophie, absetzte. Diese war, in der Nachfolge des von René Descartes begründeten Rationalismus, fest von der Fähigkeit der menschlichen Vernunft überzeugt, sichere Erkenntnisse aus sich selbst heraus zu begründen. Dies betraf vor allem die ganz wichtigen, »großen« Themen. Die rationalistische Metaphysik glaubte, der Beweis sowohl für die Existenz Gottes als auch für die menschliche Willensfreiheit und die Unsterblichkeit der Seele liege in der Vernunft des Menschen. Gottfried Wilhelm Leibniz sprach deshalb in der Nachfolge Descartes' von »Vernunftwahrheiten«. Christian Wolff wiederum modellierte die sehr verstreut erschienenen Leibnizschen Thesen zu einem groß angelegten, für die öffentliche Lehre geeigneten System. Die »reine« Vernunft der Leibniz-Wolffschen Schulphilosophie wurde für Kant zur großen philosophischen Herausforderung.

Anstöße für eine kritische Auseinandersetzung mit der rationalistischen Metaphysik kamen aus drei verschiedenen Richtungen. Da war zum einen die Theorie des großen englischen Mathematikers und Physikers Isaac Newton, der, sich auf Beobachtungen und Experimente stützend, die Schwerkraft zur Grundlage einer umfassenden mechanistischen Welterklärung gemacht hatte. Als Grundlage der Wissenschaft hatte der junge Kant die empirische Forschung im

Sinne Newtons schon früh anerkannt. Zeugnis dafür ist zum Beispiel seine 1755 veröffentlichte Schrift *Allgemeine Theorie des Himmels oder Versuch von der Verfassung und dem mechanischen Ursprunge des ganzen Weltgebäudes, nach Newtonschen Grundsätzen abgehandelt*, in der die Entstehung unseres Sonnensystems aus Elementarteilchen erklärt wird.

Erst in den sechziger Jahren jedoch sieht Kant die Physik im Sinne Newtons nicht nur als Vorbild für die Wissenschaft, sondern auch als Vorbild für die Philosophie. In einer der Berliner Akademie der Wissenschaften eingereichten Schrift über die Grundsätze der Theologie und Moral fordert er nun, dass die Philosophie sich die Methode aneignen müsse, die Newton in die Naturwissenschaft eingeführt hatte. Gemeint ist die »induktive« Methode, die allgemeine Gesetze aus Einzelbeobachtungen ableitet. Sie steht im Gegensatz zur »deduktiven« Methode, die Erkenntnisse aus der Analyse von Begriffen und Urteilen ableitet, also umgekehrt vom Allgemeinen auf das Besondere schließt. Die logische, deduktive Analyse allein kann uns – so Kant – aber nichts über die Erfahrungswelt sagen. In diesem Sinne spricht er im Jahre 1762 davon, dass die formale Logik »ein Koloss auf tönernen Füßen« sei.

Im selben Jahr macht er die Bekanntschaft eines Philosophen, den er selbst als »zweiten Newton« bezeichnet: Jean-Jacques Rousseau, der aus dem kalvinistischen Genf stammende Philosoph der Natürlichkeit und Kritiker der Zivilisation. Für die Lektüre von Rousseaus Erziehungsroman *Émile* unterbrach Kant sogar seinen ansonsten streng geregelten Arbeitsalltag. Während Newton den Blick auf den Kosmos gelenkt hatte, öffnete Rousseau Kant die Augen für die Natur des Menschen, die für ihn mehr ist als nur Vernunft und Intellektualität.

Das eigentliche Verdienst, ihn aus seinem »dogmatischen Schlummer« geweckt zu haben, hat Kant später allerdings dem schottischen Aufklärungsphilosophen David Hume zugestanden. Für Hume gibt es überhaupt keine Erkenntnis ohne Erfahrung. Er geht sogar so weit zu behaupten, dass keine Erkenntnis auf einer absolut sicheren Grundlage steht. Auch Behauptungen wie »A ist die Ursache von B«

könnten selbst dann nicht endgültig bewiesen werden, wenn sie auf der vielfachen Beobachtung beruhen, dass B immer auf A folgt. Es handle sich hier lediglich um Gewohnheitsurteile. Humes Skeptizismus stellte somit auch den Gewissheitsanspruch der Newtonschen Naturwissenschaft in Frage.

Die Einflüsse Newtons, Rousseaus und Humes ließen Kant vom traditionellen Rationalismus abrücken. Er begann nun sogar, sich über metaphysische Spekulationen lustig zu machen. Den Ruhm des schwedischen Philosophen Emanuel Swedenborg, dem telepathische Fähigkeiten nachgesagt wurden, nahm er 1766 zum Anlass der polemischen Schrift *Träume eines Geistersehers, erläutert durch Träume der Metaphysik,* in der er auch die Anhänger einer »reinen Vernunft« mit Geistersehern verglich.

Spätestens im Jahr 1769, dem Jahr, in dem ihm nach eigener Aussage das entscheidende Licht aufgegangen sei, war Kant klar geworden, dass es von Gott, der Unsterblichkeit der Seele, der Freiheit oder den Anfangsgründen der Welt keine Erkenntnis in dem Sinne geben kann, in dem wir von einer Erkenntnis der normalen Dinge der Welt sprechen. So weit folgte er dem Skeptizismus Humes. Doch den von Newton übernommenen wissenschaftlichen Anspruch gab er nicht auf. Er glaubte, im Gegensatz zu Hume, weiterhin daran, dass die Gewissheit von Behauptungen wie »A ist die Ursache von B« nachgewiesen werden kann. Folglich suchte er einen Mittelweg zwischen Skeptizismus und dem alten Rationalismus, den er nun »Dogmatismus« nannte. Während Newton uns über die Gesetzmäßigkeiten der äußeren Welt aufgeklärt hatte, wollte Kant die Gesetzmäßigkeiten des Erkenntnisprozesses im Menschen aufklären. In diesem Vorhaben liegt der Ursprung der *Kritik der reinen Vernunft.*

Einen ersten Schritt dazu unternahm er mit seiner Dissertation *De mundi sensibilis atque intelligibilis forma et principiis (Über die Form und die Prinzipien der Sinnes- und Verstandeswelt)*, die die Universität Königsberg 1770 als Voraussetzung für eine ordentliche Professur von ihm verlangte. Kant zieht hier einen scharfen Trennungsstrich zwischen einer in Raum und Zeit befindlichen Wahrnehmungswelt und einer »intelligiblen« Welt, einer Welt der »Dinge an sich«, ein dem Verstand vorbehaltener Bereich reinen Denkens. Beide dürfen nicht miteinander vermischt werden. Auf die Frage, wie sich die Sicherheit raum-zeitlicher Erkenntnis erklären lässt, hat er nun eine Antwort gefunden: Raum und Zeit sind dem Menschen eigene »Formen der Anschauung«, sie haften uns an wie eine Brille. Weil wir alle die gleiche Brille tragen und diese Brille unveränderlich ist, hat die uns in Raum und Zeit erscheinende Welt einen gesetzmäßigen Charakter. Nur deshalb können wir auch die Geometrie als eine Wissenschaft betreiben.

Kants »kopernikanische Wende« hatte hier bereits begonnen. Sowohl für die Philosophie als auch für den gesunden Menschenverstand war es bis dahin selbstverständlich, davon auszugehen, dass Raum und Zeit wirklich existieren, dass die Dinge sich in einem Raum befinden und den Veränderungen der Zeit unterworfen sind. Kants Position fordert nun ein radikales Umdenken: Raum und Zeit sind nicht »objektiv«, sondern »subjektiv«, sie sind etwas, das wir selbst mitbringen, wenn wir Dinge anschauen.

Doch wie steht es mit Grundbegriffen wie »Ursache« und »Wirkung«, die vom Verstand hervorgebracht werden? Beziehen sie sich auf die »Dinge an sich«, wie Kant noch in seiner Dissertation behauptet hatte, oder nicht vielmehr auch auf unsere Erfahrungswelt? Denn wir gehen doch an Vorgänge der Natur mit dem scheinbar selbstverständlichen Anspruch heran, sie nach dem Schema von Ursache und Wirkung erklären zu können. Wie kann dieser Anspruch aber begründet werden, wenn, wie Hume gezeigt hatte, eine solche Begründung aus der Beobachtung – also »empirisch« – nicht gewonnen werden kann? Wie kann also, allgemein gesprochen, nachgewiesen werden, dass Begriffe und Urteile des Verstandes Gültigkeit für die Sinneswelt besitzen?

Zur Lösung dieser Frage brauchte Kant noch elf Jahre. Seinem langjährigen Berliner Freund Marcus Hertz schrieb er 1771, das geplante Werk mit dem Titel »Die Grenzen der Sinnlichkeit und der Vernunft« sei in Arbeit. Zwei Jahre später kündigt er Hertz die Fertigstellung der Schrift für 1774 an. In den nächsten Jahren erhielt Hertz von Kant mehrere Briefe dieser Art. Kant quälte sich bis zum

Frühjahr und Sommer 1780, bis er das Buch schließlich in fünf Monaten abschloss.

Die *Kritik der reinen Vernunft* ist eines der ersten bedeutenden philosophischen Bücher, die in deutscher Sprache geschrieben wurden. Noch im 17. Jahrhundert war es für einen deutschen Philosophen eine Selbstverständlichkeit, seine Schriften in Latein zu veröffentlichen. Auch ein großer Teil der frühen Schriften Kants ist in lateinischer Sprache verfasst. Kants Buch ist auch in sprachlicher Hinsicht eine Pionierarbeit, da viele philosophische Begriffe erst in die deutsche Sprache eingeführt werden mussten.

In der *Kritik der reinen Vernunft* unterscheidet Kant nun zwischen drei Erkenntnisvermögen: der sinnlichen Anschauung, die es mit unseren räumlichen und zeitlichen Vorstellungen zu tun hat, dem Verstand, der diese Vorstellungen mit Hilfe von Begriffen ordnet, und der Vernunft, die uns anregt, diese Ordnung der Begriffe unter dem Gesichtspunkt einer übergeordneten Einheit zu sehen.

Zwischen Verstand und Vernunft macht Kant also, anders als in seiner Dissertation, einen klaren Unterschied. Und hier liegt auch die entscheidende Trennlinie seiner gesamten Erkenntnistheorie: Sinnliche Anschauung und Verstand tragen gemeinsam zur Entstehung unserer Erfahrungswelt bei, sie sind es, die berechtigte und nachprüfbare Erkenntnisse produzieren. Die Vernunft dagegen, die nach dem Zusammenhang und den letzten Gründen dieser Erfahrungswelt fragt, stellt uns vor ein Problem. Sie drängt uns Fragen auf, die sie selbst nicht beantworten kann. Es sind die großen und letzten Fragen der Philosophie, wie zum Beispiel: Gibt es einen Gott? Gibt es menschliche Freiheit? Gibt es eine unsterbliche Seele? Wir können diesen Fragen nicht ausweichen – und genau dies ist auch der Grund, warum wir uns der Beschäftigung mit Metaphysik nicht entziehen können.

Kant bekennt immer wieder, wie sehr ihm die Beantwortung dieser Fragen am Herzen liegt und wie sehr er selbst ein Liebhaber der Metaphysik geblieben ist, die einst die »Königin der Wissenschaften« genannt wurde. Doch er konfrontiert den Leser mit einer ernüchternden Antwort: Die Vernunft, die diese Fragen aufwirft, liefert uns keine Erkenntnisse. Sie verführt uns vielmehr zur Spekulation.

Kant erklärt damit die Tradition der Metaphysik von der griechischen Antike bis zum 18. Jahrhundert für gescheitert. Es war eine Tradition, die die Metaphysik eng mit der Theologie verbunden hatte. Seit Aristoteles war die Frage nach Gott als dem ersten Beweger und der ersten Ursache der Welt eines der Hauptthemen der Metaphysik gewesen. Doch nach Kant können wir niemals zu Erkenntnissen über Gott, Freiheit und Unsterblichkeit kommen, weil alles, was wir wirklich wissen können, im Bereich der Erfahrungswelt liegt, im Bereich der sinnlichen Anschauung und Verstandeserkenntnis.

Für Kants Zeitgenossen, besonders wenn sie sich der Leibniz-Wolffschen Schulphilosophie verpflichtet fühlten, war dies wie ein Donnerschlag. Moses Mendelssohn zum Beispiel, einer der wichtigsten deutschen Aufklärungsphilosophen, hatte noch 1767 ein Werk über die Unsterblichkeit der Seele veröffentlicht. Nun musste er zusehen, wie Kant seine Argumentation zerpflückte. Kant wies darauf hin, dass es nicht genügt, den Begriff von Gott oder einer unsterblichen Seele zu haben. Die Existenz eines Gegenstandes kann nicht durch Logik, durch begriffliche Analyse nachgewiesen werden. Wir brauchen Erfahrungsdaten. Genau solche berechtigen uns aber nicht, auf die Existenz Gottes oder einer unsterblichen Seele mit Sicherheit zu schließen. Damit war Kant für Mendelssohn der »Alleszermalmer«. Das Terrain, auf dem sich sichere menschliche Erkenntnis bewegen kann, ist – so die Botschaft der *Kritik der reinen Vernunft* – wesentlich kleiner, als die meisten Philosophen zuvor dachten.

Den Unterschied zwischen einer »kritischen« Philosophie, die sich auf sicherem Fundament bewegt, und einer unkritischen Spekulation versucht Kant auch durch die Abgrenzung der beiden Begriffe »transzendental« und »transzendent« zu verdeutlichen. Mit beiden Begriffen wird etwas bezeichnet, das von der empirischen Erfahrung unabhängig ist. »Transzendent« ist alles, was jenseits der sicheren Erkenntnis liegt und damit der Welt der Dinge an sich angehört, über die wir nichts wissen können. Der von Kant geprägte Begriff »transzendental« bezieht sich hingegen auf die Erkenntniswerkzeuge, die der Mensch mitbringt, auf die, wie Kant dies etwas schwerfällig ausdrückt, »Bedingungen der Möglichkeit der Erkenntnis«. Raum, Zeit sowie das Arsenal unserer Begriffe überhaupt: Sie sind für Kant »transzendental«.

Entsprechend nennt er die von ihm in der *Kritik der reinen Vernunft* entwickelte Erkenntnistheorie eine »Transzendentalphilosophie«. Sie hat keinen Anspruch mehr, Erkenntnisse über das »Transzendente« zu liefern, sondern sie klärt uns darüber auf, welche Leistungen von den drei Erkenntnisvermögen – sinnliche Anschauung, Verstand und Vernunft – erbracht werden. Die Lehre von Raum und Zeit als den Formen sinnlicher Anschauung nennt Kant »Transzendentale Ästhetik«, die Lehre von den Verstandesbegriffen heißt »Transzendentale Analytik« und die Erörterung der Widersprüche, in die sich die Vernunft verwickelt, wenn sie zu ihren Höhenflügen über Gott, Freiheit und Unsterblichkeit ansetzt, heißt »Transzendentale Dialektik«. Kants barocke Begriffsarchitektur ist für heutige Leser etwas gewöhnungsbedürftig. Sie entsprang jedoch dem Bemühen, für seine neuen Erkenntnisse eine passende Ausdrucksform zu finden, um sich von den Anmaßungen der alten Metaphysik abzusetzen.

Mit »Ästhetik« meint Kant, entsprechend der ursprünglichen Bedeutung des griechischen Wortes »aisthesis«, nichts anderes als die »Lehre von der sinnlichen Anschauung«. Die »Transzendentale Ästhetik« nimmt den Gedanken auf, den Kant schon in seiner Dissertation formuliert hatte: Raum und Zeit sind notwendige Vorstellungen »a priori«, also Vorstellungen, die »vor« aller sinnlichen Anschauung liegen und diese erst möglich machen. Der Bereich der »Transzendentalen Analytik«, der Verstandesbegriffe, ist jedoch erheblich umfangreicher. Dabei interessiert sich Kant vor allem für die so genannten »reinen Verstandesbegriffe«, also jene Grundbegriffe, die das Gerüst unserer gesamten begrifflichen Erkenntnis ausmachen. Er nennt sie, einer alten philosophischen Tradition folgend, »Kategorien«. Dazu gehören »Ursache« und »Wirkung«, aber auch zum Beispiel »Substanz« und »Akzidens«, womit unsere Art gemeint ist, an den Dingen einen wesentlichen Kern und wechselnde Eigenschaften zu unterscheiden. Kant stellt hier, angelehnt an die Logik des griechischen Philosophen Aristoteles, ganze Kategorientafeln auf.

In der »Transzendentalen Dialektik« setzt sich Kant mit den Argumenten des alten Rationalismus auseinander. Auch der Begriff »Dialektik« hat bei ihm eine für uns ungewöhnliche Bedeutung. Er meint, auch hier auf den ursprünglichen Wortsinn zurückgehend, das Für und Wider eines Streitgesprächs. Kant zeigt, dass es für die Existenz Gottes, die Annahme der Unsterblichkeit der Seele und die Freiheit des Menschen genauso gute Gründe gibt wie dagegen. Die Vernunft verwickelt sich hier, weil sie den Bereich der Erfahrung verlässt, in unlösbare Widersprüche.

In der *Kritik der reinen Vernunft* hat Kant seine »Revolution der Denkart« schließlich vollständig durchgeführt: Er übernimmt die Lösung, die er in seiner Dissertation für die sinnliche Anschauung gefunden hatte, nun auch für den Verstand: Zu der »Erkenntnisbrille«, mit der wir die Welt wahrnehmen, gehören nicht nur Raum und Zeit, sondern auch die Art, mit der wir die Welt mit Hilfe von Begriffen ordnen. Auch die Beziehung zwischen Ursache und Wirkung zum Beispiel ist etwas, das wir von uns aus an die Dinge herantragen, das wir sozusagen auf die Dinge und Vorgänge in der Welt projizieren. Grob gesprochen, stellt sich Kant den Erkenntnisprozess folgendermaßen vor: Wir empfangen mannigfaltige sinnliche Eindrücke, das Rohmaterial, ohne das überhaupt keine Erkenntnis zustande kommt. Dieses Material wird nun in mehreren Stufen zu einem Erkenntnisgegenstand geformt: zunächst durch eine räumliche und zeitliche Strukturierung und danach durch die Anwendung von Verstandesbegriffen.

Die Sicherheit unserer Erfahrungserkenntnis liegt also in der Tatsache begründet, dass der Mensch mit einem Arsenal von Erkenntniswerkzeugen ausgestattet ist, mit dem er sich die Welt konstruiert. Das, was wir »Welt« nennen, ist nicht etwas, das vor unser aller Augen liegt, sondern etwas, an dessen Entstehen wir aktiv beteiligt sind. Hier liegt der Kern der neuen Erkenntnistheorie Kants: Erkenntnis ist weder ein passives Aufnehmen von Daten noch das Ergebnis einer rein logischen Analyse. Es ist vielmehr ein Prozess, bei dem zwei Seiten zusammenkommen: die Eindrücke, die wir von der Außenwelt empfangen, und die Ordnung, die der Mensch mit Hilfe seiner Erkenntniswerkzeuge in diese Eindrücke bringt. Keine dieser beiden Seiten kann alleine Erkenntnis hervorbringen. In Kants Worten: »Anschauungen ohne Begriffe sind blind, Begriffe ohne Anschauungen sind leer.« Nur in ihrem Zusammenspiel entsteht die Welt unserer Erkenntnis. Wir können uns dieser Erkenntnis sicher sein, weil wir an der Hervorbringung dieser Welt selbst beteiligt sind.

Diese von uns mit hervorgebrachte Welt der Erkenntnis nennt Kant die »Erscheinungswelt«. Sie ist also die Welt, die uns in unserer Erkenntnis »erscheint«. Wie die Welt »wirklich« ist, können wir nicht wissen. Über die Erkenntnis haben wir keinen Zugang zur Welt der »Dinge an sich«. In seiner Dissertation hatte Kant noch angenommen, der Verstand hätte einen solchen Zugang. Doch davon ist er nun abgerückt: Der Verstand bleibt nun ganz auf die Erscheinungswelt gerichtet. Nach der Welt der »Dinge an sich« fragt die Vernunft, die, weil sie die Erscheinungswelt überschreitet, auch nie zu sicheren Ergebnissen gelangt.

Dies ist nun der endgültige Abschied von der Vorstellung einer »wahren« Welt im absoluten Sinne. Denn »Wahrheit« ist nunmehr etwas Relatives: Sie bezieht sich immer auf den Rahmen, den unsere menschliche Erkenntnisfähigkeit abgesteckt hat. Wie eine Welt außerhalb dieser Erkenntnisvoraussetzungen, die Welt der »Dinge an sich«, aussieht, darüber können wir nichts wissen.

Diese These Kants hat bei vielen seiner Leser geradezu einen Schock ausgelöst. Für einen der frühesten Rezipienten, den Dichter Heinrich von Kleist, bedeutete sie sogar den Verlust einer sicheren Weltorientierung. In einem Brief vom März 1801 zog er aus Kants Theorie folgende Schlussfolgerungen: »Wenn alle Menschen statt der Augen grüne Gläser hätten, so würden sie urteilen müssen, die Gegenstände, welche sie dadurch erblickten, *sind* grün – und nie würden sie entscheiden können, ob ihr Auge ihnen die Dinge zeigt, wie sie sind, oder ob es nicht etwas zu ihnen hinzutut, was nicht ihnen, sondern dem Auge gehört. Wir können nicht entscheiden, ob das, was wir Wahrheit nennen, wahrhaft Wahrheit ist oder ob es uns nur so scheint. Ist das Letzte, so *ist* die Wahrheit, die wir hier sammeln, nach dem Tode nicht mehr – und alles Bestreben, ein Eigentum sich zu erwerben, das uns auch in das Grab folgt, ist vergeblich ... Mein einziges, mein höchstes Ziel ist gesunken, und ich habe nun keines mehr –«

Ist durch die »Kritik der reinen Vernunft« die Vernunft also endgültig zur Strecke gebracht worden? Sind Begriffe wie Gott, Freiheit oder Unsterblichkeit nur noch Worthülsen? Kant selbst hat diese Frage mit Nein beantwortet. Er findet für die Vernunft nämlich am Ende seines Werkes, in der so genannten »Transzendentalen Methodenlehre«, eine neue und, wie er glaubt, verlässliche Verwendung. Die Vernunftideen Gott, Freiheit und Unsterblichkeit haben zwar als Gegenstände der Erkenntnis ausgedient, sie sind aber als »regulative Ideen« notwendig für unser moralisches Handeln. Damit meint Kant: Diese Ideen brauchen wir als Richtschnur unseres Handelns, weil wir sonst unser Selbstverständnis als moralisch zurechnungsfähige und verantwortliche Wesen und unsere Zuversicht auf eine moralische Weltordnung aufgeben müssten.

Verantwortung gibt es aber nur, wenn man die Freiheit eines Handelnden voraussetzt. Unsere moralischen Gebote, in denen diese Freiheit zum Ausdruck kommt, sind also Produkte der reinen Vernunft. Das bekannteste Beispiel dafür ist Kants moralisches Grundgesetz, der kategorische Imperativ, den er allerdings nicht mehr in der *Kritik der reinen Vernunft*, sondern vier Jahre später in der *Grundlegung zur Metaphysik der Sitten* aufstellt: »Handle nur nach derjenigen Maxime, durch die du zugleich wollen kannst, dass sie ein allgemeines Gesetz werde.« Indem er sich unter ein solches Vernunftgesetz stellen kann, zeigt der Mensch, dass er nicht nur den Gesetzen der Natur unterworfen ist. Er ist auch, wie Kant dies in seiner *Kritik* nennt, Teil einer »moralischen Welt«.

Auch auf den Glauben an Gott und die Unsterblichkeit der Seele können wir als moralisch handelnde Wesen nicht verzichten. In ihnen liegt nach Kant der einzige Garant dafür, dass wir auf eine Versöhnung zwischen Moral und Glückseligkeit in einem jenseitigen Leben hoffen dürfen. Kant will die Kluft zwischen Glauben und Wissen damit nicht beseitigen: Die Ideen der Vernunft gehören weiterhin der unerkennbaren Welt der Dinge an sich an. Aber durch seine Fähigkeit, moralisch zu handeln, hat der Mensch eine Antenne zu dieser Welt, die ihn zum Glauben an diese Ideen berechtigt.

Dass ohne Gott moralische Grundsätze ihrer wichtigsten Stütze beraubt sind, war im 18. Jahrhundert eine weit verbreitete Ansicht. Auch Kant wollte offensichtlich die Tür zur Religion nicht ganz zuschlagen. Nachdem er den Theologen klar gemacht hatte, dass alle ihre so genannten rationalen Gottesbeweise auf Sand gebaut sind, hatte er nun doch noch einen Trost für sie parat. »Wenngleich«, so Kant, »Metaphysik nicht die Grundfeste der Religion sein kann, so müsse sie doch jederzeit als die Schutzwehr derselben stehen bleiben.« Aber auch dieser Trost hat nicht verhindern können, dass die *Kritik der reinen Vernunft* bis heute als das wichtigste Scheidungsdokument zwischen Philosophie und Theologie angesehen wird.

Immanuel Kants *Kritik der reinen Vernunft* erschien 1781 bei Johann Friedrich Hartknoch, einem ehemaligen Studenten Kants, der in Riga einen kleinen Verlag gegründet hatte. Ein Echo blieb zunächst aus. Die Zeitgenossen mussten dieses umfangreiche und komplexe Werk erst einmal verdauen. Doch bis zum Ende des Jahrhunderts hatte sich die Transzendentalphilosophie als beherrschende Strömung in Deutschland durchgesetzt. Sowohl die Philosophie Arthur Schopenhauers, der die *Kritik* als das bedeutendste Buch der neueren europäischen Philosophiegeschichte ansah, als auch der Deutsche Idealismus um Fichte, Schelling und Hegel nahmen von Kant ihren Ausgang. Darüber hinaus wurde die klassische deutsche Literatur über Schiller und Kleist von Kants *Kritik* beeinflusst. Im 19. und frühen 20. Jahrhundert knüpften die so genannten »Neukantianer« wie Hermann Cohen, Leonard Nelson oder Ernst Cassirer an die Philosophie Kants an.

Längerfristig erwiesen sich vor allem zwei Aspekte der Philosophie Kants als folgenreich: die kritische Grundhaltung, die die Vernunft dem Prüfstein der Erfahrung aussetzt, und vor allem der Gedanke, dass unser Wissen von der Welt ein Akt der Konstruktion ist, an dem der Mensch aktiv beteiligt ist. Dies ist ein Gedanke, der sowohl in der modernen Erkenntnistheorie als auch in der modernen Sprach- und Wissenschaftstheorie fruchtbar geworden ist.

Kant ist den Anmaßungen der menschlichen Vernunft entgegengetreten und hat gleichzeitig den Blick für ihre Kreativität und Leistungsfähigkeit geöffnet. Mit seiner *Kritik der reinen Vernunft* wurde die Metaphysik endgültig vom Himmel der Spekulation auf die Erde der kritischen Prüfung geholt.

Ausgabe:

Immanuel Kant: Kritik der reinen Vernunft. Herausgegeben von J. Timmermann. Hamburg: Meiner 1998.

Der große Wurf eines jungen Pessimisten

ARTHUR SCHOPENHAUER: Die Welt als Wille und Vorstellung (1819)

In Thomas Manns berühmtem Roman *Buddenbrooks* zieht eine der Hauptfiguren, der wohlhabende und erfolgreiche Lübecker Senator Thomas Buddenbrook, aus den tiefen Winkeln seines Bücherschranks ein Werk, das ihm mehr zufällig beim Stöbern in die Hände gefallen ist. Er nimmt es mit in den Pavillon in seinem Garten und liest darin. Thomas Buddenbrook befindet sich in einer Sinn- und Lebenskrise. Alter und Tod erscheinen am Horizont, sein Sohn Hanno erfüllt nicht seine Erwartungen. Wozu lebt er? Wer wird sein Lebenswerk fortführen? Worin besteht eigentlich der Sinn seiner rastlosen Tätigkeit?

Der Senator liest in einem Kapitel mit dem Titel »Über den Tod und sein Verhältnis zur Unzerstörbarkeit unseres Wesens an sich«. Plötzlich überfällt ihn beim Lesen eine Art Erleuchtung: »Und siehe da: Plötzlich war es, wie wenn die Finsternis vor seinen Augen zerrisse, wie wenn die samtne Wand der Nacht sich klaffend teilte und eine unermesslich tiefe, eine ewige Fernsicht von Licht enthüllte.« Die Erkenntnis, dass alle Menschen in einer tieferen Einheit miteinander verbunden sind, dass der Tod zwar unsere Individualität, aber nicht das Wesen des Menschen zerstört, dass der trügerischen Existenz in der Zeit die Erfahrung des ewigen Eins-Seins folgt – all dies zeigt ihm wie in einem Brennglas sein Leben in einer umfassenden und tröstlichen Perspektive.

Das Werk, das ihm diese Perspektive vermittelt, ist Arthur Schopenhauers *Die Welt als Wille und Vorstellung.* Wenn auch Thomas Buddenbrook das Buch bald wieder zur Seite legt und nicht mehr darauf zurückkommt – ganze Generationen von Lesern haben seine Erfahrung geteilt, dass Schopenhauers Hauptwerk mehr ist als ein Tüfteln an schwierigen theoretischen Problemen. Hier geht es um »Weltanschauung« in einem ganz ursprünglichen Sinn, um ein in allen Einzelheiten zusammenstimmendes Bild der Welt und der Stellung des Menschen in ihr.

Alle Teile des Buches scheinen in einer harmonischen Einheit miteinander verknüpft. Kunst, Moral, Wissenschaft und vor allem die Natur – sie alle deuten nach Schopenhauer auf einen zunächst verborgenen Kern der Welt. Ihn offen zu legen ist die Absicht des Buches. Schopenhauer ist ein Metaphysiker von altem Schrot und Korn. Ihm geht es um das, was die Welt »im Innersten zusammenhält«.

Auch wenn viele in diesem Werk Orientierung oder sogar Trost gefunden haben, so ist sein Grundtenor doch eher düster. Denn die Wurzel allen Seins ist nach Schopenhauer nicht rational, sondern irrational. *Die Welt als Wille und Vorstellung* beinhaltet eine Abkehr von dem Glauben der Aufklärung an die Kraft der Vernunft. Es war der große Wurf eines jungen Pessimisten, eines gerade dreißigjährigen Genies und Außenseiters, der im Geist der Romantik den Nachtseiten der menschlichen Existenz bis auf ihren letzten Grund nachspürte.

Doch es war auch ein erfahrungsgetränktes Buch, das niemals versäumte, den konkreten Bezug zum Leben der Menschen herzustellen. Dies lag unter anderem an der Art, wie der junge Schopenhauer zur Philosophie kam und wie er mit ihr umging. Der 1788 geborene Sohn eines wohlhabenden Danziger Kaufmanns war nie ein typischer Akademiker. Aufgewachsen in den Handels- und Hafenstädten Danzig und Hamburg, machte ihn sein praktisch orientierter Vater früh mit den harten Tatsachen des Lebens vertraut.

Eine solche Konfrontation mit dem Leben war es auch, die am Beginn seines philosophischen Nachdenkens stand. Der sechzehnjährige Schopenhauer, der sich mit seinen Eltern auf einer mehrjährigen Bildungsreise befand, erblickt in der südfranzösischen Hafenstadt Toulon angekettete Galeerensklaven, deren Leben aus Qual und Hoffnungslosigkeit besteht. Im Eintrag vom 8. April 1804 hält er diese erschütternden Eindrücke in seinem Reisetagebuch fest. Das Bild »dieser Unglücklichen«, deren Los er »für bei weitem schrecklicher als Todesstrafen« hält, wird ihm zum Sinnbild menschlicher Existenz überhaupt: Der Mensch ist wie ein Galeerensklave an seine Individualität und seinen Leib und damit an Krankheit, Leiden und Tod gekettet. Dem jungen Schopenhauer gerinnt diese Erfahrung zu einer philosophischen Vision: Das Schicksal, so sollte er später formulieren, ist »Mangel, Elend, Jammer, Qual und Tod«.

Es war der Drang, Erfahrungen philosophisch zu deuten, der seinen weiteren Lebensweg bestimmte. Dem Wunsch seines Vaters, das Kaufmannsgeschäft zu erlernen, folgte er nicht. Die begonnene Kaufmannslehre brach er nach dessen Tod 1805 ab. Mutter und Schwester Schopenhauer gaben das Haus in Hamburg auf und siedelten sich in Weimar, im gesellschaftlichen Umkreis des Goethe-Zirkels, an. Der junge Schopenhauer ging nun seine eigenen Wege. Er ließ sich seinen Anteil am Vermögen auszahlen und erhielt so eine finanzielle Absicherung, die er durch Geldanlagen stetig vermehrte und die es ihm in späteren Jahren erlaubte, als Privatier ganz der Philosophie zu leben. Das Abitur holte er am Gymnasium in Gotha nach und begann anschließend das so sehr ersehnte Philosophiestudium an der Göttinger Universität. Nach vier Studienjahren in Göttingen und Berlin reicht er 1813 seine Doktorarbeit *Über die vierfache Wurzel des Satzes vom zureichenden Grunde* an der Universität Jena ein. Mit ihr betritt er die erste Stufe seiner eigenen Philosophie.

Sein Denken, so hat Schopenhauer später reklamiert, habe er aus drei philosophischen Quellen geschöpft: aus der Philosophie Platons, der Philosophie Kants und den altindischen *Upanischaden.* Platon und Kant lernt er an der Universität kennen: Sie führen ihn zum philosophischen Idealismus, das heißt zu der Auffassung, dass die Welt nicht das ist, was sie zu sein scheint, dass sich erst hinter der empirischen Realität die wahre Realität auftut.

Schopenhauers Doktorarbeit ist der erste Ausdruck dieses philosophischen Idealismus. Wie Kant in seiner *Kritik der reinen Vernunft* will er die Grenzen der empirisch erfahrbaren Realität ziehen. Diese

Welt, die bei Kant »Erscheinungswelt« heißt, nennt Schopenhauer »Vorstellung«. Wir selbst sind es, die dieser Welt eine Ordnung, eine Struktur geben, indem wir für alle Dinge und Vorgänge einen »Grund« angeben. Alles in dieser Welt ist nach Schopenhauer dem »Satz vom Grunde« unterworfen, die gesamte Welt der Vorstellungen besteht aus einem Netz von Gründen.

Mit »Grund« meint Schopenhauer in seiner frühen Schrift etwas sehr Umfassendes. Die kausale Erklärung im engeren Sinne, das heißt die Einordnung eines Dings in den Zusammenhang von Ursache und Wirkung, ist als »Grund des Werdens« nur einer von vier möglichen Gründen. Daneben gibt es den »Erkenntnisgrund«, das heißt die logische Begründung einer Behauptung, den so genannten »Seinsgrund«, mit dem wir die Lage eines Gegenstands in Raum und Zeit bestimmen, und schließlich den »Handlungsgrund«, mit dem wir das Motiv einer Handlung angeben.

Über die vierfache Wurzel des Satzes vom zureichenden Grunde war die Ouvertüre zu Schopenhauers Hauptwerk. Er hatte die Landkarte der vordergründig so genannten »Realität« vermessen, doch was ihn wirklich interessierte, war die wahre Realität hinter der scheinbaren Realität, das, was Platon in seinen »Ideen« gesehen und Kant als »Ding an sich« bezeichnet hatte.

Der frisch gebackene Doktor besucht zunächst für einige Monate Weimar, den Wohnort der Mutter. Von ihr, der geistreichen und schriftstellernden Lebedame, mit der er auf sehr distanziertem Fuß stand, konnte er allerdings kaum Anerkennung erwarten. Als er ihr seine Doktorarbeit in die Hand drückt, reagiert sie mit einem Naserümpfen: Dies sei wohl etwas für Apotheker – so ihre erste Stellungnahme, als sie einen Blick auf den Titel wirft.

Es waren zwei andere Begegnungen, die ihn während seines halbjährigen Aufenthaltes in Weimar geistig anregten und der Vollendung seiner eigenen Gedanken näher brachten. Zum ersten Mal kam es in dieser Zeit zu einem intensiven Dialog zwischen dem jungen Schopenhauer und dem Star der Weimarer Szene: Goethe. Gerade in jener Zeit war Goethe intensiv mit naturphilosophischen Fragen beschäftigt. Drei Jahre zuvor, 1810, hatte er seine Farbenlehre veröffentlicht, die er für revolutionär hielt. Wenn sich auch Schopenhauer in der Deutung der Farben nicht an Goethe anschloss, so teilte er doch dessen Auffassung von der Einheit der Natur, eine Auffassung, die im 17. Jahrhundert bereits Baruch de Spinoza vertreten hatte. In den Diskussionen mit Goethe festigte sich bei Schopenhauer der Grundgedanke, dass hinter der Vielfalt des Lebens eine einheitliche Kraft steht.

Eine zweite entscheidende Anregung kam von dem Herder-Schüler und Jenaer Privatgelehrten Friedrich Majer. Majer machte Schopenhauer auf die altindische Philosophie der *Upanischaden* aufmerksam, die in Auszügen unter dem Titel *Oupnekhat* 1801 in französischer Sprache erschienen waren. Die Entdeckung der indischen Welt war eine der kulturellen Leistungen der Romantik, die sich in jenen Jahren auf ihrem Höhepunkt befand. Die *Upanischaden* bezeichneten die Welt des Werdens und Vergehens, die wir in Raum und Zeit erleben, als »Maja«. Sie ist gleichzeitig eine Welt der Täuschung und des Leidens. Das eigentliche Grundprinzip der Welt ist »Brahma«, die Weltseele.

Schopenhauer fühlte sich sofort angesprochen und zog Parallelen zu seiner eigenen idealistischen Weltdeutung: Er identifizierte »Maja« mit Kants Erscheinungswelt und seiner eigenen Welt der »Vorstellung«. Die These, dass die erlebte Welt Leiden ist, traf sich mit seiner eigenen Welterfahrung. In »Brahma«, der alles durchdringenden Weltseele, sah er Kants »Ding an sich«. Kant hatte sich bewusst geweigert, das »Ding an sich« näher zu charakterisieren, da es außerhalb unseres Erkenntnisvermögens liege. Schopenhauer war jedoch entschlossen, genau diesem »Ding an sich« mit Hilfe der *Upanischaden* auf die Spur zu kommen.

Mit den Weimarer Diskussionen und Ideen im Gepäck brach er im Mai 1814 nach Dresden auf. Die vier Jahre, die er dort verbrachte, sollten für ihn eine Zeit der schöpferischen Hochleistung werden, wie sie auch großen Philosophen nur in einigen begrenzten Phasen ihres Lebens vergönnt ist. Fern der akademischen Welt, aber auch abseits des gesellschaftlichen Lebens widmete sich Schopenhauer nun ganz der philosophischen Arbeit. Hier entstand *Die Welt als Wille und Vorstellung.*

Auch in Dresden schöpft Schopenhauers Denken seine Anregungen aus der konkreten Beobachtung und Anschauung. Die sächsische Residenzstadt mit ihrer Barockarchitektur und ihren Kunstschätzen war dafür ein idealer Ort. Er ging auf der Brühlschen Terrasse spazieren und verbrachte viel Zeit im Botanischen Garten, wo sich ihm die Vielfalt der Natur wie in einer Nussschale bot. Schopenhauer war noch ein junger Mann, gerade in seinen Endzwanzigern, aber er lebte schon das Leben eines älteren Herrn, der sich vom Trubel der Welt zurückgezogen hat und seine Erfahrungen mit der Welt auswertet.

Zu den wenigen für ihn wichtigen Dresdner Kontakten gehörte die Bekanntschaft mit dem Philosophen Karl Christian Friedrich Krause, dessen Philosophie später in Spanien und Lateinamerika unter dem Namen »Crausismo« bekannt werden sollte. Krause lebte in unmittelbarer Nachbarschaft und war, mehr noch als Majer, mit der altindischen Geisteswelt vertraut. Er sprach Sanskrit und kannte sich mit Meditationstechniken aus.

Hatte seine Doktorarbeit noch einen rein erkenntnistheoretischen Charakter, so erhielt Schopenhauers Denken durch die Bekanntschaft mit der altindischen Philosophie eine zusätzliche moralische und religiöse Färbung. Für Schopenhauer schälte sich immer mehr die Einsicht heraus, dass der Ausweg aus der Welt der Vorstellung und des Leidens die Abkehr vom Wollen ist, das den Menschen rastlos umhertreibt. Im Wollen erblickte er auch die lang gesuchte Eingangstür zur Welt des »Dings an sich«: Nicht die Vernunft führt uns demnach zur wahren Realität, sondern unser Körper.

Wir können unseren Körper nach Schopenhauer auf zwei ganz unterschiedliche Arten erfahren: einmal als Objekt, als Vorstellung, indem wir sein Verhalten und seine Funktionen wie in der Medizin von außen betrachten und registrieren. Wir können ihn aber auch unmittelbar über seine Triebregungen erfahren: In Hunger, Durst, im sexuellen Verlangen oder im Schmerz teilt sich uns ein »Wollen« mit, das wir unmittelbar als unser eigenes Wollen erleben. Von diesem Wollen kann ich in Analogie auf das Wollen aller anderen Menschen schließen. Und sogar noch mehr: Das Wollen der Menschen ist lediglich Ausdruck einer universalen Kraft und Energie, die in der ganzen Natur wirkt und die die Inder als »Brahma« bezeichnen. Schopenhauer nennt diese universale Energie nun »Wille«, in Analogie zu dem individuellen Willen, den wir an uns selbst erfahren.

Die Welt der äußeren Erfahrung, der Vernunfterkenntnis und der Wissenschaft ist »Vorstellung«. Die wahre Realität jedoch, die hinter allem steht und die wir nicht mit den Kategorien des Verstandes erfassen können, das »Ding an sich«, ist der »Wille«. In ihm bestätigt sich das hinduistische »Tat twam asi« (»Das bist Du«), die Erkenntnis, dass wir den Kern unserer Existenz in allen anderen Wesen wiedererkennen können. Dass wir die wahre Realität als leibliche, physische Realität erfahren und sich nur die Erscheinungswelt nach den Vorgaben unseres Erkenntnisvermögens richtet, hat viele Schopenhauer-Interpreten zu der Frage geführt, ob Schopenhauer wirklich, wie er sagt, ein philosophischer Idealist ist – oder nicht vielmehr ein verkappter Materialist.

Die Welt als Wille und Vorstellung – der Titel des Werks, das 1818 vollendet wurde, enthält also bereits die wesentliche Aussage des Werks selbst. Eine ziellose, kosmische, universale Energie als Grund der Welt und ihre Erscheinung als Vorstellung – dies sind die beiden Hälften, die wie die einer Muschel aufeinander passen und die Schopenhauersche »Weltanschauung« vollenden.

Während seine großen Zeitgenossen Fichte, Schelling und Hegel, die Vertreter des deutschen Idealismus, noch an die Vernunft als letzten Grund der Wirklichkeit glaubten, hält Schopenhauer diese Vernunft für ein »Epiphänomen«, das heißt für eine eher zufällige Zusatzerscheinung, für einen Wurmfortsatz des umfassenden irrationalen Willens. Das Irrationale und nicht das Rationale regiert die Welt. Der Wille ist kein vernünftig agierender »Weltgeist«, er folgt keinem Plan. Er ist vielmehr in sich zerrissen und erzeugt gegenläufige Kräfte auch in den Individuen selbst. Aus dieser »Selbstentzweiung« des Willens erklärt sich das Leiden der Welt, das niemals aufhört, solange es Leben gibt, und das keinen Grund hat – außer das Leben selbst. Die Welt ist ein Knäuel aus einander widerstreitenden Trieben. Wie das hinduistische Lebensrad, die Tschakra, dreht sie sich immer um sich selbst. Mit der Lehre vom Leiden als der unausweichlichen Konsequenz des Lebens wird Schopenhauers Irrationalismus zu einem Pessimismus.

Ein düsterer Inhalt – doch in einer ästhetisch sehr attraktiven Form! Schopenhauer, der mehrere Sprachen beherrschte, regelmäßig ausländische Zeitungen las und auch ein eifriger Leser von Belletristik war, glänzte durch einen kunstvollen und zugleich äußerst anschaulichen und verständlichen Stil. Das unverständliche Professorendeutsch seiner berühmten Zeitgenossen Fichte, Schelling und Hegel verabscheute er. Auch wegen ihrer stilistischen Eleganz ist *Die Welt als Wille und Vorstellung* bis heute einer der lesbarsten Klassiker der Philosophiegeschichte.

Das Buch gliedert sich in vier, klar voneinander unterschiedene Teile: eine Erkenntnistheorie, die die Grenzen der uns zugänglichen empirischen Realität zieht; eine Metaphysik, die aufzeigt, was hinter dieser Realität steckt; eine Ästhetik, in der es um den Gegenstand und die Betrachtung von Kunst geht, und schließlich eine Ethik, die darlegt, worin moralisches Handeln besteht. So sehr diese Teile auch gegeneinander abgegrenzt sind, so sehr sind sie auch wieder durch den Grundgedanken des Willens als letztem Grund der Welt miteinander verbunden.

Im ersten Teil führt Schopenhauer die Überlegungen seiner Doktorarbeit fort: Er beschäftigt sich mit der Art, wie die Welt uns als »Objekt« erscheint, das heißt mit der normalen äußeren Wahrnehmung der Vielfalt der Dinge und mit unseren Möglichkeiten, sie wissenschaftlich zu erklären. Es ist die Welt, die dem »Satz vom Grunde« unterworfen ist. In ihr gibt es die Trennung zwischen erkennendem Subjekt und erkanntem Objekt.

Schopenhauer folgt hier dem philosophischen Idealismus Kants, der behauptet hatte, dass das erkennende Subjekt mit einer Erkenntnisbrille versehen ist, durch die jedes Objekt in einer bestimmten Art und Weise erscheint. Kant hatte diese Brille als einen sehr komplexen Apparat beschrieben. Schopenhauer vereinfacht diesen Apparat, so dass er schließlich nur noch aus drei Elementen besteht: Raum, Zeit und Kausalität. Im Prisma von Raum, Zeit und Kausalität bricht sich die Welt in eine Vielheit von Dingen – Schopenhauer nennt dies das »principium individuationis«, das Prinzip der Individuation oder Vereinzelung. Auch eine wissenschaftliche Erklärung bleibt immer in diesem Erkenntnisrahmen. Sie beschreibt, in welchem Verhältnis Erscheinungen stehen, sie erklärt aber nicht, was diese Erscheinungen eigentlich sind.

Im zweiten Teil betrachtet Schopenhauer diese Welt quasi von der Rückseite her: Er liefert eine metaphysische Deutung dieser in Subjekt und Objekt zerfallenen Welt. Hier sagt er, was diese Welt wirklich ist. Sie ist nichts anderes als ein Ausdruck, eine Erscheinung – Schopenhauer verwendet hier das Wort »Objektivation« – des Willens. Unsere wissenschaftlichen Theorien über die Welt, die uns darüber aufklären, welche Phänomene auf welche Ursachen zurückzuführen sind, kratzen lediglich an der Oberfläche. Wenn wir nicht nur fragen: »Warum?«, »Wo?« oder »Wann?«, sondern »Was?«, wenn wir also nach dem Wesen der Dinge fragen, nach dem, was sie eigentlich sind, stoßen wir auf Naturkräfte, die sich alle auf die einzige Urkraft des Willens zurückführen lassen. Hier gibt es die Trennung zwischen Subjekt und Objekt nicht mehr. In Wahrheit – und hier wandelt Schopenhauer auf den Spuren Spinozas, Goethes und der *Upanischaden* – sind alle Dinge eins.

Was die Erscheinungen oder Objektivationen des Willens angeht, führt Schopenhauer eine Unterscheidung ein, die in seinem dritten Teil wichtig wird. Es gibt nämlich nicht nur die Vielfalt der Einzeldinge, sondern auch so etwas wie ideale Muster, die nicht dem Werden und Vergehen, also nicht dem Satz vom Grunde unterworfen sind. Schopenhauer identifiziert diese Formen mit den »Ideen« Platons. Diese Ideen sind – im Gegensatz zu organischen oder anorganischen Wesen – »reine« Objektivationen des Willens. Die Erkenntnis dieser Formen verlangt vom Menschen eine ganz bestimmte Einstellung, die Schopenhauer »Kontemplation« nennt. Wenn wir sie betrachten, müssen wir von allem Wollen absehen. Diese Art der Betrachtung gleicht nicht zufällig dem, was Immanuel Kant anlässlich der Betrachtung des Schönen »interesseloses Wohlgefallen« genannt hat.

Auch Schopenhauer bringt die Ideen in unmittelbare Verbindung mit dem Schönen: Sie sind für ihn nämlich die Objekte der Kunst. Schopenhauer trägt hier zwei Beobachtungen Rechnung, die man im Umgang mit Kunst macht: In der Kunst geht es immer um etwas Allgemeines, um etwas, das unabhängig von Ort und Zeit jeden Menschen angeht. Auch machen wir die Erfahrung, dass wir dieses Allgemeine nicht erkennen, wenn wir von unseren eigenen Interessen und Wünschen beherrscht werden. Die ästhetische Betrachtung ist immer eine Art Kontemplation, in der das Wollen zurückgestellt wird.

Schopenhauers Ästhetik ist also aufs Engste mit seiner Metaphysik und Erkenntnistheorie verbunden. Das Gleiche gilt für die Ethik, die Thema des vierten Teils ist. Während in der Ästhetik die Welt der Vorstellung aus dem Bereich des Werdens und Vergehens in den Bereich der unveränderlichen Ideen aufgelöst wird, geht es in der Ethik, in kunstvoller Symmetrie, um die Auflösung des Willens, das heißt um die Erlösung von den Kräften, mit denen der Wille den Menschen bindet.

Zwar ist der Mensch nach Schopenhauer wie alle anderen Wesen selbst eine Erscheinung des Willens, doch er nimmt innerhalb der Natur eine Sonderrolle ein. Im Menschen, genauer gesagt: in der menschlichen Vernunft, gelangt der ansonsten blinde Wille zur Selbsterkenntnis. Auf dieser Erkenntnis aufbauend, kann der Wille sich »wenden«, das heißt, der Mensch kann sich in seiner Lebensführung von seiner eigenen Trieb- und Bedürfnisbestimmtheit lösen. Im moralischen Handeln durchbricht er seinen Egoismus und seine Triebbestimmtheit. Dies kann auf zweierlei Art geschehen: Einmal, indem sich der Mensch mit anderen Wesen solidarisiert und mit ihnen Mitleid zeigt. Dies gilt für das Verhalten gegenüber allen Kreaturen. So ist Schopenhauer einer der wenigen Philosophen, der – aufgrund seiner Lehre von der Einheit aller Lebewesen – vom Menschen auch eine moralische Behandlung von Tieren fordert.

Doch es gibt noch eine zweite Art, in der der Wille sich wenden kann, und diese wird von Schopenhauer noch höher gestellt: durch die Abtötung aller Triebe in der Askese. In der vollkommenen Askese verwirklicht sich für Schopenhauer das Ideal der Heiligkeit, wie er es bei manchen Vertretern des Christentums, vor allem aber bei den Weisen der indischen Philosophie verwirklicht sieht. Im Mitleid und in der Askese gelingt die Aufhebung des principium individuationis – der Mensch löst sich durch sein Handeln aus den Fesseln von Raum, Zeit und Kausalität und bringt dadurch die ziellose Energie des Willens zum Erlöschen.

Mit der Abwendung von der Verstandesethik Kants, die sich an einem sehr abstrakten Moralgesetz orientiert, wertet Schopenhauer das ursprüngliche moralische Gefühl des Menschen wieder auf: Die Charaktereigenschaft der Herzensgüte spielt in seiner Ethik eine viel wichtigere Rolle als die Befolgung einer moralischen Regel.

Die Verknüpfung ethischer und metaphysischer Fragen zeigt sich bei Schopenhauer besonders in seiner Erklärung von »Schuld«: Er geht von einer Art »Urschuld« aus. Alles Leben, auch das Leben des Menschen, ist von seiner Entstehung her mit Schuld verknüpft, ein Gedanke, der nach Schopenhauers Meinung auch in der christlichen Lehre von der Erbsünde enthalten ist. Seine Auffassung, dass in der menschlichen Existenz Schuld fortgezeugt wird, findet wiederum in der östlichen Seelenwanderungslehre eine religiöse Entsprechung. Der Mensch ist von vornherein mit einem bestimmten Charakter versehen, aus dem sich sein Leben und seine Handlungen wie ein sich aufdröselndes Wollknäuel folgerichtig entspinnen.

Diese Schuld wird nur durch das Verlöschen im Nichts getilgt. Der gewendete Wille führt in dieses Nichts: »Denen, in welchen der Wille sich gewendet und verneint hat«, so Schopenhauer, ist »diese unsere so sehr reale Welt mit allen ihren Sonnen und Milchstraßen – Nichts.« Dieses groß geschriebene »Nichts«, das eng mit dem buddhistischen »Nirwana« verwandt ist, ist das letzte Wort der *Welt als Wille und Vorstellung* – das Schlusswort eines Pessimisten, der glaubt, dass dieser Welt, die den Geburtsfehler hat, Produkt des Willens zu sein, nicht zu helfen ist.

Die *Welt als Wille und Vorstellung*, die Anfang 1819 bei dem Verleger F. A. Brockhaus erschien, brauchte viele Jahre, bis sie von einem größeren Publikum wahrgenommen wurde. Schopenhauers großer

Wurf wirkte zunächst wie ein gestrandetes Ufo in einer Zeit, die von der geschichtlichen Macht der Vernunft überzeugt war. In den ersten anderthalb Jahren verkauften sich gerade einmal hundert Exemplare, der größte Teil der Auflage musste eingestampft werden. Zudem überwarf sich Schopenhauer wegen des Honorars mit seinem Verleger, der mit diesem Buch immerhin ein großes kaufmännisches Risiko eingegangen war. Eines der wichtigsten philosophischen Werke des 19. Jahrhunderts versank für einige Jahrzehnte im Vergessen.

Schopenhauer selbst hat jedoch nie an der Bedeutung seines Werks gezweifelt. Bescheidenheit in dieser Hinsicht war ihm fremd, obwohl oder vielleicht gerade weil seine Umwelt ihm keinerlei Erfolg oder Bestätigung verschaffte. Zunächst sah er das Buch noch als Sprungbrett für eine akademische Karriere an. Doch seine Bemühungen, ausgerechnet an der Berliner Universität, der Hochburg der ihm so verhassten Hegelschen Philosophie, Fuß zu fassen, scheiterten. Die Studenten zeigten wenig Interesse an dem unbekannten Privatdozenten.

Anfang der dreißiger Jahre siedelte Schopenhauer nach Frankfurt am Main über und richtete sich dort als Privatgelehrter ein. Dort schloss er 1843 den zweiten Band der *Welt als Wille und Vorstellung* ab, der 1844 zusammen mit der zweiten Auflage des ersten Bandes erschien. Zu jedem der vier ursprünglichen Teile hatte er mehrere Essays geschrieben, die den Hauptgedanken des ersten Bandes fortführen und erweitern. Darunter Essays wie »Über das metaphysische Bedürfnis des Menschen« und der in den *Buddenbrooks* erwähnte Aufsatz »Über den Tod und sein Verhältnis zur Unzerstörbarkeit unseres Wesens an sich«, die viel zur späteren Popularität des Werkes beigetragen haben. Sie schlagen die Brücke zu konkreten weltanschaulichen Fragen des Menschen und lassen sich auch unabhängig von den anderen Teilen des Buches lesen.

Gerade der letztgenannte Essay erfüllt das Bedürfnis vieler Leser nach einer »philosophischen Religion«: Da unsere individuelle Existenz ohnehin nur eine von Schuld und Egoismus geprägte Erscheinungsform des Willens ist, sollte der Tod als eine Reinigung begriffen werden, eine Gelegenheit, sich vom Schein des Ichs zu befreien. »Das

Sterben«, so Schopenhauer, »ist der Augenblick jener Befreiung von der Einseitigkeit einer Individualität, welche nicht den innersten Kern unseres Wesens ausmacht.« Dieser Kern ist unsterblich.

Mit dem Erscheinen seiner so genannten »Nebenschriften«, der *Parerga und Paralipomena* 1851, die auch die berühmten *Aphorismen zur Lebensweisheit* enthalten, fand Schopenhauers Werk endlich stärkere Beachtung. Der alte Schopenhauer konnte schließlich den Ruhm genießen, den der Geniewurf des jungen Mannes eigentlich schon verdient gehabt hätte. Dass man ihn nun den »Buddha von Frankfurt« nannte, mag er sogar als nicht sachunkundiges Kompliment betrachtet haben. Denn er war es schließlich, der mit seiner *Welt als Wille und Vorstellung* als erster bedeutender europäischer Philosoph der indischen Philosophie Eingang ins westliche Denken verschafft hatte.

Für Friedrich Nietzsche wurde Schopenhauers Werk sogar zu einer Art philosophischem Erweckungserlebnis. Auch die Lebensphilosophie um den französischen Philosophen Henri Bergson ist ohne Schopenhauer nicht denkbar. Auffällige Parallelen gibt es auch zwischen Schopenhauer und der Psychoanalyse Sigmund Freuds. Dazu gehört die Erkenntnis, wie trügerisch unser Glaube an die Kraft der Vernunft ist und wie sehr die eigentlichen Antriebskräfte unseres Lebens und Handelns in den leiblichen Trieben zu finden sind. Aber auch die bei Freud so herausgestellte Rolle der Sexualität findet sich schon bei Schopenhauer: als eine vornehmliche Äußerung des Willens zum Leben.

Breite Wirkung erzielte Schopenhauer bei Künstlern, nicht nur bei Schriftstellern wie Thomas Mann, sondern auch bei Musikern wie Richard Wagner oder Malern wie Max Beckmann. Nicht verwunderlich ist, dass im 20. Jahrhundert, einem Jahrhundert der totalitären Barbarei und politischer Katastrophen, Schopenhauers Pessimismus eine besondere Aktualität gewonnen hat.

Bis heute sind es in der Regel nicht die Akademiker und Berufsphilosophen, die von Schopenhauer angesprochen werden, sondern Liebhaber der Philosophie, die mehr suchen als eine Vorlage für kluge Dissertationen. Wie kaum ein anderes philosophisches Buch der letzten zweihundert Jahre hat die *Welt als Wille und Vorstellung* die Erfahrungen und das Lebensgefühl vieler Menschen erreicht und dem Bedürfnis nach Weisheit und philosophischer Lebenshilfe Rechnung getragen. Schopenhauers These, dass die Welt ein Tal des Jammers ist und der bösartige Charakter des Menschen sich unverändert zeigt, wird zumindest als ein Stachel im Fleisch der Philosophie erhalten bleiben.

Ausgabe:

ARTHUR SCHOPENHAUER: Die Welt als Wille und Vorstellung. München: dtv 1998.

Partitur der Lebensformen

Sören Kierkegaard: Entweder – Oder (1843)

Philosophische Bücher haben es – so liegt es in ihrer Natur – mit sehr grundsätzlichen Fragen zu tun, sie diskutieren oder verbreiten Theorien und fordern vom Leser ein hohes Maß an Konzentration. Sie sind häufig, wie man umgangssprachlich sagt, sehr »abstrakt«. Doch auch unter den klassischen Werken der Philosophie gibt es solche, die ein ganz anderes Gesicht zeigen. Sie kommen im Gewand der Dichtung daher: Personen treten in ihnen auf, Geschichten und Gleichnisse werden erzählt oder sie enthalten sogar Gedichte. Platons Dialogen werden zu Recht solche dichterischen Eigenschaften nachgesagt, aber auch die Bücher Friedrich Nietzsches haben die Leser aus eben diesen Gründen immer wieder angezogen.

Solche Werke sind besonders verführerisch und gefährlich: Sie bieten sich als anscheinend leicht verständliche Lektüre an. Doch dies ist in der Regel eine Falle, in die man nicht tappen sollte. Auch diese Werke haben es mit komplexen theoretischen Fragen zu tun. Sie präsentieren sie lediglich in einer besonders raffinierten Verpackung.

Eines der wichtigsten und bekanntesten »dichterischen« Werke der Philosophiegeschichte ist *Entweder – Oder*, der berühmte Erstling des dänischen Theologen und Philosophen Sören Kierkegaard. Und in diesem Fall ist die Theorie ganz besonders kunstvoll versteckt. Es handelt sich um ein dickes, beinahe tausend Seiten umfassendes Buch, das aus Tagebuchaufzeichnungen, Briefen, Essays und Aphorismen besteht. Kierkegaard hat dieses Werk so verschachtelt aufgebaut, wie es ein postmoderner Romancier nicht besser hätte machen können: Im Vorwort präsentiert sich uns ein »Herausgeber«, der sich eines Pseudonyms bedient. Er gibt vor, beim Kauf eines Sekretärs einen Stoß Papiere gefunden zu haben, die offenbar wiederum von mehreren Autoren stammen – der Herausgeber nennt sie »A« und »B«. Beide kennen sich. B wird als ein älterer Freund von A eingeführt. Nicht genug damit: Unter den Papieren von A findet sich das *Tagebuch des Verführers*, von dem A wiederum behauptet, es stamme gar nicht aus seiner Feder, sondern er habe es lediglich gefunden.

Eines wird dem Leser schon von Beginn an klar: Kierkegaard tut alles, um nicht mit den in den Papieren dargelegten Ansichten identifiziert zu werden. Er verhält sich in der Tat wie ein Romancier oder Theaterdichter, der bestimmte Figuren auf die Bühne bringt und sie eine Rolle spielen lässt, die sie als Personen charakterisiert, die sich aber nicht mit der Meinung des Autors decken muss. Ein Buch also, in dem der Autor nicht das sagt, was er selbst denkt?

Nicht ganz. Wie jeder Philosoph versucht auch Kierkegaard dem Leser die Ergebnisse seines Denkens zu vermitteln. Doch er tut dies indirekt. Er wählt die Form der »dichterischen« Philosophie, weil das, was er zu sagen hat, nicht theoretisch gelehrt oder gelernt werden kann. Es geht ihm vielmehr um Lebenseinstellungen, um die »Form«, die wir unserem Leben geben sollen. Das deutsche Wort »Selbstverwirklichung«, im wörtlichen Sinne genommen, drückt Kierkegaards philosophische Absichten genau aus: Der Mensch ist aufgefordert, sein Selbst im Leben erst zu erwerben, und dies kann er eben nur »selbst«, das heißt auf der Grundlage eigener praktischer Entscheidungen, tun. Theoretische Einsichten können dabei nicht mehr als ein Sprungbrett sein. Dies wird im letzten Satz des Buches noch einmal unterstrichen: »Nur die Wahrheit, die erbaut«, heißt es dort, »ist Wahrheit für dich.« Es ist ein Schlüsselsatz, auf den Kierkegaard noch einmal eigens in seinen Tagebüchern hingewiesen hat. »Erbauen« heißt bei ihm so viel wie »unmittelbar packen, ergreifen«. Nur eine Wahrheit, die sich der Mensch in seinem Leben praktisch zu Eigen macht, kann für ihn wichtig sein. Was theoretisch erkannt wird, aber keine Folgen für das Leben hat, ist, so Kierkegaard, wie ein Haus, das man baut, aber in dem man nicht wohnt.

Für diese dichterische, indirekte Art, die Wahrheit »an den Mann« zu bringen, hat Kierkegaard den Ausdruck »Existenzmitteilung« geprägt. Die Existenzmitteilung ist ein Aufzeigen von Möglichkeiten, die der Leser durch eine Entscheidung in die Wirklichkeit seines eigenen Lebens übersetzen muss. Der Philosoph kann, wie ein Theaterdichter, verschiedene Lebenshaltungen auf verschiedene Rollen verteilen, diese Rollen dem Leser »vorspielen« und ihm somit eine Entscheidungsgrundlage liefern. *Entweder – Oder* will genau dies sein: eine Partitur verschiedener Lebensformen und damit eine Grundlage für die Entscheidung, wie man leben will.

Damit setzt sich Kierkegaard in einen bewussten Gegensatz zur Philosophie Georg Wilhelm Friedrich Hegels, dessen Denken die damalige geistige Welt beherrschte. Nach Hegel ist die Wirklichkeit ein Prozess, bei dem sich die Vernunft in der Geschichte offenbart. Dabei, so schien es Kierkegaard, bleibt für den einzelnen Menschen nur die Rolle des Zuschauers, der sich staunend dem Treiben einer Weltvernunft gegenübersieht, ohne dass er weiß, wie ihm geschieht. Im Gegensatz zu Hegel richtet Kierkegaard seine Aufmerksamkeit ganz auf das, was der Einzelne wirklich aus seinem Leben macht.

Es verwundert daher nicht, dass *Entweder – Oder* auch in einem besonders engen Verhältnis zum Leben seines Autors steht. Der 1813 geborene Sören Kierkegaard wuchs als jüngster Sohn in einem streng protestantischen Elternhaus auf, das vor allem durch die düstere Frömmigkeit seines Vaters Michael Pedersen Kierkegaard geprägt war. Dieser hatte es vom armen jütländischen Bauernsohn zum wohlhabenden Kopenhagener Bürger und Kaufmann gebracht, der allen seinen Kindern materielle Sicherheit und eine gute Ausbildung verschaffen konnte. Doch sein gesamtes Leben lang war er von Schuldbewusstsein geplagt, das aus zwei Ereignissen herrührte: Als kleiner Junge hatte er, verzweifelt über seine ärmlichen Lebensumstände, auf der jütländischen Heide Gott verflucht. Und als verheirateter Mann war er ein Verhältnis mit seiner Magd eingegangen, das er allerdings nach dem Tod seiner Frau legalisierte.

Was bei anderen kaum Spuren hinterlassen hätte und eher als entschuldbare Fehltritte angesehen worden wäre, löste bei Michael

Pedersen einen lebenslangen Schuldkomplex und bohrenden Selbstzweifel aus: Wie stehe ich vor Gott? Welche Strafe werde ich zahlen müssen? Das fragte er sich bis zu seinem Tod. Auch seine Kinder trugen seiner Ansicht nach an dieser Schuld mit. Besonders seinen hoch begabten Jüngsten, Sören, hatte er ausersehen, einen Teil dieser Schuld dadurch abzutragen, dass er ihn zum Theologen ausbilden ließ. Doch zumindest auf diesen Sohn hatte sich das Schuldbewusstsein, die Schwermut und die Neigung zum Grübeln tatsächlich übertragen. Sünde, Schuld, das Verhältnis zu Gott, ein laues oder ein ernsthaft geführtes Leben – es waren die vom Vater übernommenen Probleme, die Kierkegaard auch in seiner Philosophie nie losließen.

Der Student Kierkegaard versuchte zunächst, sich von dem drückenden moralischen Erbe des Vaters zu befreien. Als er 1830, mit siebzehn Jahren, an der Universität eingeschrieben wurde, nutzte er die neue akademische Freiheit und wandte sich den Vergnügungen der Kopenhagener Gesellschaft zu. Er liebte die Opern- und Caféhäuser, die Literatur und das Theater. Aufführungen von Werken seines Lieblingskomponisten Mozart besuchte er regelmäßig. Sogar ein Bordellbesuch ist überliefert. Der junge Kierkegaard entwickelte sich zu einem stadtbekannten Müßiggänger und Flaneur.

Vor allem erwies er sich aber als geistreicher und witziger Kopf, der eine Gesellschaft allein unterhalten konnte. Er war ein glänzender Stilist, der zum Ärger seines Vaters begann, polemische Artikel in der Presse zu publizieren. Manche dieser Artikel unterzeichnete er mit dem Pseudonym »A« – ein literarisches Mittel, das er in *Entweder – Oder* übernehmen sollte.

Diese Phase seines Lebens endete, als der Vater 1838 starb. Nun fühlte sich Kierkegaard verpflichtet, dessen Erwartungen doch noch zu entsprechen und sein Theologiestudium abzuschließen. Er war bereit, Verpflichtungen zu erfüllen und Bindungen einzugehen. Im Juli 1840 legte er schließlich seine theologische Staatsprüfung ab und verlobte sich wenig später mit der zehn Jahre jüngeren Regine Olsen, Tochter aus bürgerlichem Kopenhagener Hause. Es war eine beiderseitige »romantische« Liebesbeziehung. Die Tür zum bürgerlichen Lebensglück schien ebenfalls offen: Vor Kierkegaard lagen eine standesgemäße Heirat und eine Karriere in der dänischen lutherischen Staatskirche.

Doch all dies erfüllt sich nicht. Bereits kurz nach der Verlobung holt ihn die tief verwurzelte Schwermut ein. Es kommen ihm Zweifel, ob er fähig ist, sich vorbehaltlos für einen Partner zu öffnen und für diesen die Verantwortung zu übernehmen. Quälende Monate folgen, bis Kierkegaard schließlich im Oktober 1841 eine Auflösung der Verlobung erreicht. Für beide wird die Trennung ein Drama. Für Kierkegaard bleibt sie der Pfahl im Fleisch, der ihn sein ganzes Leben lang bedrängt, ihn aber auch zu ständiger Produktivität antreibt.

Der Abschied von Regine ist auch der Abschied von einem normalen bürgerlichen Leben. Von diesem Zeitpunkt an lebt Kierkegaard in dem Bewusstsein, von Gott mit einer besonderen Rolle betraut zu sein: nämlich als »Spion Gottes« dem Geist des echten Christentums wieder Gehör zu verschaffen. Er sieht sich nun als Außenseiter, der öffentlichen Spott auf sich zu nehmen bereit ist und sowohl auf soziale Bindungen als auch auf eine Karriere verzichtet. Immer mehr wird ihm klar, dass es für ihn nur eine Form gibt, mit sich selbst ins Reine zu kommen, der Welt gegenüberzutreten und sich ihr mitzuteilen: die Existenz des Schriftstellers.

Bereits in seiner akademischen Abschlussarbeit *Der Begriff der Ironie mit ständiger Beziehung auf Sokrates* hatte Kierkegaard seine glänzende schriftstellerische Begabung gezeigt. Wie Sokrates tritt er nun, von einer Misson erfüllt, an die Öffentlichkeit. Wo Sokrates das verborgene Wissen der Menschen dem rationalen Bewusstsein zugänglich machen wollte, will Kierkegaard ein neues religiöses Bewusstsein wecken. Und während Sokrates die Menschen im Streitgespräch zu erreichen versuchte, bedient sich Kierkegaard der Literatur. Dabei macht er einen grundsätzlichen Unterschied: In allen Schriften, in denen er in direkter Weise wie ein Prediger zum Publikum spricht – in seinen christlichen Schriften –, schreibt er unter eigenem Namen. Dort dagegen, wo er indirekte Aussagen macht, das heißt spielerisch-literarisch Lebensmöglichkeiten vorführt, benutzt Kierkegaard Pseudonyme.

Entweder – Oder gehört zur letzteren Gattung. Das Buch ist der erste Versuch Kierkegaards, seine eigenen Lebensprobleme und Lebensexperimente literarisch zu verarbeiten und daraus eine Philosophie der Existenz zu entwickeln. Seine Zeit als Lebemann, besonders aber die gescheiterte Beziehung zu Regine lieferten ihm das Material, das er in dichterischer Form bearbeitet und philosophisch deutet. Seinem neuen Selbstverständnis als »Einzelner« und Außenseiter gibt er in dem Herausgeberpseudonym »Victor Eremita – Victor der Einsiedler« Ausdruck.

Entweder – Oder entstand in elf Monaten, von Dezember 1841 bis November 1842. Eine ganz wichtige Rolle im Prozess des Schreibens spielte ein mehrmonatiger Aufenthalt in Berlin.

Kurz nach der Trennung von Regine, am 25. Oktober 1841, verlässt Kierkegaard Kopenhagen. In Berlin angekommen, nimmt er ein Zimmer nahe dem Gendarmenmarkt, wo er zurückgezogen lebt. Seine Wege führen ihn lediglich ins Theater oder an die Universität. Er hört die Vorlesungen Schellings, besucht einen Deutschkurs und verbringt Teile des Tages mit Schreiben. Hier entsteht nun der größte Teil des Buches. Als Kierkegaard hört, Regine sei erkrankt, entschließt er sich im März 1842 zur vorzeitigen Rückkehr nach Kopenhagen. Dort schließt er das Manuskript ab.

Nicht nur diese vorzeitige Rückkehr zeigt, dass Kierkegaard weit davon entfernt ist, die Beziehung zu Regine hinter sich gelassen zu haben. Im Gegenteil: Sein Denken und seine Tagebucheintragungen beschäftigen sich unablässig mit ihr. In Regine sieht er auch die besondere Adressatin des Buches. Er will schreibend versuchen, sie »aus dem Verhältnis herauszulösen«, das heißt die Beziehung zu ihr als ein bloßes Lebensexperiment darzustellen und sich selbst damit in ein moralisch zweifelhaftes Licht zu rücken, um ihr die Trennung zu erleichtern.

Kierkegaard präsentiert in *Entweder – Oder* zwei grundsätzlich verschiedene Lebensformen: In der »ästhetischen« Lebensform, die in vielfältigen Variationen in den Papieren von A beschrieben wird, geht es vor allem um Genuss, entweder in einer einfachen sinnlichen oder in einer verfeinerten geistigen Form. Beide Male spielt die Erotik als Teil dieses Genusses eine große Rolle. Alles wird unter dem

Gesichtspunkt betrachtet, ob es »interessant« ist und das Lebensgefühl steigert. Kierkegaard nennt diese Lebensform »ästhetisch«, weil sie große Ähnlichkeit mit der Art hat, mit der wir mit Kunst umgehen. Auch die Kunst ist für uns ein Gegenstand der genussvollen, sinnlichen und geistigen Anregung. Der Ästhetiker lebt für die Gegenwart, Festlegungen für die Zukunft oder die Beschäftigung mit der eigenen Vergangenheit sind für ihn ohne Reiz.

Dem gegenüber steht die im zweiten Teil von B präsentierte »ethische« Lebensform. Sie ist nicht nur auf eine gegenwärtige Erfüllung, sondern auf die Zukunft hin, auf Dauer angelegt und zeichnet sich dadurch aus, dass der Mensch auch in verpflichtende Beziehungen mit anderen Menschen tritt. Als vornehmliches Beispiel einer ethischen Lebensform nennt Kierkegaard in *Entweder – Oder* die Ehe. Sie scheint auf den ersten Blick langweiliger und unspektakulärer, doch sie vermag dem Wechselspiel des Genusslebens eine einheitliche »Form« des Lebens entgegenzusetzen und damit eine Art Identität des Menschen herzustellen. »Entweder – Oder« heißt also zunächst: *Entweder* man entscheidet sich für die ästhetische *oder* für die ethische Lebensweise.

Der Unterschied zwischen beiden Teilen wird auch in ihrer Zusammensetzung und Gestaltung deutlich. Die Papiere von A im ersten Teil enthalten acht sehr unterschiedliche Texte, die bewusst dichterisch, also mit ästhetischem Anspruch komponiert sind. Während der erste Text aus einer Sammlung tagebuchartiger Kurzprosa besteht, beinhaltet der zweite eine Interpretation der Hauptfigur in Mozarts Oper *Don Giovanni.* Im Weiteren folgen Essays, die sich als »Ansprachen« oder »Rezensionen« tarnen, an die sich am Ende das fiktive *Tagebuch des Verführers* anschließt.

Die erheblich weniger umfangreichen Papiere von B bestehen demgegenüber aus drei nüchtern durchkonstruierten Abhandlungen, die B an seinen Freund A adressiert hat. Sie nehmen auch teilweise die Form theologischer Lehrbriefe an, in denen Gebete enthalten sind und auf Bibelstellen Bezug genommen wird.

Kierkegaards eigene Lebensexperimente werden vor allem im ersten Teil des Buches reflektiert. Viele der ästhetischen Rollen, die in den Papieren von A geschildert werden, hat Kierkegaard selbst in seinem Leben gespielt. Nicht zufällig liegen hier eindeutig die literarischen Höhepunkte. So wie bei Dante und Milton die Schilderungen der Hölle sehr viel überzeugender wirken als die des Himmels, so fällt Kierkegaards Präsentation des ästhetischen Lebens sehr viel lebendiger und anschaulicher aus als die trockenen Abhandlungen über die Ehe im zweiten Teil. Hier werden seine Schilderungen farbig und konkret, und hier kann er seine dichterische Brillanz demonstrieren.

Die ästhetisch beziehungsweise erotisch bestimmte Lebensanschauung ist schillernd, wechselnd, doch sie bewegt sich über einem Abgrund der Schwermut und Verzweiflung, über dem der Ästhetiker wie ein Seiltänzer balanciert. Er ist ein ewiger Lebensexperimentator, weil er im Grunde der Überzeugung ist, dass das Leben an sich keinen Sinn hat. Immer dann, wenn er einmal keine Rolle spielt und sich besinnt, steht er diesem Abgrund unmittelbar gegenüber. Dann drängt sich ihm der Gedanke auf, seinem Leben ein Ende zu setzen.

In den Kurzprosastücken, die unter dem Titel »Diapsalmata« zusammengefasst sind, gibt der Autor A seiner Schwermut und seinem Lebensüberdruss unmittelbar Ausdruck: »Mein Leben ist völlig sinnlos«, heißt es dort, »wenn ich seine verschiedenen Epochen betrachte, so geht es mit meinem Leben wie mit dem Worte ›Schnur‹ im Lexikon, das einmal einen Bindfaden bedeutet und zum anderen eine Schwiegertochter.« Der Ästhetiker ist ein Mensch, der immer wieder neue Masken trägt, aber kein eigenes Gesicht, keine Identität hat. Der Ästhetiker verwirklicht kein Selbst, er ist je nach Situation immer ein anderer.

Das menschliche Gegenüber, der Partner, ist für den Ästhetiker lediglich Objekt. Ebenso wenig wie er selbst eine Identität, ein Selbst, entwickelt, erkennt er es auch bei dem anderen an. Das Leben ist für den Ästhetiker eine Bühne, auf der das Spiel Selbstzweck ist. Deshalb fühlt er sich auch nicht zur Einhaltung moralischer Regeln verpflichtet. Er hat sich auf den Ernst des Lebens noch gar nicht eingelassen. Sein Leben befindet sich in einer permanenten Erprobungsphase.

Es gibt jedoch verschiedene Äußerungsformen der ästhetischen Lebensanschauung. Der Ästhetiker kann wie eine Biene von Blüte zu Blüte fliegen, immer den unmittelbaren sinnlichen Genuss suchen und in diesem sein Genüge finden. Er kann aber auch einen verfeinerten, raffinierten Genuss suchen, der auf einer strategischen Planung beruht. Dabei wird der mögliche Augenblicksgenuss bewusst hinausgezögert zugunsten eines besseren finalen Genusses. Dies führt schließlich dazu, den Weg zum Ziel zu machen und die Art des Genusserwerbs selbst zu genießen, ähnlich wie der Kenner ein Kunstwerk nicht wegen des Inhalts, sondern wegen der Art der Präsentation schätzt.

In den Papieren von A treten zwei exemplarische Figuren der ästhetischen Lebensanschauung hervor: Don Juan, die Hauptfigur in Mozarts Oper *Don Giovanni,* steht im Mittelpunkt des Essays »Die unmittelbaren erotischen Stadien oder das Musikalisch-Erotische«. Johannes wiederum ist der Protagonist des *Tagebuchs des Verführers.* Beide sind Meister der Erotik, der eine durch seine Natur, der andere durch seine Strategie.

Don Juan ist eine Figur, die vom Medium der Musik geprägt wird und wie diese eine unmittelbar sinnliche Wirkung ausübt. Planung und Strategie sind ihm fremd: Für Kierkegaard ist er wie eine Naturmacht: Der Genuss fällt ihm zu, und er lebt nur für den Augenblick.

Im *Tagebuch des Verführers* dagegen stellt Kierkegaard den reflektierten und planenden Ästhetiker vor. Nirgendwo hat er deutlicher seine Beziehung zu Regine literarisch verarbeitet. So finden sich hier ganze Passagen, die er wörtlich aus seinen eigenen Tagebüchern und Briefen übernommen hat. Vor allem mit der Figur des Johannes wollte er seine Absicht verwirklichen, Regine aus der Beziehung zu ihm herauszulösen und »herauszutäuschen«. Insofern ist Johnannes auch nicht mit Kierkegaard identisch: Er ist eine bewusst gestaltete Figur. Er ist der Verführer, den Kierkegaard präsentieren wollte, der er selbst aber nie war. Das *Tagebuch* erzählt die Geschichte einer perfekt inszenierten Beziehungsmanipulation, bei der der andere zum reinen Spielball und am Ende wie ein nutzlos gewordenes Instrument weggeworfen wird.

Im Gegensatz zu Don Juan will Johannes nicht nur in den Genuss der verführten Frau kommen, er genießt auch die planmäßig vorgehende Verführungsstrategie, die er wie ein Kunstwerk angelegt hat. Johannes trifft durch Zufall ein junges Mädchen, Cordelia, die er zunächst für die Liebe bereitmachen will, indem er für sie einen Verlobten besorgt. Gleichzeitig sorgt er aber auch dafür, dass sie sich in dieser konventionellen Beziehung nicht wohl fühlt und ein Bedürfnis nach »mehr« entwickelt, ohne genau zu wissen, worin dieses »Mehr« besteht. Nun bietet sich Johannes selbst als interessanten Kontrast an und gewinnt sie für sich. Als er schließlich mit ihr verlobt ist, bringt er sie so weit, dass auch sie die Form der Verlobung als Fessel empfindet und deren Auflösung wünscht, um die Liebe zu ihm zu retten. Er stimmt zu, bestellt sie an einen geheimen Ort, wo er mit ihr eine Nacht verbringt und sie am nächsten Tag verlässt.

Weder Don Juan noch Johannes vermögen über das Interessante und den Genuss hinaus einen Sinn des Lebens zu erkennen. Ihre Weigerung, im Leben mehr als einen Zeitvertreib zu sehen und eine dauerhafte Identität zu entwickeln, bringt sie in ein verfehltes Verhältnis zur Zeit. Der Mensch ist nach Kierkegaard eben nicht nur sinnlich, sondern auch geistig bestimmt, das heißt, er nimmt im Gegensatz zu den Tieren die Zeit bewusst wahr, er erinnert sich und er projiziert in die Zukunft. Als Christ gibt Kierkegaard diesem Unterschied zwischen Mensch und Tier eine theologische Deutung: Der Geist ist für den Menschen das Mittel, ein Verhältnis zur Ewigkeit und zu Gott zu erlangen. Wenn er sein Menschsein verwirklichen will, muss er also auch in ein geistig bewusstes Verhältnis zur Zeit eintreten. Er muss sich sowohl in der Vergangenheit als auch in der Zukunft als identisch wiedererkennen können. Ein Leben nur für die Gegenwart reicht nicht aus: Vergangenheit und Zukunft müssen in den eigenen Lebensentwurf mit einbezogen werden. Obwohl der Verführer Johannes einen ersten Schritt in diese Richtung macht, indem er über die unmittelbare Gegenwart hinausgeht und einen zukünftigen Genuss plant, gewinnt auch er noch keine Identität, da er mit jedem Abenteuer eine neue Rolle spielt.

Identität und ein bewusstes Verhältnis gegenüber der Zeit werden erst in der ethischen Lebensanschauung erworben. Hier, im zweiten Teil des Buches, führt Kierkegaard eine neue Autorenfigur ein. Während uns A als junger Lebemann präsentiert wird, der einige Züge des jungen Kierkegaard trägt, kommt nun mit B ein älterer, typischer Vertreter des Establishments ins Spiel, dessen Ansichten denen des Autors Kierkegaard nahe stehen. Im Gegensatz zu A, der mit wechselnder Maske lebt, hat B einen Namen (Wilhelm) und einen Beruf (Gerichtsrat). Auch sein Stil kann sich mit dem in den brillanten literarischen Stücken des ersten Teils nicht messen. B schreibt trocken und sachlich. Der angekommene, lebenserfahrene B wendet sich an seinen jüngeren Freund A, um ihn von den Vorzügen eines Lebens zu überzeugen, das dem Genussleben und dem Egoismus die dauerhafte Bindung und die soziale Verpflichtung entgegensetzt. Das Modell für diese ethische Lebensform ist die Ehe.

B will keinen absoluten Gegensatz zwischen ethischer und ästhetischer Lebensform gelten lassen. Die ethische Lebensform ist für ihn vielmehr eine Höher- und Weiterentwicklung der ästhetischen. Sie hat die positiven Seiten der ästhetischen Lebensanschauung in sich aufgenommen. Diese ist interessant und für ein erfülltes Leben sogar notwendig, aber man darf nicht bei ihr stehen bleiben. So ist die Ehe für ihn keine trockene Vernunft- oder Zweckehe, sondern eine auf Liebe beruhende Verbindung, in der die Erotik der romantischen Verliebtheit umgewandelt ist in ein Grundvertrauen, das über die Zeit hinwegträgt. Alle positiven Merkmale der ästhetischen Lebensform – sinnlicher Genuss, Raffinesse, das »Interessante« – werden erst in der Ehe verwirklicht, indem ihnen innerhalb einer sozialen Bindung eine dauerhafte Gestalt gegeben wird. In dem Eingehen einer solchen erotischen und zugleich sozialen Bindung entsteht eine Identität, die Vergangenheit und Zukunft mit einbezieht.

Diese Identität entsteht aber nicht einfach so, sie beruht auf einer Wahl. Mit dem Begriff der »Wahl« ist man im Zentrum der Philosophie Kierkegaards angekommen. Kierkegaards »Wahl« ist keine beliebige »Auswahl«, sondern das Ergreifen dessen, was in einem selbst schon angelegt ist. Erst indem der Mensch wählt, verwirklicht er sich, das heißt, er nimmt sich als Person mit allen dazugehörigen

Umständen an. Dazu zählen nicht zuletzt die Bindungen zu anderen Menschen, die mit dieser Wahl erst als Mitmenschen anerkannt und nicht mehr nur als Objekte betrachtet werden. Dazu gehören auch die eigene Vergangenheit und der Entwurf auf die Zukunft hin. Mit der Wahl tritt der Mensch bewusst in die Zeit ein, er entwickelt ein Verhältnis zur Geschichte.

Den Prozess des Zustandekommens einer solchen Wahl beschreibt Kierkegaard wie ein religiöses Erweckungserlebnis. Grundlage sind die Stimmungen der Schwermut, Trauer und Verzweiflung, die in Kierkegaards eigenem Leben eine große Rolle gespielt haben und mit denen auch der Ästhetiker in bestimmten Phasen seines Lebens konfrontiert wird. Gemeint sind aber nicht einfache Stimmungszustände, sondern die bei jedem Menschen auftretenden Grundbefindlichkeiten, die aufbrechen, wenn ihm bestimmte grundlegende Tatsachen des Lebens wie Sterblichkeit oder Sinnlosigkeit plötzlich vor Augen stehen. Der Mensch sieht sich dann vor die Aufgabe gestellt, sich anzunehmen und etwas aus seinem Leben zu machen. In der Schwermut erwacht die Möglichkeit eines geistig bestimmten, das heißt bewusst ergriffenen, Lebens lediglich als unbestimmte Ahnung, in der Verzweiflung dagegen bricht sich diese Ahnung als Stimme des Gewissens Bahn.

In der Wahl wird sich der Mensch seiner Freiheit bewusst, der Freiheit, dem Leben verantwortlich eine Richtung und eine Form zu geben. Darin liegt der Abschied von einem Leben, das sich »wahllos« dem Genuss überlässt. Für Kierkegaard ist das Bewusstsein des Wählen-Könnens, das Ergreifen der Wahlmöglichkeit als Ergreifen von Freiheit und Verantwortung wichtiger als der jeweilige Inhalt der Wahl.

Damit erhält sein »Entweder – Oder« seine eigentliche Bedeutung. Schien es zuerst, als handle es sich um die Wahl zwischen zwei Formen der Selbstverwirklichung, so geht es jetzt um Wahl oder Nichtwahl, um Selbstverwirklichung oder Nichtverwirklichung des Lebens. »Entweder – Oder« heißt jetzt: Entweder man lässt sich auf die Wahl ein wie der Ethiker und schafft somit ein Selbst, eine Identität, oder man vermeidet die Wahl wie der Ästhetiker und lebt einfach nur so dahin, von Augenblick zu Augenblick. Erst mit der Wahl, erst mit der ethischen Existenz tritt man in das eigentliche Leben ein, indem man Verantwortung übernimmt und als Person für sein Handeln einsteht. »Eine ästhetische Wahl«, so spricht B, »... ist keine Wahl. Überhaupt ist das Wählen ein eigentlicher und stringenter Ausdruck für das Ethische.«

Mit diesem Begriff der »Wahl« hat Kierkegaard noch einmal betont, dass es für ein selbstbestimmtes Leben nicht genügt, die Partitur der Lebensformen zu kennen. Man muss auch seine eigene Stimme zur Aufführung bringen. Als Theologe hat sich sein Blick in *Entweder – Oder* schon über die zwischenmenschliche Bindung der Ehe hinaus auf die Bindung des Menschen an Gott gerichtet. Bereits hier gibt er seinen Schlüsselbegriffen wie Freiheit und Wahl eine religiöse Bedeutung.

Die Offenheit und Unbestimmtheit der menschlichen Existenz, die sich in der Freiheit ausdrückt, ist für ihn eng mit der religiösen Lehre von der Erbsünde verknüpft, die die menschliche Natur von Gott entfernt hat. In der Annahme der Freiheit, in der bewussten Wahl und in dem Ergreifen einer eigenen Identität hat der Mensch die Möglichkeit, die Beziehung zu Gott zu erneuern. In seinen späteren Schriften hat Kierkegaard der ästhetischen und ethischen Lebensform die religiöse als die höchste und schwierigste Lebensform hinzugefügt. Sie deutet sich hier schon im Pseudonym »Victor Eremita« an. Es bezeichnet die Existenz des Einzelnen, der alle sozialen Bindungen zugunsten einer unmittelbaren Beziehung zu Gott opfert.

Mit *Entweder – Oder*, so schrieb Kierkegaard später, wollte er zeigen, dass man auch auf Dänisch ein bedeutendes Werk schreiben kann. Und in der Tat machte das 1843 erschienene Buch in Kopenhagen derart Furore, dass Kierkegaard von der Presse den Spitznamen »Entweder – Oder« erhielt. In der dänischen Öffentlichkeit wurde er eine bekannte, zuweilen belächelte, aber auch eine wegen seiner spitzen Feder gefürchtete Figur.

Entweder – Oder ist das berühmteste Buch Sören Kierkegaards und das Eingangsportal zu seiner Philosophie geblieben. Es wurde zum Auftakt einer Reihe dicht aufeinander folgender Schriften, die alle in dem Jahrzehnt von 1840 bis 1850 entstanden. Während sie in Dänemark heftige Diskussionen auslösten und großen Einfluss auf das geistige Leben des Landes ausübten, wurden sie im übrigen Europa erst im frühen 20. Jahrhundert entdeckt. Nun sah man in dem dänischen Theologen des frühen 19. Jahrhunderts den Modernen, der die Verantwortung des Menschen für sein Leben betont, aber sich auch mit jenen Widersprüchlichkeiten und Zerrissenheiten der menschlichen Existenz beschäftigt hat, die inzwischen ins öffentliche Bewusstsein gedrungen waren.

Besonders einflussreich wurde Kierkegaard für die Existenzphilosophie. Seine These, dass der Mensch ein Selbst, eine Identität, nur durch ein Bewusstsein der Freiheit und ein bewusstes Verhältnis zur Zeit entwickeln kann, wurde nicht zuletzt in Martin Heideggers berühmtem Werk *Sein und Zeit* aufgegriffen. Auch die französischen Existentialisten wie Jean-Paul Sartre und Albert Camus hatten ihren Kierkegaard im philosophischen Gepäck. Dass eine dichterische Philosophie wie die Kierkegaards auch Einfluss auf die Literatur hatte, verwundert nicht: In Ibsens Dramen, in den Gedichten Rilkes und den dunklen Parabeln Kafkas hat sie unter anderem ihre Spuren hinterlassen.

Mit *Entweder – Oder* hat Kierkegaard nachdrücklich in Erinnerung gebracht, dass das Leben kein rein theoretisches Problem ist und dass der einzelne Mensch mit seinen Lebensentscheidungen nicht aus der Philosophie ausgeblendet werden darf.

Ausgabe:

Sören Kierkegaard: Entweder – Oder. Übersetzt von H. Fauteck. München: dtv 2000.

Das Buch vom Wa(h)ren Wert

Karl Marx: Das Kapital (1867–1894)

Die Karriere eines philosophischen Buches ist ebenso wenig vorhersehbar wie der Werdegang eines Menschen. Wie oft stehen wir staunend vor der Tatsache, dass der unscheinbare und nur mäßig intelligente Banknachbar unserer Schulzeit wie ein Komet aufgestiegen und ein allseits präsenter Prominenter geworden ist? Wie oft registrieren wir überrascht, dass ein ehemals belächelter Außenseiter nun im Mittelpunkt der Aufmerksamkeit steht? Bei vielen Menschen entgehen uns offenbar auf den ersten Blick Eigenschaften und Fähigkeiten, die einen vorher kaum für möglich gehaltenen gesellschaftlichen Erfolg begründen können.

Auch philosophischen Klassikern sieht man den Grund ihres Erfolges und ihrer Wirkung nicht immer gleich an. So ist *Das Kapital*, das voluminöse Hauptwerk von Karl Marx, beim ersten Hinsehen eher geeignet, Leser abzuschrecken als anzuziehen. Wie konnte, so fragt man sich, ein dreibändiges, zweitausendfünfhundert Seiten starkes Werk, in dem es um komplizierte ökonomische Zusammenhänge geht und das gespickt ist mit Tabellen, Kalkulationen und Zahlen, ein Buch also, das sich anscheinend hervorragend zum Ladenhüter eignet, zu einem der einflussreichsten und meist diskutierten Bücher der Moderne werden?

Das Kapital machte in der Tat große Karriere: Es wurde im späten 19. und im gesamten 20. Jahrhundert nicht nur zur Grundlage der Philosophie des Marxismus, sondern legte auch das theoretische Fundament einer politischen Massenbewegung, die unter den Fahnen der sozialistischen und kommunistischen Parteien eine radikale Veränderung der Gesellschaftsordnung anstrebte.

Es ist wohl genau diese politische Sprengkraft, die dieses Werk einzigartig gemacht und wesentlich zu seinem Erfolg beigetragen hat. *Das Kapital* sollte nicht nur Theorie, sondern auch praktisches Werkzeug, eine Waffe im politischen Kampf sein. Es atmet nicht den Geist eines reflektierenden Denkers, sondern den eines militärischen Strategen, der einen Angriff vorbereitet, indem er gründlich das Terrain des Gegners untersucht.

Das Werk versucht, die inneren Mechanismen der modernen Waren- und Industriegesellschaft freizulegen, um den Weg aufzuzeigen, wie die von ihr erzeugten neuen Formen der Ausbeutung des Menschen beendet werden können. Diese vom »Kapital« regierte, »kapitalistische«, Gesellschaft trägt den Keim ihrer eigenen Zerstörung bereits in sich. Marx beschreibt sie, wie man heute ein Computersystem beschreiben würde, das vom Zeitpunkt seiner Programmierung an schon mit einem Killervirus infiziert ist. Es ist ein System, das irgendwann an seine eigenen Grenzen stößt, zusammenbricht und damit Raum zur Verwirklichung einer freien menschlichen Gesellschaft gibt.

Deshalb wollte *Das Kapital* mehr sein als eine groß angelegte ökonomische Analyse, mehr als ein Buch über den Wert, den Menschen und Dinge in einer Warengesellschaft annehmen. Hinter dem »Warenwert« sollte auch der »wahre Wert« sichtbar werden, den der Mensch und seine Arbeit in einer von Ausbeutung freien Gesellschaft erhalten. Marx wollte die Bedingungen aufzeigen, unter denen der Mensch wieder »Mensch« werden und soziale Gerechtigkeit wiederhergestellt werden kann.

Ein solches Werk erforderte nicht nur eine enorme Erkenntnisbreite, unermüdlichen Fleiß und Willenskraft, sondern auch ein ausgesprochen kämpferisches Sendungsbewusstsein. All dies traf auf Marx zu. Ein ausgeprägtes Selbstbewusstsein, begleitet von einer polemischen Aggressivität im Umgang mit seinen Gegnern, zeichneten ihn schon sehr früh aus.

Es waren vor allem religiöse und philosophische Impulse, die das Denken seiner Jugend bestimmten. Marx wurde 1818 in der alten Bischofsstadt Trier geboren, die damals zur preußischen Rheinprovinz gehörte. Sowohl in väterlicher als auch in mütterlicher Linie stammte er aus alten Rabbinerfamilien. Erst seine Eltern waren vom Judentum zum Protestantismus übergetreten. Der Vater, ein philosophisch gebildeter Jurist, bekannte sich, wie viele assimilierte Juden, zum Gedankengut der Aufklärung. Zwei Elemente der rabbinischen Tradition finden sich in Marx' Denken wieder: der durch intensive Textauslegung geschulte logische Scharfsinn und der messianische Glaube, dass die Menschheit eines Tages aus ihrem Zustand des Leidens erlöst werden wird. Obwohl Marx Religion als »Opium des Volkes« bezeichnete, übernahm er doch den jüdisch-christlichen Gedanken einer heilsgeschichtlichen Entwicklung.

Ein Grund dafür war, dass dieser Gedanke längst Eingang in die Philosophie gefunden hatte. So glaubte auch Georg Wilhelm Friedrich Hegel, der einflussreichste deutsche Philosoph des frühen 19. Jahrhunderts, dass am Horizont der menschlichen Geschichte ein Zustand stehe, in dem der Mensch wieder »zu sich selbst« findet. Doch im Gegensatz zu den Philosophen, die die Geschichte religiös deuteten, war er davon überzeugt, dass dieser Zustand vom Menschen selbst hervorgebracht wird.

Für Hegel ist die menschliche Geschichte ein gesetzmäßiger Prozess der Bewusstwerdung und Verwirklichung der Vernunft. Am Ende stehen »vernünftige« Verhältnisse, so auch ein moderner Staat, in dem Freiheit und Gerechtigkeit durchgesetzt sind. Hegel glaubte, dass seine eigene Philosophie diese Entwicklung zum ersten Mal auf den Punkt gebracht habe und dass er und seine Zeitgenossen Zeugen der Verwirklichung der Vernunft in Kultur und Politik seien. Hegel, der bis zu seinem Tod 1831 an der Berliner Universität lehrte, kam deshalb auch in den Ruf, *der* preußische Staatsphilosoph zu sein.

Als Marx von 1835 bis 1841 zunächst in Bonn und dann in Berlin studierte, stand die Universitätsphilosophie noch ganz im Bann Hegels. Marx entwickelte sein eigenes philosophisches Denken von Anfang an in Anlehnung und Abgrenzung zu Hegel. In Berlin schloss er sich den so genannten »Junghegelianern« an, die zwar Hegels Gedanken eines gesetzmäßigen Fortschritts aufgriffen, doch zu einer ganz anderen Beurteilung der zeitgenössischen Wirklichkeit kamen:

Statt einer Verwirklichung der Vernunft sahen sie um sich herum vor allem Elend und politische Unterdrückung. Die Junghegelianer waren philosophische und politische Rebellen. In ihrer Wahrnehmung stand die Vernunft nicht auf Seiten der zeitgenössischen Verhältnisse, sondern auf Seiten der neuen demokratischen und revolutionären Bewegungen.

Karl Marx war unter diesen Rebellen einer der rebellischsten: »Wer jaget hinterdrein mit wildem Ungestüm? Ein schwarzer Kerl aus Trier, ein markhaft Ungetüm ... Geballt die böse Faust, so tobt er sonder Rasten, als wenn ihn bei dem Schopf zehntausend Teufel fassten.« So dichtete der junge Friedrich Engels über den Studenten Marx. Seine politische Haltung verbaute ihm auch eine akademische Karriere. Also heuerte Marx nach seinem Studium als Journalist an. Die journalistische Arbeit beförderte die Entwicklung seiner politischen Philosophie, indem sie ihn zwang, sich intensiver mit den Problemen der Wirklichkeit auseinander zu setzen.

Das frühe 19. Jahrhundert erlebte ungeheure soziale und politische Umbrüche. Industrialisierung, Bevölkerungsexplosion und Landflucht führten immer wieder, in Folge der Französischen Revolution, zu Forderungen nach demokratischen Verfassungen und sozialen Reformen. Die Gesellschaft schien im Eiltempo neue Ressourcen und Reichtümer zu erschließen, aber auch eine Schicht neuer Lohnsklaven zu erzeugen: die Industriearbeiterschaft. Die »soziale Frage« wurde nun auch zum Thema der Philosophie.

Hegel hatte bereits für die moderne, vom Privateigentum geprägte, arbeitsteilige Gesellschaft den Begriff »bürgerliche Gesellschaft« eingeführt und auch schon die zentrale Rolle der Arbeit für die Entwicklung dieser Gesellschaft gesehen. Doch er blieb, im philosophischen Sinne, ein »Idealist«, das heißt, er maß den ideellen, also den ideen- und kulturgeschichtlichen Entwicklungen in Religion, Kunst, Recht und Philosophie die entscheidende Bedeutung bei. Der »Geist« war für ihn der Akteur in der Geschichte. Für Marx dagegen lagen die Antriebskräfte der Geschichte in den »materiellen«, das heißt den ökonomischen Prozessen einer Gesellschaft. Nicht das »Bewusstsein« bestimmt nach Marx das »Sein«, sondern umgekehrt, das »Sein« bestimmt das »Bewusstsein«. Marx wurde zu einem philosophischen »Materialisten«, der für sich in Anspruch nahm, Hegel vom Kopf auf die Füße gestellt zu haben.

Um diesen Anspruch einzulösen, musste er sich in die ökonomischen Gesetzmäßigkeiten einarbeiten. Marx war das Kind eines wissenschaftsgläubigen Zeitalters, das sich auf die Fahne geschrieben hatte, metaphysische Spekulationen durch akribische empirische Forschung zu ersetzen. Den frühen Theoretikern des Sozialismus warf er deshalb vor, sie hätten ihre Theorien auf Utopien und Träumereien gegründet. Er hingegen wollte sich auf wissenschaftliche Analysen stützen.

Nachdem Marx wegen politisch unliebsamer Artikel seine Arbeit als Redakteur in Preußen aufgeben musste, begann er mit seinen ökonomischen Studien Ende 1843 in Paris. Das erste wichtige Zeugnis dieser Beschäftigung sind die so genannten *Pariser Manuskripte* von 1844, in denen die Spuren der Hegelschen Philosophie noch sehr deutlich sind. »Arbeit« und »Entfremdung«, zwei Begriffe, die bei Hegel eine große Rolle spielten, werden bei Marx nun »materialistisch«, das heißt ökonomisch, gedeutet. Marx stellt die Bedeutung der freien und schöpferischen Arbeit für die menschliche Selbstverwirklichung heraus: In der Arbeit wird der Mensch erst zum Menschen. Die Lohnarbeit dagegen, die auf einem Verkauf der Arbeitskraft beruht, ist die Wurzel der menschlichen Entfremdung.

Auch die messianische Idee einer Erfüllung der Geschichte übertrug er auf die Welt der Arbeit und der Produktion. Eines der berühmtesten Zeugnisse dieser neuen Geschichtsphilosophie ist das *Manifest der Kommunistischen Partei*, das Marx zusammen mit Engels verfasste und das im Revolutionsjahr 1848 erschien.

Hier wird die Geschichte als eine Abfolge von Klassenkämpfen zwischen der jeweils herrschenden und der jeweils beherrschten Klasse dargestellt, die in jeder Gesellschaftsform neu entbrennen. Doch jede dieser Gesellschaftsformen erzeugt, nach Hegelschem Modell, aus sich heraus die Kräfte, die zu ihrer Überwindung führen. In der modernen kapitalistischen Gesellschaft ist dies die Industriearbeiterschaft, das Proletariat, das sich in einem Kampf mit dem besitzenden Bürgertum, der Bourgeoisie, befindet. Dem Proletariat fällt die Rolle des neuen Messias zu. Mit der proletarischen Revolution, der Überwindung der kapitalistischen Gesellschaft, entsteht nun nicht mehr eine neue Form der Unterdrückung und des Klassenkampfes, sondern sie führt zur Überwindung jeder Art von Klassenherrschaft in der kommunistischen Gesellschaft. Der Schlusssatz des *Kommunistischen Manifests*, »Proletarier aller Länder, vereinigt Euch!«, war der Fanfarenstoß, mit dem der neue Messias angekündigt wurde.

Doch die Hauptarbeit war damit noch nicht geleistet. Marx musste zeigen, dass diese Gesellschaft tatsächlich von Mechanismen beherrscht wird, die schließlich zu ihrer Selbstzerstörung, das heißt zu einer sozialen Revolution, führen müssen. Er musste klären, welchen Gesetzen die Lohnarbeit gehorcht und was mit den Produkten passiert, die im Rahmen der kapitalistischen Gesellschaft hergestellt werden. Er musste, mit anderen Worten, den Prozess der Arbeit und der Entfremdung innerhalb der kapitalistischen Gesellschaft genau beschreiben.

Nachdem Marx wegen seiner politischen Aktivitäten sowohl aus Frankreich als auch aus Belgien und Preußen ausgewiesen worden war, ging er 1849 als Staatenloser nach England, wo er sein endgültiges Exil fand. Er und seine Familie lebten nun unter materiell äußerst schwierigen Bedingungen. Seinen Lebensunterhalt verdiente er mit Zeitungsartikeln. Für die ins Auge gefasste Arbeit erwies sich England allerdings als idealer Ort. Das Land, in dem die Industrialisierung am weitesten fortgeschritten war, bot die besten Anschauungs- und Studienbedingungen.

In England vertiefte Marx seine ökonomischen Studien. Insbesondere beschäftigte er sich mit der Geschichte der Nationalökonomie. Sie wurde für ihn zur neuen Grundlagendisziplin der Philosophie, zu dem, was Aristoteles einst als »Erste Philosophie« bezeichnet hatte. Der erste Philosoph, der die moderne Ökonomie für die politische Philosophie erschlossen hatte, war für Marx John Locke, der schon Ende des 17. Jahrhunderts den Status des Bürgers an die Arbeit und das Privateigentum geknüpft hatte.

Vor allem in Großbritannien, dem Land der Industrialisierung, hatte die Nationalökonomie im späten 18. und frühen 19. Jahrhundert einen Höhepunkt erlebt. Theoretiker wie Adam Smith, David Ricardo oder Thomas Robert Malthus untersuchten zum Beispiel den Zusammenhang zwischen dem Wert einer Ware und der Arbeitszeit oder den zwischen dem Bevölkerungswachstum und dem gesellschaftlichen Wohlstand. Der große liberale Gegenspieler Marx', John Stuart Mill, war in seinen 1848 erschienenen *Grundsätze der politischen Ökonomie* zwar für die Beibehaltung der kapitalistischen Produktionsweise, aber auch für eine gerechtere Verteilung des gesellschaftlichen Reichtums eingetreten.

Marx verbrachte nun unzählige Tage im British Museum, um sich die Details ökonomischer Sachkenntnis anzueignen. Von den frühen fünfziger Jahren an entwickelte er immer neue Konzepte und Entwürfe für das große philosophisch-ökonomische Hauptwerk. Von 1857 bis 1858 entstanden die erst im 20. Jahrhundert veröffentlichten *Grundrisse der Kritik der politischen Ökonomie*. 1859 erschien die Schrift *Zur Kritik der politischen Ökonomie*. In beiden Werken geht es um Probleme, die später in den ersten Abschnitten des *Kapitals* eine Rolle spielen sollten: um den Prozess, wie innerhalb der Warenproduktion Kapital entsteht. Ausgangspunkt dieses Prozesses ist die Arbeit, und zwar eine Arbeit, die selbst wie eine Ware auf dem Markt angeboten wird: »Freie Arbeit und Austausch dieser freien Arbeit gegen Geld, um das Geld zu reproduzieren und zu verwerten« – dies bezeichnet Marx in den *Grundrissen* als eine entscheidende Voraussetzung des kapitalistischen Systems.

Anfang der sechziger Jahre entwickelte sich der endgültige Plan des Werks, wie er sich später in den drei Bänden des *Kapitals* widerspiegeln sollte. Zunächst sollte der Prozess der Warenproduktion und der Kapitalbildung (»Der Produktionsprozess des Kapitals«), danach der Kreislauf des Kapitals im Warenverkehr (»Der Zirkulationsprozess des Kapitals«) und schließlich der »Gesamtprozess der kapitalistischen Produktion« behandelt werden, in dem die Formen der Profitbildung im Mittelpunkt stehen.

Ende 1865 konnte Marx endlich sein Manuskript abschließen.

Doch er musste es noch für den Druck bearbeiten. Von Januar 1866 bis März 1867 stellte er daraus den ersten Band zusammen, der noch im selben Jahr erschien. Die Tagespolitik und seine journalistischen Arbeiten hielten ihn von der publikationsfertigen Bearbeitung der restlichen Teile ab. Dies besorgte schließlich, nach Marx' Tod 1883, sein Freund Friedrich Engels, der den zweiten Band 1885 und den dritten 1894 herausgab.

Das Kapital ist keine einfache, aber auch keine trockene Lektüre. Als Philosoph spürt Marx überall den Gesetzmäßigkeiten hinter den Erscheinungen nach, zieht Vergleiche zu anderen Lebensbereichen und würzt seine Darstellung mit teilweise deftigen Kommentaren. Er erweist sich als begnadeter Polemiker und als versierter Stilist, der den Leser immer wieder mit anschaulichen Bildern und mit Zitaten aus der Literatur verblüfft. Vor allem der erste Band, der auch als der philosophisch wichtigste und einflussreichste gilt, zeigt die unverwechselbare Handschrift des Schriftstellers Marx.

Marx beschreibt eine Gesellschaft, die vom Gegensatz zwischen der Arbeiterschaft, dem Proletariat, und den Kapitalisten, der Bourgeoisie, bestimmt ist. Der Proletarier schafft durch seine Arbeit Werte, der Kapitalist eignet sie sich an und macht mehr daraus, er »verwertet« sie. Der Proletarier ist in der Geschichte der Arbeit ein neuer Typ. Er ist in dem, was er arbeitet und wie er arbeitet, nicht mehr an mittelalterliche Zunftregeln gebunden und – im Gegensatz zum traditionellen Handwerker – verfügt er auch über keine Produktionsmittel mehr. Er besitzt nichts außer seiner Arbeitskraft, die er auf dem Markt verkaufen muss. Der Kapitalist hingegen ist im Besitz aller Produktionsmittel, wozu neben Fabriken, Maschinen, Rohmaterial usw. auch die Arbeitskraft des Proletariers gehört.

Diese Gesellschaft, in der Arbeiter und Produktionsmittel getrennt werden, ist nach Marx die Folge von Entwicklungen, die sich über mehrere hundert Jahre in Europa vollzogen haben. Das Proletariat entstand, indem große Teile der Landbevölkerung nach und nach enteignet wurden, in die Städte abwanderten und sich dort ein neues Reservoir an Arbeitskräften bildete. Andererseits sammelte sich aus Pacht, Handel, aus den Erlösen des Kolonialismus, aber auch durch ein von Banken finanziertes Kreditwesen ein Grundkapital in den Händen weniger, das die industrielle Produktion im Großen ermöglichte. Beide Vorgänge bezeichnet Marx mit dem Begriff der »ursprünglichen Akkumulation«, das heißt einer Anhäufung von freien, ungebundenen Arbeitskräften auf der einen und von privatem Kapital auf der anderen Seite.

An den Beginn seines Buches setzt Marx eine Analyse der Ware, die er als die »ökonomische Zellenform« des Kapitalismus bezeichnet. Die kapitalistische Gesellschaft ist eine Warengesellschaft. Nur durch Warentausch und Warenzirkulation kann der Kapitalist seine Profite erwirtschaften. Hinter der Art und Weise, wie Warenwerte entstehen, verbirgt sich das Geheimnis des Kapitalismus: »Eine Ware«, so Marx, »scheint auf den ersten Blick ein selbstverständliches, triviales Ding. Ihre Analyse ergibt, dass sie ein sehr vertracktes Ding ist, voll metaphysischer Spitzfindigkeiten und theologischer Mucken.« Jede Ware hat nach Marx einen Gebrauchswert und einen Tauschwert. Der Gebrauchswert bemisst sich an ihrer Nützlichkeit, also an dem Material, aus dem sie besteht, und ihrer Verwendbarkeit.

In der kapitalistischen Marktgesellschaft wird die Ware jedoch vornehmlich an ihrem Tauschwert bemessen, der sich in Geld ausdrückt. Der Tauschwert ist der eigentliche Warenwert. Im Tauschwert, das heißt im Verhältnis von Waren zueinander, spiegelt sich nach Marx in »phantasmagorischer Form« das Verhältnis, in das die Arbeiter durch ihre Arbeitsleistung zueinander treten. Die Ware wird damit zu einer Art Fetisch, weil ihr Eigenschaften zugesprochen werden, die im Grunde Eigenschaften menschlicher Verhältnisse sind.

Marx schildert den Weg, den das Arbeitsprodukt, die Ware, in der kapitalistischen Gesellschaft zurücklegt, wie einen religiös-mystischen Wandlungsprozess, einen Prozess, den das *Kapital* entschleiern und aufklären will. Der Weg von einer Ware zur anderen führt über das Geld. Die Ware wird verkauft und mit dem Erlös wird eine andere Ware gekauft. Der Kapitalismus zeichnet sich nun dadurch aus, dass das Geld selbst zu einer Ware wird, die in den Warenaustausch eingebracht wird und sich dort vermehrt. Geld schafft einen Wertmaßstab, der sich auf alle Waren ausdehnen lässt und damit den unmittelbaren Tauschhandel zwischen konkreten Produkten überflüssig macht, eine Rolle, die schon Mephistopheles im zweiten Teil von Goethes *Faust* ironisch kommentiert:

Ein solch Papier, an Gold und Perlen Statt,
Ist so bequem, man weiß doch, was man hat;
Man braucht nicht erst zu markten, noch zu tauschen,
Kann sich nach Lust in Lieb' und Wein berauschen.

Geld ist nicht nur ein bequemes Zahlungsmittel, es ist der Hexenmeister des Kapitalismus. »Da dem Geld nicht anzusehn, was in es verwandelt ist«, schreibt Marx, »verwandelt sich alles, Ware oder nicht, in Geld.« Der Kapitalismus ist das System, in dem für Geld alles zu haben, in dem also alles käuflich ist. Wenn man versteht, wie die durch Arbeit geschaffenen Werte sich unter dem Mantel des Geldes wundersam vermehren, ohne dass derjenige, der arbeitet, davon profitiert, hat man durchschaut, was in der Hexenküche des Kapitalismus passiert.

Entscheidend ist dabei die Verwandlung von Geld in Kapital, in einen, wie Marx sagt, »selbst verwertenden Wert«, der sich im Prozess der Warenzirkulation ständig vermehrt. Nicht der Kreislauf W-G-W, also Ware-Geld-Ware, sondern der Kreislauf G-W-G, Geld-Ware-Geld, ist für den Kapitalismus typisch. Der Kapitalist kauft Ware und verkauft sie wiederum für mehr Geld. Dieses sich ständig vermehrende, sich »selbst verwertende« Geld nennt Marx »Kapital«. Der Sinn oder Unsinn des Kapitalismus besteht in der rastlosen und unendlichen Kapitalvermehrung. Der Wert des Kapitals, so Marx, »hat die okkulte Qualität erhalten, Wert zu setzen, weil er Wert ist. Er wirft lebendige Junge oder legt wenigstens goldne Eier.«

Den Mehrerlös aus dem Verkauf einer Ware, also die Grundlage für die ständige Vermehrung des Kapitals, nennt Marx »Mehrwert«. Doch wo liegt sein Ursprung? Natürlich kann man eine Ware immer teurer verkaufen, als man sie eingekauft hat. Marx hat aber eine Ware im Auge, die immer und konstant mehr wert ist, als sie kostet. Diese

Ware ist die Arbeitskraft, die sich der Kapitalist auf dem »freien« Arbeitsmarkt kauft. In ihr und nicht im Markt liegt der Quell aller Warenwerte.

Auf den ersten Blick sind der Kauf und Verkauf der Arbeitskraft nichts anderes als eine Vereinbarung zwischen zwei gleichwertigen Partnern: Der eine gibt etwas, der andere bezahlt dafür. In Wahrheit jedoch gibt der Arbeiter mehr, als er an Lohn zurückerhält. Der Kapitalist bezahlt für die geleistete Arbeit gerade so viel, dass sich der Arbeiter seine eigene Arbeitskraft erhalten kann. Doch in der vom Arbeiter hergestellten Ware steckt mehr Wert, als der Kapitalist für die Ware Arbeitskraft bezahlt hat. Es gibt einen Wertüberschuss, einen Mehrwert, den sich der Kapitalist aneignet. Dieser Mehrwert ermöglicht die Kapitalbildung, indem die Ware für einen höheren Preis auf dem Markt verkauft wird. Der Arbeiter verkauft dem Kapitalisten also, um in dem von Marx gewählten Bild zu bleiben, ein Huhn, aber er erhält dafür nur den Preis einiger Eier. Im Mehrwert drückt sich die Ausbeutung des Arbeiters aus. »Der Arbeiter«, so Marx, »produziert daher beständig den objektiven Reichtum als Kapital, (als eine) ihm fremde, ihn beherrschende und ausbeutende Macht.«

Die Abhängigkeit der kapitalistischen Warenproduktion von jeweils privaten Profitinteressen führt nach Marx dazu, dass im Rahmen der gesamten Volkswirtschaft nicht planmäßig, sondern anarchisch produziert wird. Produziert wird nicht in erster Linie das, was gebraucht oder als sinnvoll erachtet wird, sondern das, was die meisten Profite verspricht. Das Kapital ist auf unablässiger Suche nach neuen Absatzmärkten. Der Kapitalismus ist wie ein gefräßiges Tier, das nicht mit normalen Mahlzeiten zufrieden ist, sondern jeden Happen verschlingt, der ihm vor die Zähne kommt.

Dabei überfrisst sich das Tier regelmäßig und muss deshalb von Zeit zu Zeit Diät halten, sprich: Der Kapitalismus ist gekennzeichnet durch Phasen mittlerer Produktionstätigkeit, aber auch durch Phasen der Überproduktion und Konjunkturerhitzung, denen wiederum Phasen der Stagnation folgen, in denen die Produktion gedrosselt werden muss und zahlreiche Arbeiter entlassen werden. Es ist ein System, das ständig seine eigenen Krisen produziert. In einem entwickelten Stadium, so Marx, treten diese Krisen etwa alle zehn Jahre auf. Die Gesetze des Kapitalismus sind die Gesetze eines beständigen Auf und Ab, bei denen der Mensch nicht Akteur seines eigenen Geschicks, sondern Opfer ist.

Doch diese Krisenzyklen allein führen noch nicht zum Ende des Systems. Entscheidend ist vielmehr der grundsätzliche Widerspruch zwischen der Art, wie produziert wird, und der Art, wie die Produkte verwertet werden. Die durch Arbeitsteilung gekennzeichnete Produktion ist auf den Zusammenhang der Gesellschaft insgesamt ausgerichtet: Es wird nicht mehr für die Selbstversorgung oder einen lokalen Markt produziert, sondern es werden Produkte hergestellt, die ihren Sinn erst im Rahmen eines großen gesellschaftlichen Marktes erhalten. Angeeignet und verwertet werden diese Produkte allerdings von nur ganz wenigen. Dieser »antagonistische«, das heißt nicht auflösbare, Widerspruch zwischen gesellschaftlicher Produktion und privater Aneignung führt zu zwei Entwicklungen, die das System schließlich von innen her zerstören. Marx sieht sie als zwei Seiten eines Gesetzes, das er »das allgemeine Gesetz der kapitalistischen Akkumulation« nennt.

Die erste dieser Entwicklungen führt zur Konzentration des Kapitals in immer weniger Händen. Marx nennt dies den »Prozess der Zentralisierung«. Die größeren Kapitalisten können billiger produzieren und sie können ihre Produktionspalette erweitern, wodurch sie krisenunabhängier werden. Wenn die kleineren Betriebe unrentabel und nicht mehr konkurrenzfähig sind, teilen sie das Schicksal der kleinen Fische in einem Haifischbecken: Sie werden aufgefressen.

Diese Konzentration des Kapitals hat aber noch eine andere Seite. Ein immer größerer Anteil des angesammelten Kapitals – Marx nennt es das »konstante Kapital« – fließt in die Produktionsmittel, also zum Beispiel in die Modernisierung der Maschinen. Ein immer kleinerer Anteil fließt als »variables Kapital« in die Lohnkosten, also in den Kauf der Arbeitskraft. Durch die Modernisierung erhöht sich ständig die Arbeitsproduktivität, indem immer niedrigere Arbeitskosten einen immer größeren Ertrag einbringen.

Dies führt dazu, dass nicht nur in wirtschaftlich schlechten Zeiten, sondern auch in Zeiten der Hochkunjunktur im Verhältnis immer weniger Arbeitskräfte gebraucht werden, ein Prozess, der uns heute als »Rationalisierung« vertraut ist. Dies bedeutet aber gleichzeitig, dass der Kapitalismus eine ständig steigende Zahl von Arbeitslosen produziert, aus denen sich die Kapitalisten mit der Zeit nur noch die besten bei Bedarf aussuchen können. Das System erzeugt also eine »industrielle Reservearmee« von Arbeitern, von denen schließlich eine große Zahl ins Elend absinkt. »Es folgt daher«, so Marx, »dass im Maße, wie Kapital akkumuliert, die Lage des Arbeiters, welches immer seine Zahlung, sich verschlechtern muss ... Die Akkumulation von Reichtum auf dem einen Pol ist also zugleich Akkumulation von Elend, Arbeitsqual, Sklaverei, Unwissenheit, Brutalisierung und moralischer Degradation auf dem Gegenpol.«

Diese unter dem Namen »Verelendungstheorie« bekannt gewordene These besagt also, dass der Kapitalismus zwangsläufig die Verarmung des größten Teils der Bevölkerung herbeiführt. Nicht nur entsteht damit ein revolutionäres Potenzial von Unzufriedenen, die nichts mehr zu verlieren haben, dem System gehen auch die Konsumenten und damit wiederum die Möglichkeiten des Profitmachens verloren. Am Ende stehen auf der einen Seite riesige, in wenigen Händen konzentrierte Kapitalvermögen und steht auf der anderen Seite Massenelend. Das System hat sich totgelaufen.

Das kapitalistische Privateigentum beruht auf der Ausbeutung fremder Arbeit. Solange diese Trennung zwischen Arbeit und Besitz von Produktionsmitteln bestehen bleibt, werden sich nach Marx auch die sozialen Ungerechtigkeiten, die das System hervorbringt, nicht beseitigen lassen. Reformen, zum Beispiel Lohnerhöhungen oder Verbesserung der Arbeitsbedingungen, können das nicht leisten, sondern nur ein radikaler Systemwechsel. Der Kapitalismus ist für Marx nicht reformierbar.

Die Lösung des Problems liegt darin, dass der Grundwiderspruch zwischen gesellschaftlicher Produktion und privater Aneignung beseitigt wird. Auch die Aneignung und Verwertung der Arbeitsprodukte muss in gesellschaftliche Hand überführt werden. Da die Kapitalisten ihr Privateigentum an Produktionsmitteln nicht freiwillig aufgeben werden, muss dies durch eine Revolution geschehen, das heißt durch eine gewaltsame Enteignung der Kapitalisten.

Marx hat im *Kapital* keine Theorie der Revolution ausgearbeitet und sich auch nicht darüber ausgelassen, wie eine gesellschaftliche Aneignung von Produktionsmitteln in der Praxis aussehen soll. Er war aber davon überzeugt, dass einer politisch gut organisierten Arbeiterklasse das System wie eine reife Frucht in die Hände fallen wird.

Mit dem Ende des Kapitalismus ist nach Marx auch die »Vorgeschichte« des Menschen zu Ende, die Zeit, in der er ausgebeutet wurde und geknechtet war. Erst jetzt, wenn er sich die Produkte seiner Arbeit aneignen und über ihre Verwertung bestimmen kann, fängt die »eigentliche« Geschichte des Menschen an, in der nicht nur jede soziale Ungerechtigkeit, sondern in der auch jede Art der Entfremdung des Menschen vom Menschen beseitigt ist. Der Mensch, der Herr über seine eigene Arbeit geworden ist, wird auch wieder Herr über sein Geschick, also über die Abläufe der Gesellschaft und Geschichte.

Nachdem der erste Band des *Kapitals* im Herbst des Jahres 1867 im Verlag Otto Meissner in Hamburg erschienen war, zeigte sich Marx zunächst sehr unzufrieden über die Reaktion der Öffentlichkeit. Doch bald wurde seine Arbeit von vielen Seiten, so auch von ökonomischen Fachleuten, gewürdigt. Dass *Das Kapital* schließlich in mehrere Sprachen übersetzt wurde, hing vor allem mit der Bedeutung zusammen, die das Buch für die sozialistische und kommunistische Arbeiterbewegung erlangte.

In zahlreichen Popularisierungen wurde es zum Grundbuch der Marxisten in ihrem Kampf gegen die kapitalistische Gesellschaft. Friedrich Engels bezeichnete es sogar als »Bibel des Arbeiters«. Noch in den sechziger Jahren des 20. Jahrhunderts vertieften sich linke Studenten in Arbeitskreisen in die Lektüre des Werks, um ihren politischen Absichten eine theoretische Grundlage zu geben.

Auch die marxistische Philosophie bezog sich immer wieder auf dieses Buch. Lenin ergänzte und erweiterte die Ausführungen des *Kapitals* durch eine Revolutionstheorie, in der eine straff organisierte kommunistische Kaderpartei die führende Rolle spielen sollte, und durch eine Erörterung der Formen, die der Kapitalismus im Zeitalter des Imperialismus, also des späten 19. und beginnenden 20. Jahrhunderts, annahm. Westliche Marxisten des 20. Jahrhunderts wie Georg Lukács oder die beiden Mitbegründer der Frankfurter Schule, Max Horkheimer und Theodor W. Adorno, wurden vor allem von der These beeinflusst, dass der Warencharakter im Kapitalismus alle gesellschaftlichen Beziehungen beherrscht. Auch liberale politische Philosophen wie der Amerikaner John Rawls sind durch Marx dazu geführt worden, sich stärker mit der Verteilung ökonomischer Güter und der Herstellung sozialer Gerechtigkeit in der Gesellschaft auseinander zu setzen.

Wenn auch der von Marx prophezeite Zusammenbruch des Kapitalismus nicht eingetreten ist und wenn auch die sich auf ihn berufende kommunistische Staatenwelt gescheitert ist, sitzen doch die Grundfragen des *Kapitals* weiterhin wie ein Stachel im Fleisch der westlichen Gesellschaften: Für wen und zu welchem Zweck setzen wir unsere Arbeitskraft ein? Wer steckt hinter dem »Markt«, der bestimmt, was und wie viel produziert wird? Werde ich wirklich für meine Arbeit gerecht bezahlt?

Doch diese ökonomischen Fragen führen bei Marx sehr viel tiefer. Auch wenn man von den komplizierten Analysen über Arbeitslohn, Mehrwert und Profitrate zunächst abgeschreckt wird: *Das Kapital* ist wie eine auf den ersten Blick unansehnliche Muschel, in der eine wertvolle Perle steckt. Hinter den ökonomischen Analysen verbirgt sich das philosophische Plädoyer für den wahren Wert und die Würde des Menschen, der ein Recht hat, seine Arbeit in den Dienst seiner schöpferischen Kräfte zu stellen und sie nicht wie eine Ware auf dem Markt verschachern zu lassen.

Ausgabe:

Karl Marx: Das Kapital, Band 1–3. Berlin: Dietz 1953–1989.

Die Bibel des Antichristen

Friedrich Nietzsche: Also sprach Zarathustra (1883–1885)

Am Beginn aller großen Religionen stehen Propheten, Menschen, die sich für auserwählt halten, sich vom göttlichen Geist durchdrungen und berufen fühlen, den Menschen die Wahrheit zu verkünden. Da diese Wahrheit sich häufig auf eine Offenbarung stützt und der Vernunft und dem normalen Menschenverstand nicht immer zugänglich ist, greifen sie zum Hilfsmittel einer bildlichen Sprache. Sie sagen es den Menschen gewissermaßen »durch die Blume«. Alle großen »heiligen« Bücher versuchen, ihre Lehre in Form von Gleichnissen, Erzählungen und Sinnsprüchen zu vermitteln – so auch im westlichen Kulturkreis die Bibel, die Gründungsurkunde des Christentums.

Die Philosophie dagegen lehnt Offenbarungen als Erkenntnisquelle ab. Sie stützt sich vielmehr auf Vernunft und Erfahrung und bemüht sich, die Mehrdeutigkeit der Bildersprache durch eine eindeutige Begriffssprache zu ersetzen. Doch auch unter den großen Werken der Philosophie gibt es Bücher, die sich in Form und Sprache bewusst an religiöse Offenbarungsbücher anlehnen. In der Philosophie der Moderne ist Friedrich Nietzsches *Also sprach Zarathustra* das prominenteste Beispiel. Der feierliche Verkündigungs- und »Evangelienstil« des Buches hebt sich deutlich von der nüchternen Argumentationsweise anderer philosophischer Klassiker ab.

Nietzsche hat mit diesem Buch seinen ganzen Ehrgeiz als Philosoph und Dichter verbunden. Er sah sich als philosophischer Prophet, der das Ende des alten und den Beginn eines neuen Zeitalters einläuten wollte. Die alte Metaphysik, die alte Moral, vor allem aber der Glaube an ein Jenseits sollten zu Grabe getragen und der freie, der natürliche Mensch wieder in seine Rechte eingesetzt werden. Eine religiöse Verkündigung ist *Also sprach Zarathustra* deshalb nur der Form, nicht dem Inhalt nach. An die Stelle der religiösen Frömmigkeit setzt Nietzsche eine Weltfrömmigkeit. Der *Zarathustra* ist deshalb eine gegen die herkömmliche Religion, insbesondere gegen das Christentum, gerichtetete Verkündigung – eine Bibel des Antichristen.

Schon mit dem ersten Satz schlägt das Buch seinen charakteristischen biblischen Ton an: »Als Zarathustra dreißig Jahre alt war, verließ er seine Heimat und den See seiner Heimat und ging in das Gebirge. Hier genoss er seines Geistes und seiner Einsamkeit und wurde dessen zehn Jahre nicht müde. Endlich aber verwandelte sich sein Herz, – und eines Morgens stand er mit der Morgenröte auf, trat vor die Sonne hin und sprach zu ihr also: ›Du großes Gestirn! Was wäre dein Glück, wenn du nicht die hättest, welchen du leuchtest! Zehn Jahre kamst du hier herauf zu meiner Höhle: du würdest deines Lichtes und dieses Weges satt geworden sein, ohne mich, meinen Adler und meine Schlange ... Ich muss, gleich dir, *untergehen*, wie die Menschen es nennen, zu denen ich hinab will. So segne mich denn, du ruhiges Auge, das ohne Neid auch ein allzugroßes Glück sehen kann! Segne den Becher, welcher überfließen will, dass das Wasser golden aus ihm fließe und überallhin den Abglanz deiner Wonne trage! Siehe! Dieser Becher will wieder leer werden, und Zarathustra will wieder Mensch werden.‹«

Zarathustra, der Name des persischen Religionsstifters des 6. und 7. vorchristlichen Jahrhunderts, ist die Maske, die sich Nietzsche zum Zwecke seiner Verkündigung aufsetzt. Es ist allerdings nicht die Zarathustra-Religion, sondern die Bibel, insbesondere das christliche Neue Testament, auf das Nietzsche mit Parallelen und Gegensätzen beständig anspielt. Zarathustra ist Nietzsches Gegenfigur zu Jesus von Nazareth. Während Zarathustra sich mit dreißig Jahren zurückzieht, beginnt Jesus im gleichen Alter seine Lehrtätigkeit. Jesus predigt die Tugenden der Demut und intellektuellen Bescheidenheit, Zarathustra umgibt sich mit dem Adler und der Schlange, den Symbolen des Stolzes und der Klugheit. Jesus kommt als Sohn und Botschafter eines jenseitigen Gottes, Zarathustra erbittet sich den Segen der Sonne, des Lichtes der diesseitigen, natürlichen Welt.

Doch es gibt auch viele Gemeinsamkeiten. Wie Jesus will Zarathustra nach seiner Zeit der Zurückgezogenheit zu den Menschen gehen, er will ein Mensch wie jeder andere werden. Er will »untergehen«, sich also wie Jesus für seine Sache opfern. Aber auch die Bedeutung »hinuntergehen« schwingt hier mit: Zarathustra steigt von seinem Berg zu den Menschen hinab. Wie Jesus gelangt er an einen Kreuzweg und ist von »Jüngern« umgeben. Und wie sich Jesus in der biblischen Geschichte vor seiner Kreuzigung auf den Ölberg vor Jerusalem zurückzieht, um zu beten, so fügt auch Nietzsche vor den entscheidenden Passagen seines Buches den Abschnitt »Auf dem Ölberge« ein – für Zarathustra allerdings kein Ort der Angst und der Versuchung, sondern ein »Sonnen-Winkel«, ein Quell der Kraft.

Im Neuen Testament sollte das alttestamentarische Gesetz des Moses durch ein neues Gesetz abgelöst werden. Auch Zarathustra sieht sich als Verkünder eines neuen Gesetzes: In dem Kapitel »Von alten und neuen Tafeln« sitzt er vor den zerbrochenen alten Tafeln – womit nicht nur die Gesetzestafeln des Moses gemeint sind, sondern der gesamte Moralkodex des christlichen Europas. Nietzsches Figur des Zarathustra ist der Stifter einer besonderen Art »Religion«, er ist Verkünder einer philosophischen Diesseitsreligion und einer neuen Weltgläubigkeit.

Religion hat bei Nietzsche von früher Kindheit an eine maßgebliche Rolle gespielt. Wie viele deutsche Dichter und Philosophen des 18. und 19. Jahrhunderts stammte er aus einem protestantischen Pfarrhaus. 1844 in Röcken bei Leipzig geboren, besuchte er nach dem frühen Tod des Vaters die Eliteschule Schulpforta bei Naumburg. Der junge Friedrich war ein sensibles und hochbegabtes, vor allem aber ein sehr frommes Kind, das sich ausgezeichnet in der Bibel auskannte. In der Schule erhielt er sogar den Spitznamen »der kleine Pastor«.

Doch bereits in die Schulzeit fällt Nietzsches Abwendung vom Christentum. Musik und Dichtung, vor allem aber die Kultur der Antike prägen von nun an seine geistige Entwicklung. Von der Beschäftigung und der Auseinandersetzung mit dem Christentum hat sich Nietzsche jedoch nie gelöst. So empfand er früh den Gegensatz zwischen dem nordisch-protestantischen, von Sünde und Schuld bestimmten Weltbild und dem der Sinnlichkeit zugewandten griechischen Weltbild.

Die antike Kultur steht auch im Zentrum seiner Universitätszeit. Nach fünf Jahren des Studiums der klassischen Philologie wird Nietzsche, ohne Examen und Doktortitel, als Professor nach Basel berufen. Aber er bleibt hier nur wenige Jahre. Nietzsche war kein akademischer, »wissenschaftlicher« Typ. Ihn zog es über die Fach- und Gattungsgrenzen hinweg zu einem Denken, das die Trennlinie zwischen Philosophie und Dichtung immer wieder überschreitet oder ignoriert. Verbunden mit gesundheitlichen Problemen war dies auch der Anlass, sich vom akademischen Lehrbetrieb zurückzuziehen. Fortan führt er ein unstetes Leben und wohnt in Hotels oder bei Freunden. Immer wieder zieht es ihn in den »hellen« Süden, in die Alpen- und Mittelmeerregion, eine Landschaft, die ihn inspiriert und in der sich sein eigenes Weltbild formt.

Bereits als Baseler Professor hatte er mit seiner unorthodoxen Erstlingsschrift Furore gemacht: *Die Geburt der Tragödie aus dem Geiste der Musik* (1872). Auch hier geht es um die Antike. Nietzsche greift das Bild der griechischen Kultur an, wie es durch die deutsche Klassik und insbesondere durch den Archäologen Johann Joachim Winckelmann (1717–1768) verbreitet worden war. Dieser hatte als Ideal der griechischen Kunst »edle Einfalt und stille Größe« ausgemacht. Am Beispiel der griechischen Tragödie zeigt Nietzsche, dass es neben dieser Welt des Traums und des schönen Scheins, die er das »Apollinische« nennt, auch eine tiefere Dimension in der griechischen Kunst gibt: das »Dionysische«. Es ist der Bereich der ungebändigten und ungezähmten Vitalität, der »rauschvollen Wirklichkeit«.

Apoll, von Nietzsche als Gott des Maßes verstanden, und Dionysos, Gott des Rausches, des Lebens und des Todes, werden zu Taufpaten nicht nur zweier Kunstprinzipien, sondern auch zweier unterschiedlicher Lebenshaltungen. In seinem eigenen Jahrhundert sieht Nietzsche das Dionysische in der Metaphysik Arthur Schopenhauers und in der Musik Richard Wagners ausgedrückt. Für Schopenhauer war die Welt durch die irrationale Triebkraft eines kosmischen »Willens« bestimmt, eine Einsicht, die seine pessimistische Weltdeutung begründete.

Es war die Hinwendung zum Dionysischen, die seitdem Nietzsches Denken bestimmte. Sowohl von Schopenhauer als auch von Wagner sagte er sich jedoch bald los: Schopenhauer hatte in seiner Ethik Askese und Mitleid und damit Weltentsagung gepredigt. Wagner war ihm in seinen späten Opern gefolgt und hatte sich damit in den Augen Nietzsches wieder in den Schoß des Christentums zurückbegeben. Auch von Schopenhauers pessimistischer Weltdeutung wandte sich Nietzsche, obwohl ursprünglich selbst Pessimist, nun ab. Er begann, das Irrationale aufzuwerten und zu bejahen.

In seinen großen Aphorismenbüchern *Menschliches, Allzumenschliches* (1876–1880), *Morgenröte* (1880/81) und *Die fröhliche Wissenschaft* (1882) feiert er den »freien Geist«, der sich von den Fesseln einer dekadenten Kultur löst, welche den Menschen einer lebensfeindlichen Moral unterwirft und die konkrete, sinnlich erfahrbare Welt zugunsten einer Welt der Ideale abwertet. Doch dieser »freie Geist« war noch nicht Nietzsches letztes Wort. Als ausschließlich kritischer Geist, der die traditionelle Moral, Philosophie und Religion angreift, war er ein Geist, der »stets verneint«. Nietzsche wollte dem auch etwas Positives an die Seite stellen, eine neue Tugend und eine neue Weltsicht.

Ansätze dieser neuen, »positiven Weltanschauung« finden sich bereits in der *Morgenröte* und der *Fröhlichen Wissenschaft.* Nietzsche hat beide Bücher sogar als vorgezogenen »Kommentar« zum *Zarathustra* bezeichnet. So enthält das Ende des vierten Buches der *Fröhlichen Wissenschaft* beinahe wörtlich den Abschnitt, der später an den Beginn des *Zarathustra* rücken sollte. Auch in einem der Gedichte des Anhangs, »Sils-Maria«, wird die für den *Zarathustra* charakteristische Stimmung des »Mittags« beschworen in Erwartung einer Welt, die, »ganz Zeit ohne Ziel«, vollkommen in sich selbst ruht:

Hier saß ich, wartend, wartend, – doch auf Nichts,
Jenseits von Gut und Böse, bald des Lichts
Genießend, bald des Schattens, ganz nur Spiel,
Ganz See, ganz Mittag, ganz Zeit ohne Ziel.

Da plötzlich, Freundin! wurde eins zu Zwei –
– Und Zarathustra ging an mir vorbei ...

Die Figur des Zarathustra beginnt nun ins Zentrum des Nietzscheschen Denkens zu treten. Eine »Weltanschauung«, die das Leben ohne moralische oder metaphysische »Hinterwelten« als zweckfreies Spiel begreift, war die Lehre, die sich von hier aus herausbildete und die von Zarathustra verkündet werden sollte.

In Sils-Maria im Schweizer Oberengadin hatte Nietzsche 1881 eine Landschaft gefunden, die ihm körperlich wohl tat und ihn gleichzeitig geistig inspirierte. Seine Krankheit, die ihm in immer neuen Schüben zugesetzt hatte, schien eine Pause zu machen. Er erlebte nun eine Phase kreativer Hochstimmung. Dabei waren Spaziergänge in der Natur für Nietzsche immer eine der wichtigsten schöpferischen Anregungen. Bei einem solchen Spaziergang zum Silvaplaner See hatte er sein philosophisches Erweckungserlebnis. Vor einem Felsblock unweit Surlej wurde er im August 1881 von dem »Ewigen-Wiederkunfts-Gedanken getroffen«. Er selbst hat dieses Erlebnis mit einer religiösen Offenbarung verglichen: Keine Denkanstrengung habe ihn dorthin geführt, sondern die Dinge selbst hätten sich ihm als Gleichnis angeboten.

Im Winter 1882/83, bei einem Aufenthalt im italienischen Rapallo, nahm die Figur des Zarathustra konkrete Gestalt an. Dort schrieb Nietzsche zu Beginn des Jahres 1883 innerhalb von zehn Tagen den ersten Teil des neuen Buches nieder. Auch die übrigen Teile entstanden in kurzen Phasen einer schöpferischen Hochstimmung. Im Sommer 1883 vollendete Nietzsche den zweiten Teil in Sils-Maria, im Januar 1884 den dritten in Nizza und im Winter 1884/85 schließlich, ebenfalls an der französischen Mittelmeerküste, den vierten und letzten Teil des Buches.

Also Sprach Zarathustra hat, wie sein biblisches Vorbild, eine lockere Struktur. Jeder Teil, sogar jedes Kapitel kann unabhängig von anderen Textteilen gelesen werden, wobei allerdings im dritten Teil der Höhepunkt der »philosophischen Offenbarung« Nietzsches liegt. Das Werk wird lose zusammengehalten durch die Figur des Zarathustra und seine Absicht, den Menschen seine neue Lehre zu verkünden. Auf die Frage, warum er sich gerade den alten persischen Religionsstifter zum Sprachrohr gewählt habe, hat Nietzsche geantwortet, dass Zarathustra der Erste gewesen sei, der die Welt in Gut und Böse eingeteilt und damit eine moralische Weltdeutung vertreten habe. Nun solle gerade er dazu dienen, mit dieser moralischen Weltdeutung Schluss zu machen.

Um die Figur des Zarathustra rankt sich auch die Rahmenhandlung des Buches. Im ersten Teil geht der Prophet auf die Marktplätze und die Städte und versucht, die große Mehrheit der Menschen für seine Sache zu gewinnen. Nachdem er den »Samen« seiner Botschaft ausgestreut hat, zieht er sich wieder in die Einsamkeit zurück. Im zweiten Teil wendet er sich nur noch an seine Jünger. Doch den Kerngedanken seiner Lehre, der ihm selbst erst allmählich zu vollem Bewusstsein kommt, offenbart er ihnen noch nicht. Wiederum wählt er die Einsamkeit, um im dritten Teil seinen wichtigsten Gedanken, das letzte Geheimnis seiner Lehre, preiszugeben. Hier spricht er als Einzelner, nur noch umgeben von seinen Tieren. Im letzten Teil setzt sich der gealterte, inzwischen weißhaarige Zarathustra mit jenen auseinander, die er »höhere Menschen« nennt: die Sinnsucher, die sich mit der Leere des modernen Lebens nicht zufrieden geben, aber ihre alten Ideale verloren haben.

Zarathustras Botschaft gipfelt in der Aufforderung, zur Welt Ja zu sagen, zur Welt, so wie sie ist und immer war. Es ist die Aufforderung, das Leben nicht zu verschenken zugunsten von Idealen, die die Welt selbst schlechtreden und uns ein Wolkenkuckucksheim »hinter« dieser Welt vorgaukeln. *Also sprach Zarathustra* will einen Blick auf die Welt werfen, der nicht durch den Schleier von Metaphysik und Moral verstellt ist. Der Sinn der Welt liegt nach Nietzsche nicht in Gott oder in einer »moralischen Weltordnung«, sondern schlicht in ihr selbst.

Diese veränderte »Weltanschauung« führt auch zu einer veränderten »Lebensanschauung«, zu einer neuen Einstellung zum Leben »jenseits von Gut und Böse«. Der Mensch soll sich von der Vernunft-, der Geist- und Morallastigkeit befreien, er soll sich der konkreten, sinnlich erfahrbaren Welt zuwenden, er soll die Erfüllung im Diesseits suchen. Nietzsche hat diese Neuorientierung des Menschen auch als »große Gesundheit« bezeichnet.

Nietzsche sieht sich und sein Werk als den End- und Wendepunkt eines langen Prozesses in der Geschichte des menschlichen Selbstverständnisses. In dem Kapitel »Von den drei Verwandlungen« im ersten Teil des Buchs hat er die Stadien dieses Prozesses mit drei Bildern bezeichnet: dem Kamel, dem Löwen und dem Kind. In der ersten Verwandlung wird der Geist zum Kamel. Nietzsche spielt hier unter anderem auf die Entstehung der großen monotheistischen Religionen an – Judentum, Christentum und Islam –, die alle in der Wüste entstanden sind und deren Denken auch die Philosophie jahrhundertelang geprägt hat.

Das Kamel ist ein Last tragendes Tier, es ist, in Nietzsches Worten, ein »tragsamer Geist«. Es ist das Sinnbild einer Haltung, die sich das Leben »schwer macht«. Wahrheit und Erlösung sollen sauer verdient werden, indem man bewusst Opfer und Schwierigkeiten auf sich nimmt und sich unter die Herrschaft eines »Gesetzes« stellt. Kamele sind zum Beispiel die streng gläubigen Christen, die Mönche und Asketen, die bewusst auf die Genüsse der Welt verzichten. Ihre Moral ist für Nietzsche das Werk der Zu-kurz-Gekommenen, mit dem die Starken und Vitalen gebändigt werden sollen.

In dem Kapitel »Vom Geist der Schwere« im dritten Teil des *Zarathustra* hat sich Nietzsche zu dieser Haltung noch einmal ausführlicher geäußert. Der Mensch, der in diesem Geist lebt, ist fremdbestimmt. Er hat sich unter das künstliche Gesetz von Gut und Böse gestellt. Es ist die demütige, lebensfeindliche Existenz – jahrhundertelang gelehrt auf den »Lehrstühlen der Tugend«. Statt sich selbst anzunehmen, wird vom Menschen erwartet, die Anstrengung der Selbstverleugnung auf sich zu nehmen.

Mit der zweiten Verwandlung, der Verwandlung vom Kamel zum

Löwen, emanzipiert sich der Geist von einer Haltung, die von der Unterordnung unter religöse oder moralische Gesetze bestimmt ist. Der Löwe ist Nietzsches Sinnbild für den freien, kritischen Geist, wie er in Europa vor allem in der Aufklärung auftrat. Der freie Geist beruft sich auf die Vernunft und wendet sich gegen seinen alten Herrn, den »großen Drachen«, wie Nietzsche ihn nennt. Die Zeit der »tausendjährigen Werte«, der Gebote, und des »Du sollst!« ist für den freien Geist vorbei. Mit der Abwendung von der alten Moral ist auch die Abwendung von Gott verbunden. Schon in den Schriften vor dem *Zarathustra* hatte Nietzsche das Schlagwort geprägt: »Gott ist tot!« Der Pfarrerssohn Nietzsche bekannte sich plakativ und provokativ zum Atheismus.

Doch Nietzsche hat zur Aufklärung ein zwiespältiges Verhältnis: Während er die Kritik der Aufklärer an Religion und Metaphysik unterstützt, sind ihm die Forderungen nach einem neuen Vernunftgesetz, nach materieller Besserstellung und nach politischer Emanzipation fremd. Er ist nicht nur ein radikaler Kritiker der Tradition, sondern auch ein radikaler Kritiker des modernen Zeitalters, das sich den aufklärerischen Ruf nach Fortschritt zu Eigen gemacht hat. So greift er gerade die Ideen an, die in seiner Zeit als fortschrittlich galten: die Forderungen nach Freiheit, Gleichheit, Brüderlichkeit, wie sie seit der Französischen Revolution erhoben wurden. Seine Zeitgenossen, die vom Streben nach materiellen Gütern, nach sozialer Gleichheit, vom Streben also nach dem Glück und dem bequemen Leben, geprägt sind, bezeichnet er verächtlich als die »letzten Menschen«. Mit ihnen geht er in »Zarathustras Vorrede« ins Gericht. Die »letzten Menschen« haben jede Herausforderung und jede Verantwortung aus ihrem Leben entfernt. Sie sind rundum versorgt und haben ihr »Lüstchen für den Tag« und ihr »Lüstchen für die Nacht«. Nietzsches Spott auf die »letzten Menschen« klingt wie eine prophetische Kritik am modernen Wohlfahrtsstaat.

Der »letzte Mensch« trägt seinen Namen, weil er das letzte Stadium des alten Menschen ist, der Gipfel der Dekadenz. Er ist für Nietzsche aber auch die Brücke zu einem neuen Menschentyp, dem »Übermenschen«. Als neues Menschheitsideal steht dieser bei Nietzsche in engem Zusammenhang mit der Lebenshaltung, die aus seiner dritten Verwandlung, der Verwandlung vom Löwen zum Kind, hervorgeht. Im *Zarathustra* gibt sich Nietzsche nämlich nicht mit einer Kritik an den alten Werten zufrieden: Er will eine neue Werteordnung predigen, eine »Umwertung aller Werte«. Sie realisiert sich in der Haltung des Kindes. Sie ist geprägt von Unschuld und zugleich von einer Leichtigkeit, einem unangestrengten, spielerischen Umgang mit der Welt.

Durch das gesamte Werk hindurch benutzt Nietzsche Bilder des Fliegens, Tanzens und Spielens, um seine neue Lebenshaltung und seine Abkehr vom »Geist der Schwere« zu charakterisieren. Auch Jesus von Nazareth hatte von seinen Anhängern gefordert: »Werdet wie die Kinder!« Doch während die christliche Unschuld mit intellektueller Bescheidenheit und einem naiven Vertrauen in die göttliche Lehre verbunden ist, bezieht sich Nietzsches kindliche Unschuld auf das Diesseits, auf die Welt. Der Mensch soll der Welt wie ein Kind gegenübertreten, ohne die alten moralischen Bewertungen und ohne metaphysische Schablonen. Er soll sie unbefangen in sich aufnehmen, er soll spielerisch und schöpferisch mit ihr umgehen – wie ein Kind, das mit allen Dingen, die ihm in die Hände fallen, neue Spiele erfindet. Nietzsche spricht deshalb von der kindlichen Unschuld als einem »heiligen Ja-Sagen«.

Mit diesem Ja-Sagen hat sich der Mensch erst wirklich aus der Dekadenz gelöst und eine neue, entscheidende Entwicklungsstufe erreicht. Diese ja-sagende Haltung ist auch die des Übermenschen. Das Bild des Kindes und das des Übermenschen müssen im *Zarathustra* vom Leser zusammengeführt werden. Der Übermensch ist für Nietzsche der »Sinn der Erde«. Er repräsentiert die höchste Stufe der menschlichen Selbstverwirklichung. Der Mensch ist ein Versuch, ein Experiment – das erst im Übermenschen gelingt.

Im Übermenschen hat Nietzsche seine neuen Tugenden und seine Vorstellung von der »großen Gesundheit« gebündelt: Er ist klug, stolz, mutig, unbekümmert, gewalttätig, schöpferisch und offen für Veränderungen. Auch Leiden und Vergänglichkeit sieht er als Quellen der Lust. Schlüsselwörter dieser neuen Haltung sind der »Leib«

und die »Erde«. Wie Montaigne, den er sehr verehrte, wertet Nietzsche den Körper gegenüber dem Geist und gegenüber der Seele auf. Statt einer Herrschaft der Vernunft oder einer Unsterblichkeit der Seele propagiert er die »Begeisterung des Leibs«.

Der Begriff des »Übermenschen« hat heftige Kritik herausgefordert, an der Nietzsche nicht unschuldig ist. Gerade seine aus der Biologie entlehnte Sprache hat der Interpretation Vorschub geleistet, der Übermensch sei eine Art rassischer Züchtung im Sinne des faschistischen Herrenmenschen. Immer wieder hat Nietzsche das Ideal des alle Moral über Bord werfenden, starken Kriegers beschworen und den Übermenschen als den »Wahnsinn« bezeichnet, mit dem der alte Mensch »geimpft« werden müsse.

Mit seinem ganz an der »Erde« orientierten Übermenschen setzt Nietzsche sich nicht nur in Gegensatz zur christlich-religiösen Tradition, sondern auch zur Tradition der griechischen, von Platon und Aristoteles bestimmten Metaphysik, die dem »Geist« immer Vorrang vor der »Materie« gab. Nietzsche ist ein Gegner des Rationalismus. Das, was vorher böse und verdammt war, der Körper, die Sinnlichkeit, die Triebe, die Selbstliebe – sie werden nun zu positiven Werten. Und das, was vorher als gut galt, der Verzicht, die Askese, die Nächstenliebe – sie werden zu Merkmalen der Dekadenz. Der Übermensch vertraut dem Leib eher als dem Intellekt, und er ist der Erde zugewandt, die für ihn keine tote Materie, sondern eine schöpferische, sich wandelnde Kraft ist.

In dieser neuen Sicht der Erde und der Welt wird Nietzsches Gegensatz zu Schopenhauer am offensichtlichsten. Die alles durchwaltende Kraft, die die Welt beherrscht, sieht er in einem positiven Licht. Sie ist das Dionysische, sie ist Trieb, Rausch und Entfaltung von Vitalität. Die durch den Leib und die Erde wirkende Kraft und Energie, die Schopenhauer »Wille« nannte und die er für ziellos und sich selbst widerstreitend hielt, ist für Nietzsche die Quelle aller wahren Werte und Tugenden. Er tauft deshalb den Schopenhauerschen Willen um in »Wille zur Macht«. Um ihn geht es vor allem im zweiten Teil des Buches. Dabei denkt Nietzsche nicht in erster Linie an politische Macht, sondern an eine Energie, die den Menschen höher und weiter, bis zur Selbstvervollkommnung, treibt. Nietzsche nennt ihn auch den »unerschöpften zeugenden Lebens-Willen«.

»Schaffen«, »Zeugen«, »Werden« – dies sind einige der wichtigsten Attribute, die diese positiv verstandene Kraft für Nietzsche hat. Mit dem »Willen zur Macht« hat Nietzsche, obwohl ein erklärter Gegner der Metaphysik, selbst wiederum die Welt metaphysisch gedeutet. Sie ist in ihrem wahren Kern dionysisch und Zarathustra ist ihr Prophet. Er spricht im Geist des Dionysos.

Aber auch damit hatte Nietzsche noch nicht seinen »tiefsten Gedanken« enthüllt, die Eingebung der »Ewigen Wiederkehr des Gleichen«, die ihm beim Spaziergang am Silvaplaner See gekommen war. Sie wird im dritten Teil des Buches ausgesprochen. Auch hier verzichtet Nietzsche nicht darauf, eine biblische Parallele zu ziehen. Während Gott im Buch Genesis sieben Tage für die Erschaffung der Welt braucht, muss sich Zarathustra sieben Tage zurückziehen und ruhen, bis er die Kraft hat, seinen Gedanken auszusprechen. Die Welt ist ein Tanz, ein unschuldiges Spiel, ein stetig sich erneuerndes Werden, dem eine ewig wirkende schöpferische Kraft zugrunde liegt.

Nietzsche fasst den ewigen Kreislauf der Zeit in ein Gleichnis: Jeder Augenblick ist ein Torweg, von dem eine unendliche Gasse rückwärts und auch vorwärts verläuft. Die beiden Gassen müssen sich irgendwo treffen. Da aber die Zahl der möglichen Ereignisse endlich ist, muss jedes Ereignis schon einmal stattgefunden haben und wird sich auch noch unendlich oft wiederholen. Alles, was sich jemals ereignet hat, wird sich immer wieder ereignen: »Alles geht, Alles kommt zurück; ewig rollt das Rad des Seins. Alles stirbt, Alles blüht wieder auf, ewig läuft das Jahr des Seins« – so heißt es in dem Kapitel »Der Genesende«.

Damit hat Nietzsche von der alten, christlich geprägten Vorstellung von Zeit Abschied genommen, nach der die Geschichte wie eine gerade Linie auf ein Ziel zuläuft und sich irgendwann einmal erfüllt. Stattdessen erneuert er eine Geschichtsauffassung, die schon von den frühen Griechen, so zum Beispiel von Heraklit, vertreten wurde: dass die Veränderungen in der Welt nur die Oberfläche eines sich nach unabänderlichen Gesetzen vollziehenden, ewigen Kreislaufs sind. Wir leben nicht in einer endlichen Welt, die einem ewigen Jenseits gegenübersteht. Die Welt selbst, unsere diesseitige Welt, ist ewig. Das Ja-Sagen zur Welt bedeutet damit auch das Ja-Sagen zur Ewigkeit. In Nietzsches Kapitel »Die sieben Siegel, oder: das Ja- und Amen-Lied« endet jede Strophe mit der Wendung: »Denn ich liebe dich, oh Ewigkeit.« Nietzsche fordert vom Menschen eine heroische Haltung, die das Unabänderliche akzeptiert, die sich aber gleichzeitig mit Leichtigkeit und Heiterkeit der Welt zuwendet.

Nietzsche hat sich selbst als Nihilisten (von lateinisch »nihil« = nichts) bezeichnet, als jemanden also, der keinerlei Werte mehr anerkennt. Im *Zarathustra* ist er allerdings über die Kritik und die Ablehnung der alten Werte hinausgegangen. Mit seiner Lehre vom Übermenschen, vom Willen zur Macht und von der Ewigen Wiederkehr des Gleichen hat Nietzsche dem Nihilismus eine neue Lehre vom Menschen, eine neue Tugendlehre und eine neue Metaphysik entgegengesetzt.

Als Nihilisten kann man viel eher jene Figuren bezeichnen, mit denen Zarathustra im vierten Teil des Buches, in einer Parodie der letzten Zusammenkunft Jesus' mit seinen Jüngern, das »Abendmahl« feiert: die so genannten »höheren Menschen«, darunter der Wahrsager der großen Müdigkeit, ein alter Papst, der nach dem Tod Gottes arbeitslos ist, ein Zauberer, zwei Könige, aber auch unter anderen der »Schatten Zarathustras«. Sie alle sind Menschen, die im alten Glauben verwurzelt waren und diesen nun verloren haben. In ihrer Sehnsucht nach einer neuen Sinngebung stehen sie vor dem Nichts. Dass hierzu auch der »Schatten Zarathustras« gehört, ist im Hinblick auf Nietzsches eigene Entwicklung aufschlussreich: Nietzsche ist mit dem *Zarathustra* aus dem Schatten des Nihilismus herausgetreten und hat mit diesem Buch einen Teil seiner eigenen philosophischen Vergangenheit hinter sich gelassen.

Die verschiedenen Teile des *Zarathustra* wurden zunächst separat veröffentlicht: Teil eins und zwei erschienen 1883, der dritte Teil 1884 und der vierte 1885. Wie viele andere berühmte philosophische

Werke wurde auch der *Zarathustra* von den Zeitgenossen zunächst ignoriert. Doch Nietzsche war über die Bedeutung des Buches nie im Zweifel. In seiner 1908 posthum erschienenen Schrift *Ecce homo* behauptet er sogar, mit dem *Zarathustra* Dante und Goethe dichterisch in den Schatten gestellt zu haben.

Tatsächlich wurde *Also sprach Zarathustra* im 20. Jahrhundert zu einem der einflussreichsten und meist gelesenen, aber auch zu einem der umstrittensten philosophischen Werke. Nietzsches »wilde Weisheit«, wie er sie selbst nennt, hat bis heute als fruchtbare, aber auch als verhängnisvolle Provokation gewirkt. Seine pathetische, mitunter schillernd mehrdeutige Sprache übt auf zahllose Leser des Buches eine ungebrochene, wenn auch zwiespältige Faszination aus.

Begriffe wie der »Übermensch« oder der »Wille zur Macht« haben sich für rechtsradikale Ideologien geradezu angeboten. Entsprechend hat der deutsche Faschismus Nietzsche als ideologischen Stammvater für sich reklamiert. Mit Sätzen wie »Der Mann soll zum Krieger erzogen werden und das Weib zur Erholung des Kriegers«, oder »Du gehst zu Frauen? Vergiss die Peitsche nicht!«, die beide im Kapitel »Von alten und jungen Weiblein« im ersten Teil des Buches stehen, gab Nietzsche weniger Anlass zu philosophischen Diskussionen als zur Bestätigung von Ressentiments.

Weitaus fruchtbarer war Nietzsches Einfluss auf die Kunst und Philosophie, der im frühen 20. Jahrhundert einsetzte. Wie bei Schopenhauer gehörten zu seinen Lesern zahlreiche Künstler. So finden sich seine Spuren in der Literatur und Malerei des Expressionismus und bereits 1896 machte Richard Strauss den *Zarathustra* zur Grundlage einer sinfonischen Dichtung. Als einer der Väter der Lebensphilosophie, die im »Leben« den schöpferischen, aber auch irrationalen Grund der Welt sah, rückte der Außenseiter Nietzsche ins Zentrum der philosophischen Diskussion und beeinflusste auf diesem Weg Autoren wie Oswald Spengler und Ludwig Klages.

Nietzsches These, dass der Mensch sich der Sinnfrage ohne Transzendenz und ohne Gott stellen muss, wurde zu einem der wichtigsten Anliegen der modernen Existenzphilosophie und von Karl Jaspers, Martin Heidegger, Jean-Paul Sartre und Albert Camus aufgegriffen.

Besonders wirkungsvoll war Nietzsches Vernunftkritik, die in der Frankfurter Schule um Max Horkheimer und Theodor W. Adorno, aber auch von der Philosophie der Postmoderne weitergeführt wurde.

Also sprach Zarathustra verdankt seine große Wirkung nicht zuletzt der Tatsache, dass das Buch einen Urimpuls der Philosophie erneuert: den Impuls, sich von Traditionen, Autoritäten und Schulweisheiten zu lösen und sich wieder unbefangen auf das Abenteuer Welt einzulassen.

Ausgabe:

FRIEDRICH NIETZSCHE: Also sprach Zarathustra. Herausgegeben von G. Colli und M. Montinari. Kritische Studienausgabe in 15 Bänden, Band 4. München: de Gruyter und dtv 1988.

Logik im Dienst der Mystik

LUDWIG WITTGENSTEIN: Tractatus logico-philosophicus (1921)

Es gibt philosophische Werke, die gleich nach ihrem Erscheinen als völlig ungewöhnlich und revolutionär wahrgenommen werden und die sehr schnell unter ihren Lesern Kultstatus erlangen. Dies gilt auch für Ludwig Wittgensteins *Tractatus logico-philosophicus*, ein schmaler Band, der seit seinem Erscheinen 1921 seine Leser fasziniert, aber ebenso in Verwirrung gestürzt hat.

Ein großer Teil der Leser dieses Buches glaubt, dass Wittgenstein hier der traditionellen Philosophie, und insbesondere der Metaphysik, endgültig den Garaus gemacht hat. Wittgenstein habe hier überzeugend und endgültig nachgewiesen, dass Sätze, die sich nicht in einer logisch eindeutigen Form auf die Wirklichkeit beziehen, sinnlos sind. Gott, Freiheit, Unsterblichkeit, Moral, Kunst und vieles andere seien damit als Themen der Philosophie erledigt. Wittgenstein habe die Grundlagen dafür gelegt, dass die Philosophie sich nicht mehr außerhalb wissenschaftlich gesicherter Erkenntnisse bewegen könne.

Wer mit diesen Augen die letzten Seiten des Buches liest, muss allerdings etwas irritiert sein. Wittgenstein beginnt hier nämlich Aussagen über Ethik, Tod und Gott zu treffen, zum Beispiel: »Der Tod ist kein Ereignis des Lebens. Den Tod erlebt man nicht« – eine Behauptung, die schon der griechische Philosoph Epikur gemacht hatte. Dass solche Sätze am Ende und damit an einer exponierten Stelle des Buches stehen, hat bei einem anderen Teil der Wittgenstein-Leser immer den Verdacht genährt, dass der Autor nach all den Thesen über Logik und Sprache nun endlich zu den für ihn wichtigen Themen kommt.

In der Tat: Betrachtet man die Thesenfolge des ganzen Buches und bezieht dabei seine Entstehungsgeschichte und die komplexe Persönlichkeit des Autors Ludwig Wittgenstein mit ein, so drängt sich die Einsicht auf, dass hier die Logik in den Dienst einer ganz anderen Art von Erkenntnis gestellt wird, die zwar für die rational argumentierende Philosophie unerreichbar bleibt, die aber die wesentlichen Dinge der menschlichen Existenz berührt. Und dies sind genau jene Themen, mit denen viele Wittgenstein-Anhänger ihren Meister überhaupt nicht in Verbindung bringen wollen: Gott, Tod, Sinn des Lebens und die uralte metaphysische Frage, warum etwas ist und nicht *nichts ist.*

Bis heute ist umstritten, welche Absichten der Autor mit seinem Buch eigentlich verfolgt hat: Ist der *Tractatus* ein Grundlagenwerk der modernen Logik oder eine unter dem Deckmantel der Logik versteckte Hinführung zur Mystik? Das Rätsel des *Tractatus* scheint genau in dieser eigenartigen Verknüpfung von Logik und Mystik zu liegen, zwei Bereichen der Erkenntnis, die sich normalerweise ausschließen.

Diese Doppelschichtigkeit des Buches reflektiert die vielschichtige und widersprüchliche Persönlichkeit seines Autors. Ludwig Wittgenstein, 1889 geboren, wuchs in einer der reichsten Familien Wiens auf. Sein Vater, Karl Wittgenstein, hatte sich zu einem der erfolgreichsten Industriellen der Donaumonarchie emporgearbeitet. Die Talente des jungen Ludwig waren vielfältig, seine Möglichkeiten schienen unbegrenzt. So hatte er eine ausgeprägte Fähigkeit, mathematische und technische Zusammenhänge zu erkennen. Auf Betreiben seines Vaters studierte er zunächst Maschinenbau in Berlin und Manchester mit dem Ziel, später einmal das väterliche Unternehmen zu führen.

Doch mindestens ebenso stark waren seine musischen und philosophischen Interessen. Von Jugend an faszinierten ihn grundlegende philosophische Fragen, Fragen nach dem Sinn des Lebens und dem Sinn der Welt. Ethik, Religion und Kunst waren tägliche Diskussionsthemen in einer Familie, in der es von musikalischen Genies wimmelte und in deren Haus zahlreiche Künstler ein- und ausgingen.

Der junge Wittgenstein war ein Sinnsucher: Er las Schopenhauer und Kierkegaard und war besonders von der exzentrischen These beeindruckt, die der dreiundzwanzigjährige Otto Weininger in seinem 1903 erschienenen Buch *Geschlecht und Charakter* aufgestellt hatte: Dass dem Menschen nämlich nur die Wahl bleibe, Versager zu sein oder Genie. Wie Weininger, der sich kurz nach Erscheinen seines Buches eine Kugel durch den Kopf gejagt hatte, kannte Wittgenstein keine Kompromisse oder halben Sachen. Genie oder Versagen, Erlösung oder Verdammung: Diese Alternativen standen ihm sein ganzes Leben lang vor Augen. Mehrere seiner Familienmitglieder hatten Selbstmord begangen und auch Wittgenstein selbst wurde immer wieder von Suizidgedanken geplagt.

Auf der quälenden Suche nach seinem eigenen Genie beschäftigte sich der Ingenieurstudent Ludwig Wittgenstein mit den Grundlagen der Mathematik und entdeckte auf diesem Weg die Logik. Durch die Schriften des Jenaer Mathematikprofessors Gottlob Frege und des in Cambridge lehrenden Philosophen Bertrand Russell wurde er mit den Bemühungen vertraut, die Mathematik auf eine rein logische Grundlage zu stellen und Mittel zu einer logischen Analyse der Sprache zu entwickeln. Russell hatte zum Beispiel darauf hingewiesen, dass unsere normale Sprache keineswegs »logisch« konstruiert ist. Die Sätze »Peter schlägt Kurt« und »Kurt wird von Peter geschlagen« zum Beispiel sind von ihrer grammatischen Struktur her verschieden, obwohl sie denselben Vorgang beschreiben, logisch also gleichwertig sind. Frege hatte eine neue logische Formelsprache entwickelt, eine Kunstsprache, die es erlaubte, komplexe Aussagen auf einfache, logisch eindeutige Aussagen zurückzuführen. Mit diesen Arbeiten hatten Frege und Russell die Logik, die seit den Zeiten des Aristoteles beinahe unverändert gelehrt worden war, auf eine neue Grundlage gestellt.

1911 machte sich Wittgenstein nach Jena auf, um mit Frege persönlich Fragen der Logik zu erörtern. Obwohl er noch für ein weiteres Jahr in Manchester ein Stipendium erhalten hatte, sah er sich nun an einem Scheideweg: Sollte er das Studium abschließen und in die Fußstapfen seines Vaters treten oder sollte er sich der Logik und damit einer Fundamentaldisziplin der Philosophie widmen? Frege empfahl ihm, zu Russell an die Universität Cambridge zu gehen, um seine Studien der Mathematik und Logik zu vertiefen. Wittgenstein befolgte den Rat und brach sein Ingenieurstudium ab: Von nun an bestimmte die Philosophie sein Leben.

Von diesem Zeitpunkt an trug er sich auch mit dem Vorhaben, ein eigenes philosophisches Werk zu verfassen, das auf den Arbeiten Freges und Russells aufbauen sollte. Es sollte aber auch ihn selbst in seinem Selbstverständnis als Genie bestätigen und damit sein Leben rechtfertigen. Vom Gelingen dieses Plans hing deshalb für ihn viel, wenn nicht alles ab, und er lebte in beständiger Furcht, vor Vollendung des Werks zu sterben.

In Cambridge wurde er zum Freund und Meisterschüler Russells und zur interessantesten, aber auch schwierigsten Figur in der dortigen Philosophieszene. Small Talk und die in der englischen akademischen Welt üblichen Höflichkeitsregeln waren ihm fremd. Ein Mann der Gesellschaft, der Konversation und Diskussion wurde Wittgenstein nie. Er versah alle seine Aussagen mit einem Absolutheitsanspruch. Es ging ihm immer um die Sache und um endgültige, unbezweifelbare Lösungen. Widerspruch verärgerte ihn und provozierte ihn zu aggressiven Reaktionen, die seine Gesprächspartner vor den Kopf stießen. So geriet er auch mit seinen Cambridger Lehrern, Russell und George Edward Moore, immer wieder aneinander. Phasen des fruchtbaren intellektuellen Austauschs folgten Phasen der Flucht aus der Gesellschaft. So zog er sich 1913, kurz vor Ausbruch des Ersten Weltkriegs, an einen einsamen Fjord in Norwegen zurück, um erste Skizzen für das geplante Buch zu erstellen.

Im Gegensatz zu Russell, der wegen seiner pazifistischen Gesinnung eine Haftstrafe abbüßen musste, meldete sich Wittgenstein bei Ausbruch des Ersten Weltkriegs als Freiwilliger für die österreichisch-ungarische Armee. Zunächst diente er bei der Artillerie, wobei ihn der ihm zugewiesene Bürodienst abseits der Kampfhandlungen nicht befriedigte. Er ließ sich deshalb 1916 direkt an die Front nahe der rumänischen Grenze versetzen. Wittgenstein war kein Kriegschauvinist, aber er suchte in der ihm eigenen extremen Art die persönliche Bewährung. Sich in unmittelbare Nähe des Todes zu begeben war für ihn eine moralische Forderung.

Seine Lektüre während der Kriegsjahre gibt einigen Aufschluss über das, was ihn bewegte: Er las unter anderem Essays des amerikanischen Philosophen Ralph Waldo Emerson, Romane von Dostojewskij und vor allem Tolstois *Kurze Erläuterung des Evangeliums*, die ihm in der Buchhandlung einer kleinen Frontstadt in die Finger gekommen waren. Tolstois Forderungen nach moralischer Reinigung und Erlösung durch ein einfaches, der Nächstenliebe gewidmetes Leben beeindruckten ihn tief. Von Autoren wie Schopenhauer und Tolstoi ist auch Wittgensteins mystisch-religiös gefärbtes Verständnis von Ethik geprägt: Es ging ihm nicht um die Begründung moralischer Regeln, um konkrete Handlungsanweisungen, sondern um Erlösung von Leid und Schuld, um eine Haltung und eine Wandlung der Persönlichkeit.

Durch die tägliche Konfrontation mit Sterben und Tod waren die großen ethischen und metaphysischen Fragen in Wittgensteins Bewusstsein immer präsent. Sie standen auch im Hintergrund seines Buchs, das mitten in der Kriegszeit Gestalt annahm. Nicht nur um das Verhältnis von Logik, Sprache und Welt konnte es also gehen, sondern auch um jene Fragen, die für sein eigenes Leben so wichtig waren. Von Juli bis September 1918 erhielt der inzwischen zum Leutnant beförderte Wittgenstein Urlaub, den er bei einem Onkel in Hallein nahe Salzburg verbrachte. Hier, in den letzten Monaten des Ersten Weltkriegs, wurde der *Tractatus* vollendet.

Die Schrift verzichtet auf jedes rhetorische Beiwerk: Sie besteht aus Ober- und Unterthesen, deren Stellenwert in der Argumentation durch eine streng durchgeführte Nummerierung angezeigt wird. Die Unterthesen sind jeweils als Erläuterung der Oberthesen angelegt, auf die sie bezogen sind. Es ist ein ebenso trockener wie eindringlicher Text, der auch vor Formeltabellen nicht zurückschreckt. Wittgensteins berüchtigte apodiktische Haltung in seinem persönlichen Auftreten prägt auch den Stil des *Tractatus*. Jede These hat die Wucht eines Hammerschlags, der dem Leser eine unbezweifelbare Wahrheit einbläut. Russell bemerkte, jeder Satz wirke wie ein Erlass des Zaren. In seiner strengen Formensprache erinnert er an die Architektur der Wiener Moderne, wie sie vor allem durch Adolf Loos repräsentiert wurde. Mit einem von dessen Schülern, Paul Engelmann, sollte Wittgenstein einige Jahre später für seine Schwester ein Haus entwerfen, das den Beinamen »Stein gewordener Tractatus« erhalten sollte.

Die nach dem Vorbild einer mathematischen Abhandlung konstruierte Anordnung der Thesen erleichtert einen Überblick über die wichtigsten Aussagen des Buches. Die Hauptthesen ergeben, hintereinander gestellt, einen einprägsamen Argumentationszusammenhang. So lauten die ersten fünf Thesen: »1. Die Welt ist alles, was der Fall ist. 2. Was der Fall ist, die Tatsache, ist das Bestehen von Sachverhalten. 3. Das logische Bild der Tatsache ist der Gedanke. 4. Der Gedanke ist der sinnvolle Satz. 5. Der Satz ist eine Wahrheitsfunktion des Elementarsatzes.«

Zunächst scheinen drei große Themen die Schrift zu beherrschen: Welt, Sprache und Logik. Während in Wittgensteins eigener philosophischer Entwicklung das Nachdenken über Logik am Anfang stand und schließlich zum Nachdenken über die Sprache und die Welt führte, ist der Argumentationsgang im *Tractatus* umgekehrt: Von der Welt führt Wittgensteins Argumentation zur Sprache, in der sie sich als »logisches Bild« spiegelt. Die Sprache wiederum wird als ein komplexer Zusammenhang von Sätzen gesehen, die sich auf »Elementarsätze« zurückführen lassen. Die mögliche Verbindung zwischen Elementarsätzen lässt sich mit Hilfe der Logik so beschreiben, dass man gleich erkennt, unter welchen Umständen sie wahr oder falsch sind. Komplexe Sätze sind »Wahrheitsfunktionen« von Elementarsätzen, das heißt, ihre Wahrheit und Falschheit hängt von der Wahrheit und Falschheit der Elementarsätze ab.

Welt, so lautet ein Credo des Buches, ist uns nur durch den Filter der Sprache zugänglich. Die Sprache wiederum ist an eine logische Form gebunden. In der Nachfolge Freges und Russells will Wittgenstein die Logik dazu benutzen, Grenzen und Möglichkeiten der Sprache aufzuzeigen. Ursprünglich wollte er seinem Buch den Titel »Der Satz« geben, ein Hinweis darauf, dass für ihn die logische Form der sprachlichen Aussage in der Schrift eine Schlüsselrolle einnimmt.

Mit der letzten Hauptthese des *Tractatus*, zugleich der letzte Satz überhaupt, erhält dieser Argumentationsgang aber eine tiefere Dimension: »Wovon man nicht sprechen kann, darüber soll man schweigen.« Hier spricht Wittgenstein jenen Bereich der großen ethischen und metaphysischen Sinnfragen an, die ihn von jeher beschäftigt hatten. Er nimmt zugleich Bezug auf eine Unterscheidung, die für das Verständnis seines Buches von großer Bedeutung ist: die Unterscheidung zwischen dem »Sagen« und dem »Zeigen«.

Im Anschluss an Frege und Russell wollte Wittgenstein zunächst zwei Fragen klären: In welcher Beziehung steht die Sprache zur Welt? Und: Wie sieht eine logisch korrekte Sprache aus und was kann sie leisten? Sind diese Fragen beantwortet, so ist der Bereich des »Sagbaren« abgesteckt, der Bereich, in dem »sinnvolle« Aussagen möglich sind, Aussagen also, die wahr oder falsch sein können. Man kann auch den ganz überwiegenden Teil des *Tractatus* als Versuch ansehen, den sinnvollen Gebrauch der Sprache zu beschreiben, also das, was »gesagt« werden kann.

Im Zeigen allerdings und nicht im Sagen lag für Wittgenstein der Zugang zu ethischen und religiösen Problemen. Alles, was mit dem Sinn der Welt und des Lebens, mit Gott, Tod und Erlösung zu tun hat, wird von Wittgenstein in den Bereich dieses »Zeigbaren« verwiesen. So werden zum Beispiel in Religion und Kunst Dinge sichtbar und erfahrbar, die sich nicht sagen, also durch Aussagen beschreiben lassen. Über diese Erfahrungen soll man schweigen, weil sie nicht in den Bereich des Sagbaren gehören. Dies bedeutet aber nicht, dass sie nicht wichtig sind. Im Gegenteil: Der Bereich des Zeigbaren enthält für Wittgenstein die eigentlichen Lebensprobleme.

Der Unterschied zwischen *Sagen* und *Zeigen,* zwischen zwei sich ausschließenden Formen der Erkenntnis, bildet den Angelpunkt des *Tractatus.* Entsprechend entwickelte Wittgenstein eine Philosophie auf zwei Etagen: Auf der unteren geht es um das Sagbare, um die Grenzen der rationalen Erkenntnis, um das, was wir mit Hilfe der Sprache beschreiben können. Gemeint ist eine Sprache, die aus Sätzen besteht, die wahr oder falsch sein können. Es ist dieser Bereich, den Wittgenstein »Welt« nennt und der auch das Territorium der Wissenschaft markiert. Auf der höheren Etage dagegen geht es um ethische und metaphysische Fragen, die in den Untersuchungen Freges und Russells keine Rolle gespielt hatten.

Daher nimmt das Thema des Verhältnisses zwischen Logik, Sprache und Welt zwar den größten Teil der Schrift ein, bildet aber lediglich das Untergeschoss in Wittgensteins Gedankengebäude.

Für Wittgenstein sind Sprache und Welt eng miteinander verklammert. Es ist die Sprache, die die Grenzen unserer Welterfahrung zieht, die die Welt für uns erst sichtbar macht. Deshalb stellt Wittgenstein die auf den ersten Blick befremdliche These auf: »Die Welt ist die Gesamtheit der Tatsachen, nicht der Dinge.« Nicht dass Wittgenstein geleugnet hätte, dass noch etwas außerhalb der sprachlich eingegrenzten Welt existiert. Aber streng genommen können wir darüber überhaupt nicht sprechen. Denn schon der Satz: »Es existiert etwas außerhalb der Welt«, ist für Wittgenstein ein sinnloser Satz, der weder wahr noch falsch sein kann.

Eine Tatsache ist das, was in einem wahren Satz behauptet wird. Wenn wir etwas behaupten, dessen Wahrheit noch nicht erwiesen ist, sprechen wir von einem Sachverhalt. Die Aussage: »Der Baum vor meinem Fenster ist kahl«, beschreibt einen Sachverhalt, nämlich das »Kahlsein des Baumes vor meinem Fenster«. Hat sich dieser Sachverhalt als wahr erwiesen, ist der Baum also tatsächlich kahl, ist der Sachverhalt zu einer Tatsache geworden. Wittgensteins Welt ist die Gesamtheit der Tatsachen, die in wahren Aussagen beschrieben werden.

Die Beziehung zwischen Sprache und Welt bezeichnet Wittgenstein mit den Begriffen »Bild« oder »Abbildung«. Ein Satz, eine Aussage ist nach Wittgenstein »ein Bild der Wirklichkeit«. Dass Sätze Sachverhalte »abbilden«, war eine der Intuitionen, die Wittgenstein während des Krieges gewonnen hatte. Dabei darf man sich natürlich kein »gemaltes«, realistisches Bild vorstellen. Wittgenstein hatte Planspiele und Modelle vor Augen, wie sie zum Beispiel vor Gericht benutzt werden, um bestimmte Tathergänge nachzuspielen: Bestimmte Steine stehen für Menschen, Autos oder Häuser und werden in einer bestimmten Weise angeordnet. Gemeint ist also eine Analogie und Strukturähnlichkeit.

Diese »Bildtheorie« der Sprache hat in der Philosophie des 20. Jahrhunderts großen Wirbel verursacht. Sie hat Bemühungen befördert, den Bildcharakter der Sprache immer genauer auszumalen, das heißt Sprachregeln und Kunstsprachen zu entwickeln, mit denen die sprachlichen Ausdrucksmöglichkeiten immer präziser und eindeutiger werden sollten. Wittgenstein selbst hat hierzu vor allem das Werkzeug der »Aussagenlogik« entwickelt, das heißt einer Logik, die sich mit der Wahrheit und Falschheit von Sätzen beschäftigt.

So wie die Grenzen der Welt durch die Sprache aufgezeigt werden, so werden nach Meinung Wittgensteins die Grenzen der Sprache durch die Logik aufgezeigt. Die Logik liefert die Struktur, das Netz, mit dem Sprache und Welt verbunden sind. Wittgenstein hat die Untersuchung der Sprache auf die ihr zugrunde liegende logische Struktur als die eigentliche Aufgabe der Philosophie angesehen. Philosophie wird damit im Wesentlichen zur Sprachanalyse.

Insofern schließt sich Wittgenstein im *Tractatus* dem »logischen Atomismus« seines Lehrers Russells an: Sowohl die Welt als auch die Sprache lassen sich in kleinste Einzelbestandteile, »Atome«, zerlegen. Die Sprache besteht aus einem Korpus von komplexen Sätzen, die sich auf einfachste Sätze, auf »Elementarsätze«, reduzieren lassen. Ein konkretes Beispiel für einen Elementarsatz hat Wittgenstein nie angegeben. Er hat ihm lediglich die Symbole »p« oder »q« zugeordnet und ihn als eine Verknüpfung von »Namen« bezeichnet. Der Name ist so etwas wie das einfachste sprachliche Zeichen, dem auf der Ebene der Welt ein Gegenstand zugeordnet ist. Aufgabe der Philosophie als Sprachkritik ist es nun, alle Sätze auf ihre Urbestandteile, die Elementarsätze, zu reduzieren und den darin vorkommenden Namen Gegenstände zuzuordnen. Die Sprache wird dadurch also auf eine rein »beschreibende« Sprache reduziert.

Hat man auf diese Art analysiert, ob es sich um einen »sinnvollen« beschreibenden und möglicherweise sogar um einen wahren Satz handelt, kann man nun auch die Wahrheitsfähigkeit beziehungsweise die Wahrheit komplexer Sätze feststellen. Sie sind Wahrheitsfunktionen von Elementarsätzen, das heißt, ihre Wahrheit oder Falschheit hängt von der Wahrheit und Falschheit der Elementarsätze ab, aus denen sie bestehen. Wittgenstein erfand zu diesem Zweck die so genannten »Wahrheitstafeln«, in denen beschrieben wird, unter welchen Bedingungen Verknüpfungen zwischen Elementarsätzen wahr oder falsch sind. Sie gehören heute zum Bestandteil jedes Grundkurses in Logik.

Nehmen wir zum Beispiel die einfache Verknüpfung »p« *und* »q«. Es handelt sich also um eine mit »und« hergestellte Verbindung von Elementarsätzen, zum Beispiel: »Es regnet *und* die Autobahn ist gesperrt.« Diese Verknüpfung ist nur unter einer bestimmten Bedingung wahr: nämlich wenn »p« wahr ist (also wenn es tatsächlich regnet) und zugleich »q« wahr ist (wenn es also auch stimmt, dass die Autobahn gesperrt ist). In allen anderen drei möglichen Fällen ist sie falsch. Falsch ist der Satz also erstens, wenn es zwar tatsächlich regnet, die Autobahn aber frei befahrbar ist; zweitens, wenn die Autobahn zwar gesperrt ist, es aber nicht regnet; und drittens, wenn jeder der beiden Teilsätze etwas Unzutreffendes behauptet. Bei den Wahrheitswerten taucht hier also drei Mal »F« (für »falsch«) und einmal »W« (für »wahr«) auf. Im *Tractatus* ist diese nur eine von mehreren »Wahrheitsfunktionen« und wird dort als Formel so zusammengefasst: (W F F F) (p,q).

Solche Formeln haben für viele Leser natürlich erst einmal eine abschreckende Wirkung. Aber Wittgenstein zieht aus seinen logischen Kalkülen weit reichende philosophische Folgerungen. Mit den Gesetzen der Logik wird nicht nur der Bereich der sinnvollen Aussagen vermessen, sondern auch das Feld der empirischen Wissenschaften. Mit der Behauptung: »Die Gesamtheit der wahren Sätze ist die gesamte Naturwissenschaft«, identifiziert Wittgenstein die Welt mit der wissenschaftlich erfassbaren Welt. Sprache außerhalb dieses Bereichs »sagt« dagegen nichts.

Wittgensteins Fazit des ersten Teils des *Tractatus*, der sich mit dem Verhältnis von Logik, Sprache und Welt beschäftigt, ist also zusammengefasst Folgendes: Was wir über die Welt sinnvollerweise und wissenschaftlich aussagen können, muss in den Grenzen einer logisch normierten Sprache verbleiben. Innerhalb der Welt, im Raum des »Sagbaren«, gibt es keine ungelösten Probleme. In diesem Sinne sagt Wittgenstein: »*Das Rätsel* gibt es nicht. Wenn sich eine Frage überhaupt stellen lässt, so kann sie auch beantwortet werden.« Alles andere gehört nicht zur Welt und kann deshalb nicht *gesagt* werden. Wenn die Philosophie dies dennoch tut, zum Beispiel wenn sie Theorien über »Gott«, das »Sein« oder das »Gute« aufstellt, so macht sie sich eines Missbrauchs der Sprache schuldig. So ist auch der letzte, berühmte Satz des *Tractatus* konsequent: »Worüber man nicht sprechen kann, darüber muss man schweigen.«

Mit diesem Schweigegebot steht Wittgenstein in enger Nachbarschaft zu einer Reihe österreichischer Kulturkritiker und Dichter seiner Zeit, die – wie zum Beispiel Karl Kraus – die Sprache von unnötigem Schwulst und leerer Rhetorik befreien wollten. Auch Hugo von Hofmannsthal hatte in seinem »Chandos-Brief« wie Wittgenstein auf die Erfahrung hingewiesen, dass der Mensch gegenüber manchen wesentlichen Fragen verstummen muss. Der *Tractatus* legt der Philosophie ein spartanisch strenges und asketisches Gewand an: Er verlangt von ihr, Rechenschaft über jeden verwendeten Satz und jeden verwendeten Begriff zu geben. Mit ihm beginnt die Sprachkritik zu einem der wichtigsten Themen der Philosophie des 20. Jahrhunderts zu werden.

Dass mit dem von Wittgenstein verordneten Schweigen jedoch keine grundsätzliche Ablehnung metaphysischer Ideen verbunden ist, wird auf den letzten Seiten des *Tractatus* deutlich. Mit der Klärung dessen, was sagbar ist, werden zwar Wissenschaft und Philosophie in die Schranken verwiesen. Sie erhalten aber einen untergeordneten Rang, weil in ihnen »unsere Lebensprobleme noch gar nicht berührt sind«. Diese Lebensprobleme, wie das Problem des Todes, der Sinn des Lebens oder der Sinn der Welt, liegen jenseits von Wissenschaft und Philosophie. Sie sind aber dennoch für den Menschen fundamental, ja, sie sind für ihn das eigentlich Wichtige. Wittgenstein hat seine Thesen zur Welt, Sprache und Logik mit einer Leiter verglichen, die man erst hinaufsteigen müsse, um sie dann hinter sich umzuwerfen. Die Leiter führt uns an die Schwelle der Lebensprobleme und Sinnfragen.

Das, was jenseits dieser Schwelle liegt, kann nicht mehr gesagt, sondern nur noch gezeigt werden. Auf den letzten Seiten des *Tracta-*

tus erhält das Zeigen die Funktion, über das Rationale hinaus auf das Mystische zu verweisen. »Es gibt allerdings Unaussprechliches«, schreibt Wittgenstein, »dies *zeigt* sich, es ist das Mystische.« Wie Kierkegaard den Sprung ins Religiöse, so fordert Wittgenstein nun einen Sprung ins Mystische. Die Logik steht damit für ihn tatsächlich im Dienst der Mystik: Wie in Dantes *Göttlicher Komödie* Vergil als Repräsentant der menschlichen Vernunft den Menschen nur bis zum Rand des Paradieses begleitet und dort seine Führung abgeben muss, so kann die Logik im *Tractatus* den Menschen nur bis zum Rand des Sagbaren bringen.

Dass es die eigentliche Absicht des Buches war, den Leser bis zur Schwelle dieser zweiten, »mystischen« Etage zu führen, hat Wittgenstein in einem Brief erläutert: »Der Sinn des Buches ist ein ethischer. Ich wollte einmal in das Vorwort einen Satz geben, der nun tatsächlich nicht darin steht, den ich Ihnen aber jetzt schreibe, weil er Ihnen vielleicht ein Schlüssel sein wird: Ich wollte nämlich schreiben, mein Werk bestehe aus zwei Teilen: aus dem, der hier vorliegt, und aus alledem, was ich *nicht* geschrieben habe. Und gerade dieser zweite Teil ist der wichtige. Es wird nämlich das *Ethische* durch mein Buch gleichsam von innen her begrenzt.«

Das »Ethische« – ein Begriff, mit dem Wittgenstein hier die Gesamtheit der »Lebensprobleme« bezeichnet – fängt also erst an der Außengrenze dessen an, was Wittgenstein »Welt« genannt hat. Entsprechend formuliert er die These: »Der Sinn der Welt muss außerhalb ihrer liegen.« Der »Sinn der Welt« gehört nicht mehr zu den Dingen, über die wir »sinnvoll«, das heißt mit den Mitteln einer beschreibenden Sprache, reden können. Ebenso liegt die Lösung des Rätsels des Lebens in Raum und Zeit »außerhalb von Raum und Zeit«. So ist auch der Satz zu verstehen, dass der Tod »kein Ereignis des Lebens« ist. Der Tod ist ein Phänomen der Grenzüberschreitung. Er kann mit den Mitteln, mit denen wir die Welt oder das Leben begreifen, nicht erfasst werden.

Was für das »Ethische« gilt, gilt auch für das »Ästhetische«, den Bereich der Kunst. Wittgenstein spricht deshalb davon, dass das Ethische und das Ästhetische »transzendental« seien.

Solche Aussagen sind nach Wittgenstein – streng genommen – selbst wieder sinnlos, weil sie nicht beschreibend sind. Sie sind lediglich Hilfsmittel, eine Art Zeigestock, mit dem auf das »Unsagbare« verwiesen wird. Dieses Unsagbare, also alles, was sich in Kunst, moralischem Handeln und Religion *zeigt*, ist für Wittgenstein das eigentliche, verdeckte Thema des Buches, das erst auf den letzten Seiten offen zutage tritt. Was wie ein Lehrbuch zur Logik beginnt, endet daher wie ein religiöses Meditationsbrevier.

Erst nach dem Ende des Ersten Weltkriegs konnte Wittgenstein an eine Veröffentlichung der Schrift denken. Nun trat er wieder mit Russell in Kontakt, schickte ihm das Manuskript und versuchte einen Verleger zu finden. Er musste nun erleben, dass Russell, wie auch andere Leser, sich in ihrer Lektüre ganz auf das Thema »Logik – Sprache – Welt« konzentrierten und das »ethische« Thema der Lebensprobleme ignorierten. Es war dennoch Russell, der sich anbot, ein Vorwort zu schreiben, und mit seinem Namen dazu beitrug, dass nach vielen vergeblichen Versuchen die Schrift unter dem Titel *Logisch-Philosophische Abhandlung* 1921 als Zeitschriftenbeitrag erschien. Die englische Übersetzung erhielt auf Vorschlag George Edward Moores den lateinischen Titel *Tractatus logico-philosophicus* (»Logisch-philosophischer Traktat«), der sich an den im 17. Jahrhundert erschienenen *Tractatus Theologico-Politicus* Spinozas anlehnt und sich inzwischen auch im Deutschen durchgesetzt hat. Inhaltlich haben aber Spinozas und Wittgensteins Schrift kaum etwas miteinander gemein.

Wittgenstein war der Meinung, mit dem *Tractatus* den Spagat zwischen Logik und Mystik geschafft zu haben. Er hatte seiner Meinung nach geklärt, was man sinnvoll *sagen* und was man lediglich *zeigen* kann. Mehr blieb nicht zu tun. Die Überzeugung, damit das letzte Wort über die Logik, den Sinn der Welt und des Lebens geschrieben zu haben, äußert er mit dem für ihn charakteristischen Absolutheitsanspruch schon in der Einleitung: »Das Buch behandelt die philosophischen Probleme und zeigt – wie ich glaube –, dass die Fragestellung dieser Probleme auf dem Missverständnis der Logik unserer Sprache beruht. Man könnte den ganzen Sinn des Buches etwa in die Worte fassen: Was sich überhaupt sagen lässt, lässt sich klar sagen; und wovon man nicht reden kann, darüber muss man schweigen ... Dagegen scheint mir die Wahrheit der hier mitgeteilten Gedanken definitiv. Ich bin also der Meinung, die Probleme im Wesentlichen endgültig gelöst zu haben.«

Wittgenstein zog aus dem Nachdenken über die Lebensprobleme auch unmittelbare praktische Konsequenzen. Es war ihm ernst mit der Absicht, sich moralisch zu reinigen und ein neues Leben zu beginnen. Als der *Tractatus* erschien, hatte er sich weit von dem Milieu der akademischen Philosophen entfernt. Er war den Forderungen Tolstois gefolgt und hatte sich dem einfachen Leben und dem Dienst am Nächsten zugewandt. Zeitweise arbeitete er als Gärtnergehilfe in einem Kloster. Von seinem Anteil des väterlichen Vermögens trennte er sich, indem er es an seine Geschwister oder an wenig begüterte Künstler verschenkte. Russell, bon vivant und Atheist, besuchte Wittgenstein 1922 in Innsbruck und hatte sich auf eine Diskussion über Logik eingestellt. Doch mit dem von religiösen und ethischen Fragen ganz eingenommenen Wittgenstein konnte er nicht mehr viel anfangen.

Diese Haltung gegenüber den ethischen und mystischen Absichten des Buches spiegelt sich auch in der Wirkungsgeschichte des *Tractatus* wieder. Das Buch hat auf die Philosophie des 20. Jahrhunderts einen ungeheuren Einfluss ausgeübt. Ähnlich wie Kants *Kritik der reinen Vernunft* leitete es eine neue Phase in der Philosophiegeschichte ein und verursachte eine Veränderung der philosophischen Blickrichtung. Doch diese Neuorientierung verblieb ganz im Rahmen des Bemühens, die Philosophie »logischer« und »wissenschaftlicher« zu machen.

Mit der These, dass die Welt immer nur durch den Filter der Sprache erfahrbar ist, hat Wittgenstein eine der größten Revolutionen in der Philosophie des 20. Jahrhunderts eingeleitet, das, was man im Englischen »linguistic turn« und im Deutschen »sprachphilosophische Wende« nennt. Die Sprachphilosophie wurde durch Wittgenstein im 20. Jahrhundert zu einer Grundlagendisziplin der Philosophie. So hat die so genannte Sprachanalytische Philosophie Wittgensteins Forderung übernommen, Mehrdeutigkeiten und Unklarheiten der Sprache aufzuklären oder zu beseitigen.

Im »Wiener Kreis«, einer Gruppe von Philosophen und Wissenschaftlern um Moritz Schlick und Rudolf Carnap, betrachtete man den *Tractatus* als die Bibel einer neuen »wissenschaftlichen« Philosophie und las ihn Zeile für Zeile. Hier stand die Wiege des Logischen Positivismus, einer philosophischen Strömung des 20. Jahrhunderts, die nur Aussagen akzeptierte, die eine Grundlage in der Erfahrung sowie eine mathematisch und logisch korrekte Form haben. Die Bemühung um eine logisch einwandfreie »Idealsprache« hat Wittgenstein selbst später allerdings aufgegeben.

Doch sollte auch nicht vergessen werden, dass der *Tractatus* ein janusköpfiger Text ist. Hinter den logischen Sprachanalysen und Wahrheitstafeln lugt ein moderner Mystiker hervor. Gerade weil der *Tractatus* so beharrlich auf dem schmalen Grat zwischen Sagbarem und Unsagbarem, zwischen Rationalem und Irrationalem wandelt, ist er einer der anregendsten und aufregendsten Texte der Philosophiegeschichte geblieben. Und wenn auch Wittgenstein zu dem Ergebnis kam, dass man über die wirklich wichtigen Dinge des Lebens schweigen muss, so hat er in der rationalen Tradition der westlichen Philosophie doch auch zu begründen versucht, warum dies so ist.

Ausgabe:

LUDWIG WITTGENSTEIN: Tractatus logico-philosophicus. Logisch-philosophische Abhandlung. Frankfurt/Main: Suhrkamp 1963.

Aufruf zur Selbstverwirklichung

Martin Heidegger: Sein und Zeit (1927)

Was das Auftauchen der Beatles in der Musikszene der sechziger Jahre war, das war das Auftreten des jungen Martin Heidegger in der deutschen Philosophie der zwanziger Jahre. Als der dreiunddreißigjährige Privatdozent Martin Heidegger 1923 zum außerordentlichen Professor in Marburg berufen wird, eilt ihm schon der Ruf eines ungewöhnlich erfolgreichen Dozenten und unkonventionellen Philosophen voraus, der die trockene Akademikerphilosophie über den Haufen geworfen und die Philosophie wieder zum Wesentlichen zurückgeführt habe. Die Studenten strömten nun in Scharen nach Marburg und hatten das Gefühl, dass hier Philosophie nicht nur gelehrt, sondern auch praktiziert wurde. Ein neuer Ton und ein neuer Stil waren in die Philosophieszene eingekehrt. Auch die Fachkollegen hatten nach der Lektüre der wenigen Schriften, die Heidegger entweder veröffentlicht hatte oder zirkulieren ließ, eine Ahnung, dass hier etwas für die Philosophie Explosives entstand.

Bestätigt wurde diese Ahnung durch das Erscheinen von *Sein und Zeit.* Obwohl das Buch in einer sehr schwierigen und eigenwilligen Sprache geschrieben ist, waren bereits die frühen Leser von Heideggers Art fasziniert, auf die konkreten Lebensbezüge des Menschen einzugehen. Hier standen keine Kategorien, Prinzipien oder Gesetze im Mittelpunkt. *Sein und Zeit* wendet sich vielmehr Themen wie »Angst«, »Sorge« oder »Tod« zu, Themen, die aus der akademischen Philosophie längst verschwunden waren. Was die Leser zuerst erreichte, war die eindringlich vorgetragene Aufforderung, sich von einem gedankenlosen Alltagsleben zu lösen und die eigene Existenz bewusst und klarsichtig zu gestalten. *Sein und Zeit* war ein auf über vierhundert Seiten angelegter philosophischer Aufruf zur Selbstverwirklichung. Mit diesem Werk, so der allgemeine Eindruck, hatte die Philosophie wieder begonnen, unmittelbar ins Leben einzugreifen.

Heidegger hatte mit seinem frühen Hauptwerk ursprünglich viel weiter reichende Pläne verfolgt. Er wollte die Metaphysik und die Ontologie, die Lehre vom Sein und den letzten Gründen der Wirklichkeit, erneuern. Er wollte eine »Fundamentalontologie« begründen und die Frage nach dem Sein, dem dunkelsten und allgemeinsten Begriff der Philosophie, auf eine neue Art beantworten. Auf diesem Weg blieb er jedoch bei einem Thema stecken, das zunächst nichts anderes sein sollte als eine Hinführung zum Sein: dem Thema der menschlichen Existenz. *Sein und Zeit* blieb ein Torso und hatte vielleicht deshalb eine so große Wirkung: Es wurde eine Analyse des Menschen und seines Eingebundenseins in die Welt, in die Gemeinschaft mit anderen Menschen und vor allem in den Horizont der Zeitlichkeit und Vergänglichkeit.

Wenn die Leser nach der Lektüre von *Sein und Zeit* auch den Eindruck hatten, aus der philosophischen Enge der Fachdiskussionen und Spezialanalysen herausgeführt worden zu sein, so haftete dem Menschen Martin Heidegger, seinem Auftreten, seiner Sprache und seinem Werdegang doch immer eine gewisse Provinzialität an. Heidegger mied nicht nur die Großstadt, er hielt sich überhaupt von der modernen Welt der Technik und der Medien fern. Außerhalb kleinerer Universitätsstädte wie Freiburg und Marburg hat er nie gewirkt.

Viele seiner Bilder und Vergleiche entnahm er der bäuerlichen, vormodernen Welt seiner südbadischen Heimat. Begriffe wie »Lichtung« oder »Holzwege« wurden Teil seines philosophischen Sprachgebrauchs. Heidegger liebte es, in Lodenanzügen aufzutreten und mit den Studenten Ski zu fahren. Nahe bei Freiburg, in Todtnauberg, baute er sich eine Schwarzwaldhütte, in der er, fern von der Hektik des modernen Lebens, seine philosophische Inspiration suchte. Auch *Sein und Zeit* entstand hier, mit dem Blick auf einen Brunnen und die Almwiesen. Heidegger wurde nie ein »Mann von Welt«. Nur im alemannisch geprägten Südwesten Deutschlands fühlte er sich wirklich heimisch.

In Heideggers Kindheitswelt war der Einfluss der katholischen Kirche auf Leben und Erziehung allgegenwärtig. 1889 in Meßkirch, einer Kleinstadt am Südrand des Schwarzwaldes geboren, wurde Heidegger besonders durch die im Elternhaus vermittelte Religiosität geprägt. Es war auch die katholische Kirche, die seinen Erziehungsweg nicht nur bestimmte, sondern auch finanzierte. Mit einem kirchlichen Stipendium versehen ging er zunächst auf ein katholisches Internat in Konstanz. 1906 wechselte er auf das erzbischöfliche Konvikt in Freiburg. Das dortige Wohnrecht war mit der Verpflichtung verbunden, in Freiburg ein Theologiestudium anzuschließen und die Priesterlaufbahn einzuschlagen.

Dieses Studium nimmt Heidegger 1909 zwar auf, bricht es allerdings zwei Jahre später wieder ab. Er beginnt, sich innerlich von der katholischen Lehre zu distanzieren. Da er jedoch auf das Geld der Kirche angewiesen ist, schließt er einen Kompromiss und ist damit einverstanden, sein Studium mit dem Schwerpunkt »katholische Philosophie« fortzusetzen.

Heidegger konzentriert sich deshalb auf die christliche Philosophie des Hochmittelalters und habilitiert sich 1915 mit einer Arbeit über den mittelalterlichen Philosophen Duns Scotus. Erst 1919 sagt er sich offiziell von der Kirche los. Doch die Auseinandersetzung mit dem Glauben und mit theologischen Inhalten hat bleibende Spuren in seinem Denken hinterlassen. Begriffe der christlichen Morallehre wie »Gewissen« und »Schuld« tauchen in seiner späteren Philosophie ebenso auf wie die ursprünglich religiös motivierte Aufforderung zur Abkehr von der Welt und zur Hinwendung zu einer tieferen Schicht der Wirklichkeit.

So ist es auch nicht verwunderlich, dass seine eigene Philosophie mit einer Art Bekehrungserlebnis beginnt: Heidegger lernt das Werk Edmund Husserls, des Begründers der Phänomenologie, kennen. Husserl wollte die Philosophie wieder zu ihren Ursprüngen zurückführen und vom Ballast der akademischen Theorien befreien. Entsprechend lautete sein philosophischer Wahlspruch: »Zu den Sachen!« Zu den »Sachen«, den Phänomenen also, die unsere alltägliche Welterfahrung ausmachen, gelangen wir aber nur, wenn wir der Tätigkeit unseres Bewusstseins auf den Grund gehen. Husserl wollte mit dem Vorurteil aufräumen, dass das Bewusstsein eine Art Aufnahmeorgan ist, das sich nach und nach mit Inhalten füllt. Es gibt kein reines Subjekt und kein reines Objekt: Das Bewusstsein ist vielmehr von Anfang an mit den Gegenständen wie mit einer Klammer verbunden. Es ist, wie Husserl meint, immer schon auf Objekte »gerichtet«, es knüpft die wahrnehmbare Welt als ein Netz zwischen uns und den Dingen.

Husserl verwandte große Mühe darauf, eine phänomenologische Untersuchungsmethode und eine phänomenologische »Einstellung« zu entwickeln, in der die Tätigkeit und die »Gerichtetheit« des Bewusstseins in möglichst reiner Form sichtbar wird. Husserl wollte alle »Vorannahmen« und »Vorurteile« ausschalten, bis der Blick auf die reine Bewusstseinstätigkeit frei wurde, bis die Phänomene »sich zeigten«.

Schon der Student Martin Heidegger leiht sich Husserls frühes Hauptwerk, die *Logischen Untersuchungen*, zwei Jahre lang ununterbrochen aus der Freiburger Universitätsbibliothek aus. Nach dem Ersten Weltkrieg, als Husserl bereits von Göttingen auf einen Lehrstuhl in Freiburg gewechselt war, wird Heidegger schließlich sein Assistent. Die Phänomenologie wird seine neue philosophische Heimat. Der endgültige Abschied von einer christlichen Philosophie war vollzogen.

Doch der junge Universitätsdozent geht in seiner Lektüre und in seinem Denken schon früh eigene Wege. Er liest Werke von Vertretern der so genannten »Lebensphilosophie« wie Friedrich Nietzsche, Wilhelm Dilthey oder Henri Bergson, die die Aufmerksamkeit vom Bewusstsein und der reinen Verstandeserkenntnis weg auf Formen des gefühlsmäßigen und intuitiven »Verstehens« lenkten. Dilthey machte darauf aufmerksam, dass der Mensch nicht wie ein normales Objekt der Naturwissenschaften »erklärt« werden könne, sondern aus seinem Erleben und aus seinem kulturellen Schaffen heraus »verstanden« werden müsse. Bergson, einer der damals populärsten Philosophen Europas, untersuchte unter anderem die unterschiedlichen Formen, in denen wir »Zeit« erleben. Heidegger las aber auch den damals nur wenigen bekannten dänischen Theologen Sören Kierkegaard, der in seiner Schrift *Der Begriff Angst* die menschliche Freiheit mit der Grundstimmung der Angst in Verbindung gebracht und den Menschen aufgefordert hatte, durch eine grundsätzliche Wahl seiner Existenz einen Sinn zu geben.

Heideggers Hinwendung zu konkreten Phänomenen der menschlichen Existenz wurde durch die Zeitstimmung nach dem Ersten Weltkrieg befördert, die von Krisenbewusstsein, geistiger Orientierungssuche und Aufbruchsenthusiasmus geprägt war. Existenz- und Entscheidungsfragen standen überall auf der Tagesordnung. Schon in der Vorkriegszeit hatte er mit den Jugendbewegungen sympathisiert, die für Natürlichkeit, Authentizität und Abkehr von starren gesellschaftlichen Formen eintraten und nicht nur eine Erneuerung der gesellschaftlichen Institutionen, sondern auch eine »Lebensreform« des Einzelnen anstrebten.

So wurde Heidegger zu einem Phänomenologen besonderer Art. Von Husserl hatte er den Anspruch übernommen, den Zugang des Menschen zur Welt von Grund auf, von seinen ursprünglichen Bedingungen her zu untersuchen. Doch nicht das Bewusstsein wird für ihn der Untersuchungsgegenstand, sondern die Lebenswelt, das normale, alltägliche Leben des Menschen. Auf diese Lebenswelt richtete er seine ganz eigene Art des Philosophierens, die ihn schon als jungen Dozenten in Freiburg berühmt machte.

Die Studenten nannten ihn den »Zauberer von Meßkirch«, weil er philosophische Fragen an der Wahrnehmung alltäglicher Dinge entzünden konnte. So begann Heidegger, vor seinen Studenten über die Wahrnehmung des Katheders zu reden,und versuchte zu erklären, dass Betrachter und Gegenstand Teil einer gemeinsamen »Umwelt«, eines Beziehungsgeflechts von Gegenständen sind. Erst aus dieser Verflechtung heraus lässt sich die »Bedeutung« der Gegenstände erkennen. Was bei Husserl die Verklammerung von Subjekt und Objekt im Bewusstsein war, wurde bei Heidegger zu einer Verklammerung des Menschen mit den Dingen in einer gemeinsamen Umwelt.

Deshalb ist die Welt, die wir wahrnehmen und in der wir leben, so

Heideggers Erkenntnis, in einem ganz unmittelbaren Sinn immer die Welt des Menschen. Welt und Mensch stehen sich nicht gegenüber. Der Mensch ist immer schon Teil der Welt. Die großen Philosophen hatten die Wirklichkeitsgrundlagen dieser Welt immer in einem unveränderten »Sein« gesucht, in Ideen, Prinzipien, Kategorien. Angeregt von Bergson versuchte Heidegger nun, dieses »Sein« auf eine ganz neue Grundlage zu stellen. Diese neue Grundlage bestand in der »Zeit«. Da die Zeit aber mit Veränderung verbunden ist, konnte auch das Sein nicht mehr in unveränderlichen Prinzipien gesucht werden.

Als Heidegger 1923 als außerordentlicher Professor nach Marburg berufen wird, beginnt für ihn philosophisch und privat die aufregendste Zeit seines Lebens. 1924 lernt er die junge Philosophiestudentin Hannah Arendt kennen, die für einige Zeit seine Geliebte wird. Mit seinem Kollegen Karl Jaspers in Heidelberg bildet er eine »Kampfgemeinschaft«, die die akademische Philosophie mit einem neuen Stil und neuen Themen herausfordern will. Heidegger lebt zeitweise beflügelt, in einem kreativen Rausch.

Als Ergebnis dieser höchst produktiven Lebensatmosphäre begann das Werk konkrete Gestalt anzunehmen, mit dem er vom Geheimtipp zum deutschen Philosophenkönig aufsteigen sollte. Das Projekt von *Sein und Zeit* entwickelte sich aus Heideggers eigenständiger Auseinandersetzung mit der Phänomenologie Husserls, aber auch angeregt durch die Stimmungen und Lebensfragen der Epoche.

Den letzten Anstoß zur Abfassung des Werks gab jedoch die Universität selbst. Seit 1925 war die Stelle eines ordentlichen Philosophieprofessors in Marburg neu zu besetzen. Heidegger schien die selbstverständliche erste Wahl zu sein. Doch um eine positive Entscheidung des Kultusministeriums zu erhalten, musste er zumindest eine wichtige Veröffentlichung vorlegen. Seit 1916 seine Habilitationsschrift erschienen war, hatte er kein einziges Werk publiziert.

Es waren die Unterlagen zu seinen Lehrveranstaltungen, ausgearbeitete Vorlesungen und für die Universität verfasste Vorträge, aus denen Heidegger schließlich das Manuskript von *Sein und Zeit* herstellte. Am 25. Juli 1924 hatte er vor der Marburger Theologischen

Gesellschaft einen Vortrag über den »Begriff der Zeit« gehalten, der wegen seines Umfangs nicht als Aufsatz veröffentlicht worden war. Heidegger hatte ihn zu einer fünfundsiebzigseitigen Abhandlung erweitert. Im Sommersemester 1925 griff er die gleiche Thematik in einer Vorlesung unter dem Titel »Geschichte des Zeitbegriffs« wieder auf. Hier sprach er auch zum ersten Mal Fragen wie »Tod« und »Gewissen« an. In den Semesterferien arbeitete er diese Themen auf seiner Hütte in Todtnauberg in den Text ein.

Der Durchbruch zu einem umfangreichen Buchmanuskript erfolgte im März 1926. Eine erste Sendung ging im April in den Druck. Weitere Teile arbeitete er im Laufe des Jahres 1926 aus, um sie am 1. November beim Verlag einzureichen. Es blieb ein Rest, darunter eine Auseinandersetzung mit Kant, Descartes und Aristoteles, der nicht mehr fertig gestellt und in späteren Publikationen verarbeitet wurde. Das Erscheinen des Buches machte den Weg frei für Heideggers Berufung zum ordentlichen Professor. Die Berufung, die vorher bereits zwei Mal vom Ministerium abgelehnt worden war, erfolgte schließlich im Oktober 1927.

Wer immer *Sein und Zeit* zum ersten Mal liest, wird sich an Heideggers ungewöhnliche Sprache gewöhnen müssen. Heidegger gehört zu den großen Sprachschöpfern, aber auch Sprachumformern in der Philosophie. Vertraute Begriffe wie »Dasein« oder »Sorge« erhalten eine völlig neue oder eine abgewandelte Bedeutung. Oft beruft sich Heidegger dabei auf einen ursprünglichen, etymologisch begründeten Wortsinn. Aber auch völlig neue Wortprägungen wie das »Man« oder das »Zuhandene« sind eine Herausforderung für den Leser. Kein wichtiger Begriff, den Heidegger verwendet, sollte in seiner normalen Alltagsbedeutung verstanden oder vorausgesetzt werden.

Sein und Zeit beginnt mit der Frage nach dem »Sinn von Sein«, eine Frage, die das Buch letztlich nicht beantworten wird. Das Sein als die Grundlage der Wirklichkeit ist nach Heidegger nicht, wie von den meisten Philosophen geglaubt, ein »Seiendes«, das heißt eine beschreibbare und definierbare Sache. Dennoch führt der Weg zu diesem Sein über das Seiende, allerdings über ein ganz besonderes Seiendes, nämlich den Menschen. Der Mensch ist für Heidegger die

Brücke zum Sein, weil er das einzige Wesen ist, das die Frage nach dem Sein stellt, weil er ein »Seinsverständnis« hat und deshalb über den bloßen Status als Ding oder Sache hinausreicht. Der Mensch hat von daher eine besondere Seinsweise, die Heidegger »Dasein« nennt. Die Untersuchung oder, wie Heidegger sagt, die »Fundamentalanalyse des Daseins« ist das eigentliche Thema von *Sein und Zeit* geworden.

Mit dem »Dasein« kommt auch der vielleicht berühmteste Begriff von *Sein und Zeit* ins Spiel: die »Existenz«. Existenz ist für Heidegger nicht nur einfach die Tatsache des Lebens oder Existierens. Sie ist vielmehr die Verbindung zwischen dem Dasein und dem Sein. Der Begriff ist bei Heidegger in seinem ursprünglichen lateinischen Wortsinn zu verstehen. »Ex-sistere« heißt wörtlich »herausstehen«. Der Mensch ragt aus der normalen Welt der Dinge dadurch heraus, dass er ein Verhältnis zum Sein entwickeln kann. Existenz ist ein bewusstes, erfülltes, dem Sein zugewandtes Dasein.

Heidegger will hier in der Tat einen neuen, revolutionären Weg gehen. Er will das Sein nicht »hinter« den Dingen oder »außerhalb« der Dinge suchen, sondern in einem bestimmten Vollzug des menschlichen Lebens, in der Art, wie der Mensch seine Existenz gestaltet. Von dem »Sein des Daseins« her soll dann der »Sinn von Sein« insgesamt erschlossen werden.

Was dem Leser letztlich als Gesamtdarstellung vorliegt, sind zwei große Abschnitte dessen, was Heidegger ursprünglich als ersten Teil vorgesehen hatte: In der »vorbereitenden Fundamentalanalyse des Daseins« wird die alltägliche Art analysiert, wie der Mensch in der Welt lebt. Im zweiten Abschnitt, betitelt »Dasein und Zeitlichkeit«, geht es darum, wie der Mensch vor dem Hintergrund der Zeit seine Existenz verwirklichen, wie er sich dem Sein zuwenden kann. Ein ursprünglich vorgesehener dritter Abschnitt, der die Schlussfolgerung dieser Analysen unter dem Titel »Zeit und Sein« enthalten sollte, fehlt. Ebenso fehlt ein umfangreich geplanter zweiter Teil, der den Begriff des Seins in der Philosophiegeschichte beleuchten wollte.

Heidegger beginnt mit einer »Daseinsanalytik«, also einer Analyse dessen, was den Menschen von anderem »Seienden« unterscheidet. Im Mittelpunkt steht dabei nicht der bewusste, sich selbst verwirklichende Mensch, sondern der normale Alltagsmensch, der in seine gewohnte Welt eingebunden ist und sein Leben nicht als Problem empfindet. Für diesen Zustand hat Heidegger den Begriff »Uneigentlichkeit« eingeführt. Dem steht die »Eigentlichkeit« entgegen, der Zustand, in dem der Mensch auf die Bedingungen seiner Existenz bewusst reagiert.

Um die Bedingungen des normalen Alltagslebens zu analysieren, stützt sich Heidegger vor allem auf zwei Ansätze: auf Husserls phänomenologische »Einstellung«, die sich nun auf die Lebenswelt richtet; und auf Wilhelm Diltheys »Hermeneutik«, die Lehre vom Verstehen des menschlichen Erlebens. Heidegger will eine »Daseinshermeneutik« betreiben, das heißt, er will die Art, wie Dinge und Menschen in alltäglichen Verrichtungen aufeinander bezogen und miteinander verflochten sind, aufdecken und in einer neuen Weise interpretieren, so dass Aussagen über den Menschen insgesamt möglich werden.

Heidegger fasst die Grundbeziehungen des menschlichen Lebens mit dem Begriff »In-der-Welt-sein« zusammen. Dazu gehören zum einen die Beziehungen des Menschen zu den Dingen und zum anderen die Beziehungen des Menschen zu anderen Menschen. Der Mensch befindet sich immer in einer »Situation« gegenüber Dingen und anderen Menschen. Wenn wir das Wesentliche am Menschen erfassen wollen, müssen wir den Blick auf die Grundsituationen des Menschen freilegen.

Die Dinge sind wie der Mensch Teil einer gemeinsamen »Umwelt«, in der beide aufeinander bezogen sind und beide aufeinander verweisen. Der Bezug der Dinge zum Menschen entsteht durch den Gebrauch und den Nutzen. Deshalb bezeichnet Heidegger die Dinge auch als »Zeug«. Es ist dies eine seiner typischen Wortschöpfungen. Ganz bewusst erinnert sie an Begriffe wie »Werkzeug« oder »Schreibzeug«. Das Zeug ist für den Menschen ein Instrument, es hat eine Funktion in seinem Leben. Es dient zu etwas. Die Dinge sind nicht, wie die traditionelle Philosophie dachte, einfach »vorhanden«. Sie sind vielmehr »zuhanden«, sie sind dazu da, dem Menschen »zur Hand« zu sein. Die menschliche Umwelt ist durch »Zuhandenheit«

geprägt, durch eine Vertrautheit, die durch den täglichen Umgang entstanden ist.

Ein anderes Merkmal des »In-der-Welt-seins« ist das »Mitsein«, die Tatsache, dass der Mensch nie alleine lebt, sondern immer auf andere Menschen bezogen ist. Allerdings hat dieses »Mitsein« im Alltag eine ganz bestimmte Form angenommen, nämlich die der Angepasstheit und Konformität. Statt dass wir selbst in der Auseinandersetzung mit anderen unserem Leben eine bestimmte Richtung geben, versuchen wir, nicht aufzufallen, und bemühen uns so, wie die anderen zu sein. Wir geben die Verantwortung für unser Leben an eine merkwürdig gesichtslose und neutrale Instanz ab, sei es der Zeitgeist, der Massengeschmack oder die Sitte.

Heidegger nennt diese Instanz das »Man«, ein Begriff, dem er die Bedeutung und Funktion eines Substantivs verleiht. Damit gemeint ist jene konkret nie greifbare öffentliche Autorität, die sich in Forderungen wie »Man tut dies« oder »Man tut dies nicht« äußert. Die »Diktatur des Man«, von der Heidegger spricht, ist die Diktatur der Durchschnittlichkeit, die den Menschen an seiner Selbstverwirklichung hindert. Das Man ist für Heidegger ein normaler Bestandteil des menschlichen Lebens, aus dem wir uns nie völlig lösen können. Wir können uns aber in einer bewussten Weise dazu verhalten, wir können die Herrschaft, die das Man über unser Leben ausübt, beenden.

Heideggers Analyse des Man gehört zu den berühmtesten Passagen des Buches. Sie traf sich mit der Kritik an der Anonymität der modernen Massengesellschaft, wie sie zum Beispiel auch wenige Jahre später in dem Hauptwerk des spanischen Philosophen Ortega y Gasset, *Der Aufstand der Massen*, geübt wurde. Auch Heidegger ist immer ein Gegner der modernen Lebensformen geblieben, der urbanen, pluralistischen Welt, wie sie sich vor allem in den Großstädten herausgebildet hatte. Seine Ablehnung betraf sowohl die Demokratie als politische Lebensform als auch die mediengeprägte Öffentlichkeit mit ihren schnelllebigen Nachrichten oder Trends. Die Moderne war für Heidegger ein Ort des »uneigentlichen« Lebens.

In diesen Zusammenhang einer Kritik am uneigentlichen Leben

gehört auch ein anderes, ebenso berühmtes Kapitel aus *Sein und Zeit*, in dem es um das »Gerede« und die »Neugier« geht. Mit »Gerede« oder »Neugier« meint Heidegger Formen der oberflächlichen Kommunikation, die das Verständnis zwischen Menschen eher verhindern, als es herzustellen. Alles wird nur unter dem Gesichtspunkt gesehen, ob es als Neuigkeit oder Nachricht verwertbar ist. »Gerede und Neugier«, so Heidegger, »sorgen in ihrer Zweideutigkeit dafür, dass das echt und neu Geschaffene bei seinem Hervortreten für die Öffentlichkeit veraltet ist.« Wenn wir in diesen Kommunikationsformen verbleiben, so ist das Dasein »verfallen«. »Verfallensein« ist für Heidegger ein Merkmal des uneigentlichen Daseins. Der Mensch ist durch die Formen der alltäglichen Kommunikation, besonders aber durch die Versuchung der modernen Kommunikations- und Medienwelt ständig in Gefahr, von sich selbst abgelenkt zu werden, von sich selbst »abzufallen«.

Die verschiedenen Formen des In-der-Welt-seins binden uns zunächst an ein entfremdetes, uneigentliches Leben. »Das In-der-Welt-sein«, so Heidegger, »ist immer schon verfallen.« Der Mensch ist in die Welt geworfen, er hat sich selbst nicht dorthin gestellt. Aber diese »Geworfenheit«, wie Heidegger sie nennt, hat zwei Seiten: Sie setzt uns den Gegebenheiten aus, aber sie enthält auch den Aspekt der Offenheit, die Möglichkeit eines eigenen Lebensentwurfs.

Dieser Doppelaspekt der Geworfenheit und des Entwerfen-Könnens steckt auch in dem Begriff der »Sorge«, mit dem Heidegger die wesentlichen Aspekte des Daseins zusammenzufassen versucht. Auch hier weicht er von unserem normalen Sprachgebrauch ab. Er meint damit nicht so etwas wie »Kummer«, sondern den zielgerichteten, planenden Umgang des Menschen mit der Welt, wie er zum Beispiel durch das Wort »besorgen« ausgedrückt wird. Während wir uns zu den Dingen der Umwelt »besorgend« verhalten, sind wir dem Mitmenschen in »Fürsorge« verbunden, das heißt, wir beziehen den anderen als gleichwertiges Dasein in unsere Lebensplanung mit ein.

Die »sorgende« Beziehung zur Umwelt ist nach Heidegger auch die Bedingung dafür, dass der Mensch ein ganz eigenes Verhältnis zum Sein aufbauen, also eine Existenz führen kann. Denn in dem planenden, Dinge und Menschen ins eigene Leben einbeziehenden Umgang kommt eine neue Dimension ins Spiel, die im Mittelpunkt des zweiten Teils steht: die Zeit. In der Sorge ist immer ein erinnerndes und ein vorausschauendes Element enthalten, also eine Beziehung zur Vergangenheit und zur Zukunft. Dass menschliches Dasein zeitliches Dasein ist, rückt die von Heidegger im ersten Teil seines Buches vorgenommene Daseinsanalyse in ein neues Licht. Nun geht es darum, wie, im Horizont der Zeit, der Mensch aus den alltäglichen Bezügen, in denen er steht, aus dem In-der-Welt-sein zu einem selbstbestimmten Leben findet.

Diese menschliche Selbstverwirklichung, die bei Heidegger Verwirklichung der »Eigentlichkeit«, des »Selbst« oder der »Existenz« heißt, ist nicht nur eine Abkehr von Anonymität, Oberflächlichkeit und Konventionen, sie ist vor allem begleitet von dem Bewusstsein der Endlichkeit des Lebens, von einem ständig vorhandenen Zeitbewusstsein. *Sein und Zeit* schreitet den Weg zu diesem Bewusstsein ab. Er führt über die Grundstimmung der Angst, über die Annahme des Todes als Horizont des Lebens, über den »Ruf des Gewissens« bis zur »Entschlossenheit«, mit der der Mensch seine Existenz ergreift.

Dass der Mensch frei ist, sein eigenes Leben zu gestalten, dass sein »Verfallensein« nicht das letzte Wort ist, sondern dass man vorgegebene Bindungen und Beziehungen auch bewusst gestalten kann, macht sich, noch vor aller rationaler Einsicht, in Stimmungen bemerkbar. Stimmungen sind für Heidegger wie Fühler, mit denen wir Kontakt zur Welt herstellen. Dabei spielt die Grundstimmung der Angst eine besondere Rolle.

Kierkegaard hatte die Angst als ein unbestimmtes Gefühl beschrieben, das dem Menschen seine Sündhaftigkeit, aber damit auch seine Freiheit und Verantwortung gegenüber Gott offenbart. Auch bei Heidegger ist Angst im Gegensatz zu Furcht eine unbestimmte Stimmung, die sich nicht auf einen bestimmten Vorgang oder Gegenstand richtet. Es ist die Angst vor dem Unbekannten eines selbst gestalteten, offenen Lebens. Die Selbstverständlichkeiten des Lebens geraten ins Schwanken, das Nichts bricht auf und damit aber auch die Möglichkeit, das entstandene Vakuum zu füllen, die Möglichkeit, die eigene

Existenz selbst zu wählen. Die Angst, so schreibt Heidegger, offenbart »das Freisein für die Freiheit des Sich-selbst-Wählens«.

Dieses Erwachen des Menschen zum Freiheitsbewusstsein ist begleitet von der Wahrnehmung der eigenen Sterblichkeit. Unter der Herrschaft des Man wird der Tod aus dem Leben verdrängt. Wenn Heidegger sagt, dass das Leben ein »Vorlaufen« auf den Tod ist, dann meint er nicht nur die banale Tatsache, dass am Ende unseres Lebens der Tod steht. Die Zeit ist bei Heidegger kein Raum, den wir durchschreiten, sondern sie ist in uns, sie durchzieht wie ein roter Faden unser Selbstverständnis, unsere »Lebensanschauung«. Die Zeit ist etwas, das vom Menschen vollzogen wird.

Um sie als Vorgang und Vollzug kenntlich zu machen, prägt Heidegger das Wort »zeitigen«. Indem wir uns der eigenen Sterblichkeit bewusst werden, nehmen wir auch die Zeit bewusst in unser Lebensverständnis auf. Das menschliche Leben, das Dasein, ist ein »Sein zum Tode« in dem Sinne, dass es mit der Erkenntnis seiner Grenzen auch die Lebensintensität und die Dringlichkeit eines eigenen Lebensentwurfes erhöht.

Diese Dringlichkeit wird dem Menschen nicht allmählich bewusst, sondern in einem Appell, einem Aufruf, den er quasi an sich selbst richtet. Heidegger verwendet hier Begriffe wie »Gewissen« und »Schuld«, entkleidet sie aber von der traditionellen moralischen und religiösen Bedeutung. Als »Ruf des Gewissens« bezeichnet er das Aufwachen aus der konventionellen Lebensweise des Man. Mit »Schuld« meint er das Bewusstsein, etwas aus sich machen zu müssen, seinen eigenen Existenzmöglichkeiten etwas »schuldig« zu sein.

Der Mensch ist in das Dasein geworfen. Der Ruf des Gewissens, der ihn an seine »Schuld« erinnert, bringt ihn jedoch dazu, nicht passiv zu bleiben, sondern auf die Herausforderung des Daseins mit einem eigenen Entwurf zu antworten, also das Dasein zur Existenz zu machen. In der Annahme dieser Herausforderung liegt die »Entschlossenheit«. In der für Heidegger eigentümlichen Sprache lautet dies: »Entschlossenheit besagt: Sichvorrufenlassen auf das eigenste Schuldigsein.« Der Mensch muss sich nach Heidegger stellen: Ein Verhältnis zum Sein, eine eigenständige Existenz führt er nur dann, wenn er im Bewusstsein der Zeit lebt, wenn er im Bewusstsein seiner Vergangenheit, im Ergreifen der Gegenwart und im Hinblick auf seine Möglichkeiten in der Zukunft lebt. Wer sich der Diktatur des Man unterwirft, vergisst seine Vergangenheit und verliert sich in alltäglichen »Besorgungen«.

Viele hat es irritiert, dass *Sein und Zeit* keine Antwort auf die Frage gibt, *wozu* man sich in seinem Lebensentwurf entscheiden soll, wie die Existenz, das selbstbestimmte Dasein inhaltlich aussieht. Doch die Botschaft des Buches ist vielmehr: Wichtig ist nicht, *wozu* du dich entscheidest, sondern *dass* du dich der Herausforderung des Lebens stellst und einen eigenen Lebensentwurf wählst, der nicht im Man, in Konventionen und Belanglosigkeiten, stecken bleibt. *Sein und Zeit* ruft zu einer Lebenshaltung, zu einer Entscheidung und zu einer Wahl auf. Wie diese Entscheidung aussieht, bleibt dem Einzelnen überlassen.

Mit der These, dass das Verhältnis des Daseins zum Sein immer durch die Zeit geprägt ist, deutet sich zumindest an, in welcher neuen Weise Heidegger auch den Begriff des »Seins« versteht. Ein ewiges, unveränderliches Sein oder ein Leben, das sich an einem unveränderlichen, zeitunabhängigen Maßstab ausrichtet, gibt es bei ihm nicht mehr. »Sein« und »Zeit« stehen in einem engen Zusammenhang. Wie dieser Zusammenhang genau zu erklären ist, erfährt der Leser allerdings nicht. Heideggers Buch bricht mit Fragen ab: »Führt ein Weg von der ursprünglichen Zeit zum Sinn des Seins? Offenbart sich die Zeit selbst als Horizont des Seins?«

Weil diese Fragen nicht mehr erörtert werden, ist *Sein und Zeit* auch nicht die von Heidegger in der Einleitung angekündigte »Fundamentalontologie« geworden. Stattdessen enthält das Werk eine Theorie über den Menschen und sein Verhältnis zur Welt, in der die Möglichkeiten individueller Selbstbestimmung und Selbstverwirklichung im Mittelpunkt stehen.

Die Schrift erschien im April 1927 als Band VIII des von Husserl herausgegebenen *Jahrbuchs für Philosophie und phänomenologische Forschung*. Versehen mit der Widmung »Edmund Husserl in Verehrung und Freundschaft zugeeignet«, wurde es eines der berühmtesten Fragmente der Philosophiegeschichte. Heidegger ebnete mit diesem Werk den Weg für seine akademische Karriere, aber er trat damit auch erstmals für eine breitere Öffentlichkeit in Erscheinung. Die Veröffentlichung des Buches etablierte seinen Ruf als einer der maßgeblichsten Philosophen seiner Zeit, ein Ruf, den er selbst beschädigte, als er sich 1933 den Nazis anschloss und die Widmung für seinen Lehrer Edmund Husserl, der jüdischer Abstammung war, aus dem Buch tilgte.

Sein und Zeit wurde zu einem der einflussreichsten Werke der Philosophie des 20. Jahrhunderts. Als Gründungsurkunde der Existenzphilosophie trat es vor allem in Deutschland und Frankreich eine Lawine los. Jean-Paul Sartres Hauptwerk *Das Sein und das Nichts* war das erste bedeutende Werk, das sich in seinen Fragen und Themen unmittelbar daran anschloss. Aber auch Hans-Georg Gadamers Neubegründung einer philosophischen Hermeneutik baut auf Heideggers frühem Hauptwerk auf.

Beim späteren Heidegger trat das Thema der Existenz des Menschen in den Hintergrund zugunsten des Versuchs, den Begriff »Sein« neu zu bestimmen. Heidegger als Kritiker einer an Vernunft und Geist ausgerichteten Metaphysik wurde nun auch zu einem der philosophischen Väter der Postmoderne.

Sein und Zeit ist dennoch Heideggers großer Wurf geblieben, ein Buch, das wie kaum ein anderes philosophisches Werk schwierige Analysen mit dem Charakter eines an jeden Menschen persönlich gerichteten Appells verbindet. Es ist ein philosophischer Weckruf, eine Aufforderung zum Aussteigen aus dem, was uns am eigenen, selbst gewählten Leben hindert.

Ausgabe:

MARTIN HEIDEGGER: Sein und Zeit. Tübingen: Niemeyer [18]2001.

Abrechnung mit dem totalitären Denken

KARL R. POPPER: Die offene Gesellschaft und ihre Feinde (1945)

Dass sich philosophische Werke, unbeeinflusst von aktuellen Ereignissen, mit den »ewigen« Problemen der Menschheit befassen und den Trubel der Welt mit souveräner Missachtung strafen – dies ist eines der Vorurteile, das durch *Die offene Gesellschaft und ihre Feinde* eindrucksvoll widerlegt wird. Auch große Philosophie wird zuweilen unmittelbar durch das Weltgeschehen angeregt und erhebt den Anspruch, auf dieses Geschehen Einfluss zu nehmen.

Am 12. März 1938, fünf Jahre nach der Machtübernahme der Nazis in Deutschland, marschierten Hitlers Truppen in Österreich ein. Drei Tage später trat Hitler selbst auf dem Balkon der Wiener Hofburg vor die Öffentlichkeit und beschwor vor Hunderttausenden jubelnder Anhänger die Treue Österreichs zur »großen deutschen Volksgemeinschaft«. Auf der anderen Seite des Globus, im neuseeländischen Christchurch, beobachtete ein aus Wien emigrierter Wissenschaftler jüdischer Abstammung die politische Entwicklung in Mitteleuropa mit großer Aufmerksamkeit und Sorge: der sechsunddreißigjährige Philosoph Karl Raimund Popper, der ein Jahr zuvor mit seiner Frau über England nach Neuseeland gekommen war, um dort eine Dozentenstelle anzutreten. In Wien hatte er seine Mutter und viele andere Familienmitglieder zurückgelassen.

Die Bilder vom Einzug Hitlers in seiner Heimatstadt vor Augen, entschloss sich Popper, den Diktaturen Hitlers und Stalins, die ihren Schatten über ganz Europa geworfen hatten, eine philosophische Antwort entgegenzusetzen. Sie kostete ihn viele Jahre. Unter den widrigsten Umständen des Exils und des Krieges entstand eines der wichtigsten Werke der politischen Philosophie des 20. Jahrhunderts:

Die offene Gesellschaft und ihre Feinde. Es wurde kein akademisches Buch. Jede Zeile ist mit dem Herzblut eines Mannes geschrieben, der ein existenzielles Anliegen vertritt: Es ging um eine Parteinahme im Kampf zweier gegensätzlicher politischer Kulturen im Wertestreit zwischen westlicher Demokratie und Totalitarismus. Der Gegner saß in diesem Fall nicht hinter Universitätsmauern, sondern zertrampelte mit seinen Armeen Zivilisationen, mordete, folterte und baute Konzentrationslager.

Popper legte eine umfassende Kritik der philosophischen Väter des Totalitarismus, aber auch eine Formulierung der Prinzipien vor, auf denen eine demokratische Nachkriegswelt aufbauen sollte. Mit dem Begriff der »offenen Gesellschaft« gab er das Stichwort für eine Verteidigung der Demokratie, in der die Macht kontrolliert und soziale Gerechtigkeit auf der Grundlage der individuellen Freiheit verwirklicht wird.

Es war ein ehrgeiziges Unternehmen, das Popper selbst ohne falsche Bescheidenheit so charakterisierte: »Der Bereich der philosophischen Themen, die alle in einer äußerst verständlichen Art behandelt werden, ist umfangreicher als in jedem anderen Buch, das ich kenne. Es behandelt die Philosophie der Geschichte und der Politik, es kritisiert die Grundlagen der Ethik, es wirft ein neues Licht auf die Geschichte der Zivilisation ..., es behandelt Probleme der modernen Logik ..., es führt eine neue und praktische Sicht der sozialwissenschaftlichen Methode ein ... und es ist nie oberflächlich.«

Die offene Gesellschaft und ihre Feinde war die Antwort einer liberalen und aufklärerischen politischen Philosophie auf die ideologischen Kämpfe des 20. Jahrhunderts, aber sie führte auch weit darüber hinaus.

Ein aufmerksamer Beobachter und Teilnehmer der politischen Szene war der klein gewachsene und selbstbewusst auftretende Sohn eines bekannten Wiener Rechtsanwalts schon lange vorher gewesen. Auch die Auseinandersetzung mit totalitärem Denken hatte Popper bereits in jungen Jahren persönlich geführt. 1902 in Wien geboren, erlebte er als Kind gerade noch die letzten Jahre der Donaumonarchie mit. Wie seine ganze Generation, so erfasste auch ihn am Ende des Ersten Weltkriegs die allgemeine Aufbruchsstimmung, die besonders das »rote Wien« in den Gründerjahren der ersten österreichischen Republik beherrschte. In einer Stadt, in der Armut, Arbeits- und Obdachlosigkeit an der Tagesordnung waren, schloss er sich bereits mit sechzehn Jahren der kommunistischen Arbeiterbewegung an, angetrieben von dem Ziel, für soziale Gerechtigkeit und eine grundlegende gesellschaftliche Umgestaltung zu kämpfen.

Doch schon ein Jahr später, im Juni 1919, hatte er das, was er später als ideologisches »Schlüsselerlebnis« bezeichnete: Er nahm an einer Demonstration der Kommunistischen Partei teil, bei der ein Dutzend Teilnehmer von der Polizei erschossen wurde. Popper empfand dieses Blutvergießen als tragisch und fühlte sich mitschuldig. Die Erklärung der Parteifunktionäre, die Opfer seien für eine zukünftige und unvermeidliche Weltrevolution gestorben, stand seinen moralischen Grundüberzeugungen entgegen. In dem Glauben der Kommunisten an die Weltrevolution und an den »notwendigen historischen Fortschritt« sowie in ihrer Bereitschaft, dafür auch Menschenopfer zu bringen, sah er eine Geringschätzung des Menschen.

Popper wandte sich vom Kommunismus ab. Er entwickelte von nun an ein grundlegendes Misstrauen gegen die Überzeugung, dass die Geschichte von unveränderlichen Gesetzen bestimmt werde, dass es möglich sei, ihren Verlauf vorauszusagen, und dass es Aufgabe einiger Auserwählter sei, die Menschen zu »führen« und sie zur »Einsicht in die Notwendigkeit« zu bringen.

Dem gesellschaftlichen Engagement und Ziel umfassender sozialer Reformen blieb der junge Popper dennoch verpflichtet. Er entschloss sich, als Street-Worker zu arbeiten und sich gleichzeitig einer Lehrerausbildung zu unterziehen. Daneben fand er auch noch Zeit, ein Psychologie- und Philosophiestudium an der Universität zu absolvieren, das er mit der Promotion abschloss. Als er 1930 eine Stelle als Hauptschullehrer antrat, hatte sich sein Interesse einem Thema zugewandt, das auch im Mittelpunkt des berühmten Wiener Kreises um Moritz Schlick und Rudolf Carnap stand: Worin besteht der wissenschaftlich gesicherte Erkenntnisfortschritt und wie unterscheiden sich wissenschaftliche von nichtwissenschaftlichen Theorien?

Als Zeuge und Kritiker des Wiener Kreises entwickelte Popper seine ganz eigene Antwort auf diese Fragen in einem Buch, das ihm große Anerkennung in den etablierten Zirkeln der akademischen Philosophie verschaffte. 1935 erschien die *Logik der Forschung*, mit der er zum Begründer der modernen Wissenschaftstheorie werden sollte. Unser Wissen über die Welt, so Popper, macht dadurch Fortschritte, dass wir unsere Theorien mit der Erfahrung konfrontieren, sie dort scheitern lassen und dann nach besseren Theorien suchen. Wissenschaftlich sind unsere Theorien genau dann, wenn sie ein solches Scheitern erlauben, wenn sie also widerlegbar oder, wie Popper sagt, »falsifizierbar« sind. Die Kritik, die Suche nach Widerlegbarkeit, wird damit zum Motor des menschlichen Fortschritts. Eine kritische Vernunft, die sich um die Lösung konkreter Probleme bemüht, stand von nun an im Zentrum des Popperschen Denkens.

Der Ruf, den er mit der *Logik der Forschung* erworben hatte, erlaubte es Popper, Kontakte zu knüpfen und im Ausland eine akademische Anstellung zu finden. Namhafte Philosophen und Wissenschaftler wie Bertrand Russell, Niels Bohr oder Rudolf Carnap schrieben Gutachten für ihn, die ihm schließlich die Stelle eines Philosophiedozenten am Canterbury College in Christchurch verschafften. Das in den dreißiger Jahren bedrohlich sich verschärfende Klima des Nationalismus und Antisemitismus hatte ihn zu diesem Schritt veranlasst, aber auch die Gelegenheit, an der Universität Fuß zu fassen.

Popper, wegen seiner österreichischen Herkunft in Neuseeland zunächst als »enemy alien«, als »feindlicher Ausländer«, eingestuft, hielt sich in seinem Gastgeberland zunächst von der Politik fern. Er lebte zurückgezogen, widmete sich der akademischen Lehre und arbeitete an einem Handbuch der Logik. Nach Neuseeland war er auch nicht als politischer Philosoph, sondern als aufgehender Stern der Wissenschaftstheorie gekommen.

Dennoch hatte er ein Manuskript im Gepäck, in dem er seine Kritik am Kommunismus aufgearbeitet und durch die Erfahrung mit dem in Mitteleuropa sich ausbreitenden Faschismus ergänzt hatte. Kommunismus und Faschismus waren für ihn durch gemeinsame

Grundüberzeugungen verbunden. Eine der wichtigsten davon nannte er »Historizismus«. Gemeint war damit der Glaube an die Gesetzmäßigkeit und Voraussagbarkeit sozialer und geschichtlicher Abläufe. Zwischen dieser historizistischen Geschichtsauffassung und der totalitären Bedrohung sah Popper einen engen Zusammenhang.

Kommunisten und Faschisten erhoben in ähnlicher Weise den Anspruch, Herren der Geschichte und des Schicksals der Völker zu sein. Ob nun eine auserwählte Klasse oder eine auserwählte Rasse: Hitler und Stalin, angeblich Feinde, betrieben beide die Vergötterung des Staates, die Verherrlichung des Krieges und die Verachtung des Individuums und seiner Freiheit. Statt eines friedlichen, vom offenen Austausch der Ideen und Güter geprägten Zusammenlebens der Völker pflegten sie nationalistisches Stammesdenken, das mit der Anmaßung verbunden war, »auserwählt« zu sein und auf der richtigen Seite der Geschichte zu stehen.

Das Manuskript, das Popper nach Neuseeland mitgebracht hatte, war ein Vortrag, den er 1936 in London gehalten und in dem er sich mit den historizistischen Grundauffassungen auseinandergesetzt hatte. Er wurde einige Jahre später unter dem Titel »Das Elend des Historizismus« veröffentlicht. Dabei übertrug er seine wissenschaftstheoretischen Erkenntnisse auf den Bereich der Geschichte, der Sozialwissenschaften und des politischen Handelns.

Es gibt nach Popper keine historischen Gesetze, die sich in ihrem wissenschaftlichen Anspruch mit Naturgesetzen vergleichen lassen. Wir können immer nur einzelne historische Tendenzen, aber niemals den Gang der Geschichte als Ganzes begreifen, wie dies die großen Geschichtsphilosophen des 19. Jahrhunderts, Hegel und Marx, beansprucht hatten. Die Zukunft, das war Poppers feste Überzeugung, ist offen und hängt von uns selbst ab. Wir sind nicht durch die Fesseln einer historischen Notwendigkeit gebunden.

Eine ausgearbeitete und in Englisch geschriebene Fassung von *Das Elend des Historizismus* hatte Popper 1938 abgeschlossen. Als er mit den Arbeiten zur *Offenen Gesellschaft* begann, stützte er sich auf die Thesen dieser Schrift, die erst 1944 erscheinen konnte.

Als nach der Annexion Österreichs immer mehr Hilferufe aus der alten Heimat bei Popper eintrafen und Freunde, Bekannte und Verwandte ihn baten, für sie eine Einreisegenehmigung nach Neuseeland zu erwirken, versuchte Popper zunächst, praktische Hilfe zu leisten. Er gründete mit Gleichgesinnten ein »jüdisches Flüchtlingskomitee« und schaffte es immerhin, etwa sechsunddreißig Familien die Ausreise zu ermöglichen. Doch es war ein mühsamer Kampf mit der Bürokratie. Neuseeland betrieb eine höchst restriktive Einreisepolitik und empfing Flüchtlinge nicht gerade mit offenen Armen. Erst nach den Novemberpogromen der Nazis nahmen die neuseeländischen Vertretungen Visumanträge an. Als der Krieg begann, war auch diese Art der Hilfe nicht mehr möglich. Poppers Mutter war 1938 in Wien gestorben und seiner noch lebenden Schwester war es gelungen, über Frankreich in die Schweiz zu gelangen.

Probleme der Logik und Wissenschaftstheorie traten nun endgültig in den Hintergrund. Das Buch, das Popper stattdessen von 1938 an in Angriff nahm, entstand unter den schwierigsten Umständen. Beim Schreiben stand ihm der Krieg immer vor Augen: Neuseeland blieb zwar, obwohl Kriegsteilnehmer, lange als Schauplatz von Kämpfen verschont. Aber bis 1942 stießen die Japaner im Pazifik vor, und es war keineswegs sicher, wie lange man in Neuseeland selbst noch unbehelligt arbeiten konnte.

An der Universität betrachtete man sein Projekt mit Misstrauen. Poppers Dozentenstelle war nicht für die Forschung, sondern nur für die Lehre ausgeschrieben worden und die Universitätsleitung sah es höchst ungern, dass ein Ausländer, der als Lehrkraft eingestellt worden war, seine Zeit mit Bücherschreiben verbrachte. Papier wurde während des Krieges rationiert und Popper musste für jedes Blatt, das er aus der Universität mitnahm, bezahlen. Auch die Möglichkeiten, Literatur für seine Arbeit zu beschaffen, waren äußerst begrenzt. Aus Wien hatte er nur wenige Bücher aus der Bibliothek seines Vaters retten können und die spärlichen Bestände der Universitätsbibliothek in Christchurch halfen ihm kaum weiter. Literatur von außen zu beschaffen erwies sich während des Krieges als beinahe unmöglich.

Auch seine privaten Lebensumstände waren dem Unternehmen nicht förderlich. Da sie sich beim Kauf ihres Hauses verschuldet hatten und Briefporto und Telegramme viele Kosten verursachten, lebten die Poppers äußerst spartanisch. Sie sparten an allem: an Heizkosten, an Kleidern und nicht zuletzt am Essen. Popper wagte es nicht, in der Mensa der Universität zu essen, und ernährte sich, wie er in einem Brief erklärte, von Produkten aus dem eigenen Garten und einer »Diät aus Reis und Karotten«. Es war ein im wörtlichen Sinne schmerzlicher Schreibprozess. Mangelnder Schlaf, mangelnde Ernährung und der bei Popper ohnehin ausgeprägte Hang zur Hypochondrie erzeugten chronische Zustände der Depression und Verzweiflung, die sich in Briefen an Freunde entluden. Seine Gesundheit litt und er musste sich immer wieder in ärztliche Behandlung begeben. Zeitweise sah er nur noch mit einem Auge und durch einen Abszess verlor er neun Zähne.

Die beinahe tausend Seiten, die Popper neben seinen Lehrverpflichtungen schrieb, waren das Ergebnis einer ungeheuren Energieleistung. Popper wurde, wie immer bei seinen Buchprojekten, von einem unbändigen Willen getrieben. Er war ein »Workaholic«, ein von der Arbeit besessener Mann mit puritanischer Lebensführung. Er rauchte nicht, trank nicht und nahm an keinerlei Vergnügungen teil. Gelegentliche Bergwanderungen waren die einzige Abwechslung, die er sich gönnte. Ansonsten schrieb er jede freie Minute, auch nachts und am Wochenende, an dem Manuskript, das seine Frau Hennie mehrmals abtippen musste. Erst im Februar 1943 konnte er die Arbeit abschließen.

Den Begriff der »offenen Gesellschaft« übernahm Popper von dem französischen Philosophen Henri Bergson. Inspiriert hatte ihn dabei aber nicht die Philosophie, sondern seine eigenen Erfahrungen mit der englischsprachigen Zivilisation. Was »offene Gesellschaft« im Alltag bedeutete, hatte Popper in Neuseeland und zuvor bei einem neunmonatigen Aufenthalt in England erfahren: Respekt vor der Würde des Individuums, Freiheit, Weltoffenheit und vor allem ein politisches System, das sich der Kritik seiner Bürger aussetzte. Popper sah sich selbst in der Tradition der Aufklärung, das heißt der Wahrung der Menschenrechte, der Toleranz und der Gleichheit vor dem Gesetz. Für diese Ideale stand vor allem der

Name Immanuel Kants, des »Philosophen der Freiheit und Menschlichkeit«, dem er später die deutsche Ausgabe der *Offenen Gesellschaft* widmete.

Die offene Gesellschaft und ihre Feinde besteht aus zwei Bänden, die sich beide mit herausragenden Vertretern der politischen Philosophie befassen: »Der Zauber Platons« enthält eine kritische und provozierende Auseinandersetzung mit dem Verfasser der ersten uns überlieferten Staatsutopie. Der zweite Band, »Falsche Propheten«, ist eine Abrechnung mit Hegel und Marx und der Tradition des Historizismus. Alle drei Denker gelten Popper als Vorläufer des Totalitarismus. Doch das Buch ist mehr als eine Auseinandersetzung mit der Philosophiegeschichte: Es entwickelt auch eine Theorie der modernen liberalen Demokratie als Alternative zur geschlossenen Gesellschaft der totalitären Diktaturen.

Ein Buch, das ihn während des Schreibens immer wieder inspirierte, war *Die Geschichte des Peloponnesischen Krieges* des griechischen Historikers Thukydides. Popper sah die Welt zur Zeit des Zweiten Weltkrieges in einer ähnlichen Lage wie Griechenland zu der Zeit, als das »totalitäre« Sparta gegen das »demokratische« Athen kämpfte. Repräsentanten für diesen Kampf waren für ihn zwei Männer, beides herausragende Vertreter der Athener Oberschicht: der Staatsmann Perikles und der Philosoph Platon.

Perikles steht für die offene, demokratische Gesellschaft, Platon für den geschlossenen Ständestaat. Als Motto stellte Popper seinem Buch Zitate dieser beiden Protagonisten voraus. Das Perikles-Zitat betont die Mündigkeit des Bürgers: »Obgleich nur wenige eine politische Konzeption entwerfen und durchführen können, so sind wir doch alle fähig, sie zu beurteilen.« Das Platon-Zitat dagegen beginnt mit dem totalitären Führerprinzip: »Das erste Prinzip von allen ist dieses: Niemand, weder Mann noch Weib, soll jemals ohne Führer sein.« Die Absicht der *Offenen Gesellschaft* ist es, die ideologische Tradition Platons und seiner Nachfolger zu entlarven und die Prinzipien einer offenen Gesellschaft in der Tradition des Perikles offen zu legen und zu verteidigen.

Dabei spürte er den Feinden der Freiheit, den »orakelnden Philosophen«, nicht nur bis Platon, sondern bis in die frühgriechische Philosophie nach. Bereits bei dem Vorsokratiker Heraklit sieht er ein Muster, das sich auch bei späteren Feinden der offenen Gesellschaft wiederholen sollte: In einer Zeit des sozialen Umbruchs suchen die Gegner der Veränderungen nach festen Orientierungen, nach einer Erklärung oder einem Gesetz, mit dessen Hilfe sie den geschichtlichen Wandel deuten können. Sie stellen den ungeliebten Veränderungen das Konzept einer unveränderlichen, stabilen Ordnung entgegen. Eine Gesellschaft der unablässigen Reform lehnen sie ab. Sie bevorzugen den großen, endgültigen Wurf, der alle politischen Grundprobleme mit einem Schlag löst.

Platon war der Erste, der mit seinem Hauptwerk *Der Staat* einen solchen großen Wurf vorlegte. Für viele Leser kommt das Bild Platons als eines Urfeinds der offenen Gesellschaft überraschend. War Platon nicht der herausragende Schüler des Sokrates, dem es auch in seinem Staatsentwurf um Vernunft und Gerechtigkeit ging? War er nicht der Stammvater der gesamten europäischen Philosophie? Für viele etablierte akademische Philosophen bedeutete Poppers radikale Platonkritik eine Heiligenschändung.

Die Bedeutung Platons für die Philosophiegeschichte hat Popper aber nie bestritten. Im Gegenteil: Im ersten Band der *Offenen Gesellschaft* bezeichnet er ihn als den »größten Philosophen aller Zeiten«. Der Titel »Der Zauber Platons« drückt die zwiespältige Haltung, die Popper gegenüber Platon einnahm, sehr gut aus. Platon ist für ihn ein faszinierender Denker, ein Künstlerphilosoph und Visionär, der seine Leser in den Bann ziehen kann. Gleichzeitig ist er aber auch ein gefährlicher totalitärer Verführer.

Dass Platon im Geist des Sokrates dachte und schrieb, hat Popper jedoch immer bestritten. Die Beziehung zwischen Platon und Sokrates stellte sich ihm ganz anders dar: Sokrates blieb für ihn ein aufrechter Vertreter der Freiheit, jemand, der – wie es in Platons *Apologie* berichtet wird –, die eigene Würde und Gewissensentscheidung gegenüber staatlichen Autoritäten behauptete. Sokrates war kein Demokrat, aber er blieb für Popper jemand, der das »Prinzip Kritik« zum Antrieb seines Lebens und seines Philosophierens gemacht hatte. Platon hingegen, Spross der alten Athener Aristokratie, hatte nach Popper von Anfang an die Rechtfertigung der traditionellen Standesherrschaft im Sinn. Seine Interessen deckten sich immer mit denen der alten athenischen Aristokratie.

Unter den Dreißig Tyrannen, die nach der Niederlage Athens in Kollaboration mit Sparta in Athen regierten, waren enge Verwandte Platons. Der Sturz der Aristokratenherrschaft und die von den Demokraten betriebene Verurteilung des Sokrates blieben für Platon traumatische Erlebnisse. Popper stellt Platon als enttäuschten Konservativen dar, der mit seiner Philosophie den sozialen und politischen Umbrüchen die Legitimation entziehen will. Der *Staat* ist demnach der Entwurf einer idealen und stabilen Gesellschaftsordnung, in der es keine Veränderung geben kann, weil in ihr die »Idee der Gerechtigkeit« bereits endgültig verwirklicht ist.

Doch Platons Gerechtigkeit ist nach Popper nicht jene, die wir seit der Aufklärung mit den Schlagworten »Freiheit, Gleichheit, Brüderlichkeit« kennzeichnen. Der von Platon aufgestellte Gerechtigkeitsgrundsatz »Jedem das Seine!« meint vielmehr das Gegenteil: Jeder hat den Platz und die Funktion in der Gesellschaft auszufüllen, die ihm von seinem Stand und seiner Geburt her zugewiesen werden. Gerechtigkeit bedeutet hier also nichts anderes als die Stabilität eines nicht reformierbaren Ständestaates. In dem Entwurf dieses »Idealstaats« sind viele der fatalen Entwicklungen vorgeprägt, wie sie im 20. Jahrhundert in totalitären Gesellschaften verwirklicht wurden: Zensur, Unfreiheit, Degradierung der Mehrheit der Bevölkerung zu Arbeitssklaven und eine konsequente Militarisierung der Gesellschaft.

Platons Gesellschaftsentwurf geht Popper zufolge nicht von der Gleichheit, sondern von der natürlichen Ungleichheit der Menschen aus, eine Ungleichheit sowohl in biologischer als auch in rechtlich-moralischer Beziehung. Mit anderen Worten: Die biologisch »wertvolleren« Menschen haben auch Anspruch auf mehr Rechte und auf Herrschaft über die anderen. Eine solche Ungleichheit nimmt Platon nicht nur zwischen Griechen und Nicht-Griechen (den so genannten »Barbaren«), sondern auch zwischen verschiedenen Bevölkerungsgruppen in einem Staat an.

Diese Darstellung der politischen Philosophie Platons enthält viele Parallelen zum Zeitgeschehen, die nicht nur für damalige Leser offensichtlich waren, sondern auch heute noch deutlich sind: Platon ist für Popper ein Vorläufer der nazistischen Rassenlehre. Und in der Tat beschuldigt er ihn ganz ausdrücklich einer »biologischen Rassentheorie«.

Dabei gehe es Platon vor allem um die Herrenrasse der so genannten »Wächter«, die berufen sind, den Staat zu lenken. Sie seien seine Antwort auf den Demokratisierungsprozess in Athen, bei dem die natürliche Herrschaft der alteingesessenen Aristokraten zunehmend in Frage gestellt wurde. Durch ein Programm der biologischen Auslese und einer von früher Kindheit an streng beaufsichtigten und geregelten Erziehung, die sich am Beispiel der Führungsschicht in Sparta orientiert, soll nach den Vorstellungen Platons eine neue, stabile Herrscherschicht gezüchtet werden, die jeden Veränderungsversuch im Keim ersticken kann und vor dem Schicksal der Athener Aristokratie gefeit ist.

Bei Platon gehe es immer um das »Ganze« des Staates: Er werde zum Vater einer »utopischen Sozialtechnik«, die den Anspruch erhebt, alle Probleme mit einem Schlag zu lösen, und dem Einzelnen die Rolle zuweist, sich in den großen Gesamtentwurf einzufügen. Der Einzelne bedeute nichts. Er sei lediglich ein Zahnrädchen im Gefüge der Gesellschaft.

Platons Staatsentwurf richtet sich nach Popper vor allem gegen zwei Grundsätze: gegen den Grundsatz des »Individualismus«, der die Achtung vor der Freiheit und Würde des Individuums fordert, und gegen den des »Universalismus«, das heißt die Auffassung, dass jeder Mensch die gleichen Rechte beanspruchen kann. Diese Grundsätze einer offenen Gesellschaft sind nach Popper aber nicht erst in der Aufklärung, sondern auch schon von Zeitgenossen Platons vertreten worden: vor allem von der so genannten »Großen Generation«, einer Gruppe von Intellektuellen, die in Athen zu Zeiten des Peloponnesischen Krieges lebten und lehrten. Sie haben nach Popper zum ersten Mal die Verantwortlichkeit des Menschen für sein eigenes Schicksal betont.

Neben Sokrates zählen dazu unter anderem die Philosophen Protagoras und Demokrit, der Historiker Herodot und vor allem Perikles, der Führer der athenischen Demokratie, der in seiner berühmten Grabrede die Gleichheit der Menschen vor dem Gesetz propagierte. Viele dieser griechischen Aufklärer gehören zur Bewegung der Sophisten, die von Platon als Scharlatane und Wortverdreher geschmäht wurden, von Popper dagegen als Vorläufer der modernen Demokratie und des Humanismus angesehen werden. Platon selbst dagegen steht für Popper am Anfang eines »Aufstands gegen die Vernunft«.

Den zweiten Band widmet Popper den Philosophen, die diesen »Aufstand gegen die Vernunft« fortgesetzt haben. Hegel und Marx, die beiden »falschen Propheten«, sind die eigentlichen klassischen Philosophen des Historizismus. Aber auch Aristoteles, der Schüler Platons und wie dieser ein höchst einflussreicher Vertreter der klassischen griechischen Philosophie, kommt in Poppers Abrechnung nicht ungeschoren davon. Aristoteles sei wie Platon von der natürlichen Ungleichheit der Menschen ausgegangen und habe sogar die Sklaverei verteidigt. Die aristotelische Lehre, dass alle Dinge sich auf einen von vorneherein festgelegten Zweck hin entwickeln, habe die Auffassungen Hegels und Marx' beeinflusst, wonach die Geschichte der Menschheit »gesetzmäßig« ihrer Vollendung entgegenstrebt, sei dies die Verwirklichung der Freiheit im modernen Staat bei Hegel oder die klassenlose Gesellschaft bei Marx. Auch hier werde das Individuum nur zu einem Werkzeug einer übergeordneten Weltvernunft.

Der Wissenschaftstheoretiker Popper nimmt besonderen Anstoß an der von Hegel propagierten Methode der »Dialektik«: Danach entsteht Fortschritt dadurch, dass eine bestimmte Position (»These«) durch eine Gegenposition (»Antithese«) bestritten wird und beide Positionen in einer Synthese »aufgehoben«, das heißt durch eine neue Position abgelöst werden, die die Wahrheit der These und Antithese miteinander verknüpft – worauf diese dialektische Entwicklung auf einer höheren Ebene erneut beginnt. Die Dialektik ist bei Hegel und Marx sowohl die Methode des »wissenschaftlichen« Denkens als auch das Gesetz, nach dem sich die Wirklichkeit entwickelt. Für Popper ist diese Methode weder logisch noch wissenschaftlich.

Sich widersprechende Positionen können nicht gleichermaßen wahr sein. Hegel bleibt für ihn der »logische Hexenmeister«, der »mit Hilfe der zauberkräftigen Dialektik wirkliche, physische Kaninchen aus rein metaphysischen Zylindern hervorholt«.

Poppers Urteil über Hegel ist nicht nur aus wissenschaftlichen Gründen, sondern auch aus menschlichen und politischen vernichtend: als Opportunist, der sich zum philosophischen Sprachrohr der preußischen Obrigkeit machte, der den Staat vergötterte und den Krieg als notwendiges Mittel rechtfertigte, um die Ziele der Weltgeschichte durchzusetzen.

Dagegen ist sein Urteil über Marx, der das Gesetz der Dialektik auf die Ökonomie und die materiellen Verhältnisse übertragen hat, wesentlich milder. Zwar sei der Marxismus »eine materialistische und zugleich mystische Religion«, doch gesteht Popper ihm immerhin ernsthafte humanitäre Absichten zu, nämlich die Verwirklichung sozialer Gerechtigkeit. Die Voraussagen, die Marx dagegen über die Zukunft der kapitalistischen Gesellschaft gemacht habe, hätten sich alle als falsch erwiesen: Es sei nicht zu einer Verelendung der arbeitenden Klassen gekommen und eine soziale Revolution sei durch Reformen in weite Ferne gerückt.

Eine offene Gesellschaft hingegen kann nach Popper sowohl auf einen utopischen Gesamtentwurf als auch auf jede Art von Geschichtsprophetie verzichten. Aus der engen Beziehung zwischen den Grundsätzen seiner Wissenschaftstheorie und der politischen Philosophie entwickelt er eine neue Theorie der Demokratie, deren Grundlage keine historische Gesetzmäßigkeit, sondern die Freiheit und Selbstverantwortung des Bürgers ist.

Die bei Philosophen wie Platon und Marx so wichtige Frage: »Wer soll regieren?«, muss nach Popper durch eine ganz andere Frage abgelöst werden: Wie nämlich muss ein politisches System beschaffen sein, das die Freiheit des Bürgers schützt und soziale Gerechtigkeit befördert? Wie in der Wissenschaft, so spielt auch in der Demokratie die Kritik für Popper die entscheidende Rolle. Die Demokratie muss Raum für Opposition und öffentliche Kritik bieten, und sie muss Institutionen entwickeln, die eine Fehlerkontrolle der regierenden

Politiker erlauben. Poppers Demokratietheorie schließt also auch das ein, was man heute als »Zivilgesellschaft« bezeichnet.

Vor allem müssen das Volk und seine Vertreter die Möglichkeit haben, eine Regierung auf friedlichem Wege abzuwählen. Für Popper ist dies geradezu das entscheidende Merkmal der Demokratie: Nicht wer regiert, ist wichtig, sondern die Möglichkeit, die Regierenden auf friedlichem Wege wieder loszuwerden. Alle Diktaturen zeichnen sich dadurch aus, dass die Machthaber an ihrem Sessel kleben und nur dem Druck der Gewalt weichen. Institutionell abgesicherte Kritikmöglichkeit und ein legales Verfahren zur Absetzung der Regierung: Das ist es, was die Demokratie vor einer Diktatur auszeichnet.

Eine Gesellschaft hat niemals eine endgültige Form, die man ihr wie ein Korsett verpassen könnte. Das Konzept der offenen Gesellschaft trägt dem Rechnung: Es macht Reform und ständige Veränderung zum Normalzustand. An die Stelle eines groß angelegten utopischen Gesellschaftsentwurfs setzt Popper die gezielte Reform einzelner Missstände. Sein hierfür geprägter Begriff »piecemeal-engineering« hat durch die deutsche Übersetzung »Stückwerk-Reform« einen sehr missverständlichen Klang erhalten. Gemeint ist eine »schrittweise« vorgehende Reform, die auf der genauen Analyse von Sachproblemen beruht. Genau wie die wissenschaftliche Forschung ist sie niemals abgeschlossen und erhebt auch keinen Anspruch auf Endgültigkeit.

Diese Haltung, »auf kritische Argumente zu hören und aus der Erfahrung zu lernen«, die Popper sowohl für die Wissenschaft als auch für das politische Handeln fordert, nannte er »Kritischen Rationalismus«. Das war auch der Name der von ihm begründeten philosophischen Richtung, der sich in den Jahrzehnten nach dem Zweiten Weltkrieg zahlreiche Schüler in Europa und den Vereinigten Staaten anschlossen.

Popper schloss 1942 den ersten und im Februar 1943 den zweiten Band ab. Er war höchst interessiert daran, dass das Buch noch vor Ende des Krieges erschien, damit es als politische Werteorientierung eine Rolle beim Aufbau einer demokratischen Nachkriegsordnung spielen konnte. Entsprechend begann er sofort mit der Verlagssuche, die er aus der Ferne organisieren musste. Denn nur ein Verleger in England oder in den USA kam in Frage. Wiederum kamen viele Kosten auf ihn zu. Das Manuskript musste vervielfältigt werden, zahlreiche Briefe und Telegramme gingen in die USA und nach Europa ab. Popper schrieb zunächst an Freunde in den Vereinigten Staaten, die er noch aus alten Wiener Zeiten kannte und denen er eine Vollmacht erteilte, das Manuskript an bestimmte Verlage weiterzugeben. Er war ungeduldig, unzufrieden mit den Bemühungen seiner Freunde und schließlich verzweifelt über den ausbleibenden Erfolg.

Als das Buch schließlich 1945 in London erschien, war der Krieg schon ein paar Monate zu Ende, aber seine epochale Bedeutung wurde im englischsprachigen Raum sofort erkannt. Weniger in den Universitäten als vielmehr in der Öffentlichkeit wurde Popper mit seiner Theorie der offenen Gesellschaft zur philosophischen Stimme des Westens. Mit dem Zusammenbruch der kommunistischen Staatenwelt in Mittel- und Osteuropa erlebte seine Kritik am Totalitarismus noch zu Lebzeiten ihres Autors eine eindrucksvolle Bestätigung. Spätestens von diesem Zeitpunkt an erlangte Poppers politische Philosophie auch in Kontinentaleuropa die ihr zustehende Anerkennung. Wie nur wenige Werke zuvor hat *Die offene Gesellschaft und ihre Feinde* demonstriert, dass im Kampf der Freiheit gegen die Unfreiheit auch die Philosophie eine laute und durchdringende Stimme haben kann.

Ausgabe:

KARL R. POPPER: Die offene Gesellschaft und ihre Feinde, 2 Bände. Band 1: Der Zauber Platons. Band 2: Falsche Propheten. Übersetzt von P. Feyerabend. Herausgegeben und korrigierte Übersetzung von H. Kiesewetter. Tübingen: Mohr/Siebeck 2003.

Sozialpakt für Fair Play

JOHN RAWLS: Eine Theorie der Gerechtigkeit (1971)

In der modernen Mediengesellschaft geht es Büchern so wie Menschen: Sie müssen auf sich aufmerksam machen, in möglichst grellem Kostüm auf die Bühne treten und dem erstaunten Zuschauer glaubhaft machen, ihm sei etwas umwerfend und revolutionär Neues erschienen, an dem er schlechterdings nicht vorbeigehen könne, ohne sich selbst völlig ins Abseits zu stellen. Die Marktschreier, die sich mit der Werbung eine eigene Industrie geschaffen haben, müssen jedes Buch bei seinem Eintritt in die Welt begleiten, wenn es eine Chance beim Publikum haben soll. Ist der Verfasser dann auch noch mediengewandt und telegen, kann er in Talk-Shows, Podiumsdiskussionen und bei kulturellen Happenings präsentiert werden, so scheint der Erfolg seines Werks garantiert. Philosophische Bücher bilden hier keine Ausnahme: Auch sie sind inzwischen Produkte der Werbeindustrie.

Doch ist es vielleicht tröstlich zu registrieren, dass ausgerechnet bei dem Buch, das viele für das wichtigste philosophische Werk der zweiten Hälfte des 20. Jahrhunderts halten, alles ganz anders war. *Eine Theorie der Gerechtigkeit* des Amerikaners John Rawls trat zunächst wie ein Aschenputtel in die internationale philosophische Diskussion ein. Es erschien 1971 im Hausverlag der renommierten Harvard-Universität in einem schlichten grünen Einband, mehrere hundert Seiten dick und in einem etwas trockenen und pedantischen Englisch geschrieben. Es hatte somit alle Voraussetzungen, ein akademischer Ladenhüter zu werden. Der Autor hasste jede Publicity, stotterte und war auf Einbanddeckeln und in Zeitungsartikeln immer mit demselben Bild zu sehen, das ein hageres, professorales Gesicht mit Hornbrille zeigte.

Doch zehn Jahre nach Erscheinen des Buches gab es bereits mehr als zweitausend Arbeiten, die sich mit der *Theorie der Gerechtigkeit* auseinandersetzten. Rawls' Buch hatte sich still, aber stetig durchgesetzt. Es bestach durch seine Argumente, die ohne Wortgeklingel auskamen. Vor allem aber war den Lesern schnell klar geworden, dass dieses Buch auf dem Gebiet der politischen Philosophie eine Zäsur markierte: Hier hatte es jemand nach sehr langer Zeit wieder einmal gewagt, Grundregeln des gesellschaftlichen Zusammenlebens zu formulieren, die den Anspruch erhoben, für alle Kulturen und zu allen Zeiten zu gelten.

Mit Rawls gab die moderne Philosophie auch endlich eine Antwort auf eine andere Theorie der Gerechtigkeit, die die Philosophiegeschichte bis in die Gegenwart hinein beeinflusst hatte: die Lehre vom idealen Staat, die Platon im 4. vorchristlichen Jahrhundert aufgestellt hatte. Dem platonischen Gerechtigkeitsgrundsatz »Jedem das Seine«, der Grundlage einer streng gegliederten Drei-Klassen-Gesellschaft war, setzte Rawls seine Forderung nach einer »Gerechtigkeit als Fairness« entgegen. Rawls ging es nicht mehr wie Platon um die Stabilität eines Staates, der sich vor den Ansprüchen des Volkes schützen muss. Er wollte vielmehr nachweisen, dass es berechtigte Ansprüche des Bürgers gibt, die sich in unverlierbaren Rechten ausdrücken. Die liberalen Prinzipien der westlichen Demokratie sollten mit den Errungenschaften des Sozialstaats verbunden werden.

Rawls fordert uns auf, die Gesellschaft als einen alle Bürger umfassenden Sozialpakt zu verstehen, der auf dem Grundsatz des Fair Play beruht. Mit seiner neuen Form der Vertragstheorie wurde er der einflussreichste Philosoph der Menschenrechte und der sozialen Demokratie im 20. Jahrhundert. Die *Theorie der Gerechtigkeit* gibt dem in der Aufklärung entstandenen Gerechtigkeitsempfinden, das sich in den berühmten Forderungen nach Freiheit, Gleichheit und Brüderlichkeit ausdrückte, ein neues theoretisches Gesicht.

Die liberale Überzeugung von der Unverlierbarkeit menschlicher Grundrechte ist von jeher tief in der amerikanischen politischen Kultur verwurzelt. John Rawls wuchs aber auch in einem Umfeld auf, das von einem religiös begründeten, starken Glauben an das

Gute im Menschen und an die Möglichkeit einer gerechten Welt geprägt war. Im Leben des zweiten von fünf Söhnen einer wohlhabenden Familie in Baltimore im US-Staat Maryland waren Fragen der Weltanschauung und Politik schon früh aufgetreten. Beide Eltern engagierten sich im Dienst der Bürgerrechte. Rawls' Mutter trat in der Frauenrechtsbewegung hervor, sein Vater, ein bekannter Rechtsanwalt, war ein Parteigänger der Demokraten und enger Vertrauter des Gouverneurs von Maryland. Hier, an der Grenze zu den alten Südstaaten, war auch die Erinnerung an den Bürgerkrieg von 1861 bis 1865, in dem die Nordstaaten unter Führung ihres Präsidenten Abraham Lincoln für die Abschaffung der Sklaverei gekämpft hatten, noch lebendig geblieben. Lincoln, der politische Vorkämpfer für Bürgerrechte, blieb für Rawls bis an sein Lebensende ein Vorbild. So genannte »natürliche« Ungleichheiten aufgrund von Rasse, Herkunft, Religion oder anderem hat Rawls nie akzeptiert. Und obwohl er selbst an Privatschulen und Eliteuniversitäten eine hervorragende Ausbildung genossen hatte, war er für das Problem der Gerechtigkeit und der Verteilung gesellschaftlicher Privilegien höchst sensibilisiert.

Auch für ihn wurde der Zweite Weltkrieg zu einer prägenden Erfahrung. 1943 schickte man ihn als Soldaten an die Pazifikfront, nachdem er sein Bachelor-Examen an der renommierten Princeton-Universität gemacht hatte. Als die Amerikaner im August 1945 eine Atombombe auf Hiroshima abwarfen, bezeichnete er diesen Akt – auch später immer wieder – als großes Unrecht, obwohl er die Berechtigung des amerikanischen Kriegseintritts nicht bezweifelte.

Von 1946 an führte Rawls sein philosophisches Studium an den Universitäten Princeton und Cornell fort und schloss es 1950 mit einer philosophischen Doktorarbeit ab. Die Ethik stand nun schon im Mittelpunkt seines Interesses. Es war die Zeit, in der in den angelsächsischen Ländern die analytische Philosophie ihre Blüte erlebte, eine philosophische Richtung, die großen Wert auf den sorgfältigen Umgang mit der Sprache und auf die »Analyse« von philosophischen Begriffen und Argumenten legt. Auch Rawls wurde ein Analytiker in dem Sinne, dass er lernte, seine Argumentation mit großer Sorgfalt und Behutsamkeit aufzubauen, was beim Leser zuweilen den Eindruck von Umständlichkeit erweckt. Immer wieder betont Rawls, dass Ethik und politische Philosophie ähnlich exakt vorgehen müssen wie die empirischen Wissenschaften.

Doch was die Richtung und den Inhalt seiner Untersuchungen anging, erhielt er von der analytischen Philosophie wenig Impulse. Diese hatte Fragen nach der Begründung von Regeln und Werten für müßig erklärt und sich ganz auf die Untersuchung der Bedeutung moralischer Begriffe und Wertungen beschränkt. Rawls wollte aber zurück zu den Inhalten. Er wollte klären, welches die moralischen Prinzipien sind, die für unser zwischenmenschliches und gesellschaftliches Handeln bestimmend sein sollten.

Dabei musste er sich vor allem mit der im englischsprachigen Raum einflussreichsten Moraltheorie, dem Utilitarismus, auseinander setzen, der im späten 18. und frühen 19. Jahrhundert von Jeremy Bentham und John Stuart Mill begründet worden war. Der Utilitarismus, dessen Name von dem lateinischen Wort »utile« = »nützlich«, hergeleitet ist, betrachtete Normen des Handelns dann als gerechtfertigt, wenn sie sich als nützlich erwiesen, das heißt dem allgemeinen Wohl dienten. Der Utilitarismus richtete sein Augenmerk immer auf die Folgen einer Handlung. Entscheidend waren dabei die Folgen für die Gesamtgesellschaft, nicht für den einzelnen Bürger. Berühmt geworden ist der Satz Jeremy Benthams, wonach das Ziel und der Maßstab moralischen Handelns das »größte Glück der größtmöglichen Anzahl von Menschen« sei.

Rawls stand zunächst selbst dem Utilitarismus nahe. Seine eigene Theorie entstand in mehreren einzelnen Etappen und während eines Zeitraums von insgesamt zwanzig Jahren, in denen er von einer Erweiterung des Utilitarismus bis zu dessen Kritik fortschritt. In dieser Zeit erschienen lediglich einige wenige Aufsätze von ihm, die allerdings immer wieder eine Weiterentwicklung seines Denkens markierten. Zunächst beeinflusste ihn besonders Henry Sidgwick, neben Bentham und Mill der dritte Klassiker des Utilitarismus, der in seinen *Methoden der Ethik* gefordert hatte, moralische Prinzipien aus dem Common Sense, dem gesunden Menschenverstand, abzuleiten und nicht nur auf die Menge des allgemeinen Wohls, sondern auch auf dessen gerechte und faire Verteilung zu achten.

Rawls übernahm diese Forderungen. Auch er ging zunächst von normalen moralischen Alltagssituationen und von unserem normalen moralischen Empfinden aus. Dabei beschäftigte er sich von Anfang an mit der Frage, wie wir mit moralischen Problemen umgehen, das heißt mit Hilfe welcher Maßstäbe wir entscheiden können, ob bestimmte Handlungen für die Gesellschaft gut oder nicht gut sind. In einem frühen Aufsatz schlägt er vor, das jeweilige moralische Problem durch »kompetente Moralbeurteiler« mit Hilfe von »wohl durchdachten moralischen Urteilen« klären zu lassen.

In einem für sein Denken äußerst fruchtbaren Jahr, das er von 1952 bis 1953 im englischen Oxford verbrachte, entwickelte er die Idee einer Modellsituation, einer vorgestellten Position, in die man sich als Moralbeurteiler hineindenken müsse. Er nannte sie »original position«, also »ursprüngliche Position«, was im Deutschen mit »Urzustand« übersetzt wurde. Menschen, die moralische Entscheidungen zu treffen haben, sollen sich in eine Position hineindenken, in der sie auf der Grundlage der Gleichheit sich über Regeln und Maßstäbe für solche Entscheidungen verständigen. Diese Regeln und Maßstäbe müssen dann von allen akzeptiert werden und für alle gelten.

Rawls hatte begonnen, sich von der reinen Lehre des Utilitarismus zu entfernen. Eine Handlung sollte zunächst nicht auf ihre Nützlichkeit hin überprüft werden, sondern darauf, ob sie anerkannten Regeln entspricht. In seinem Aufsatz *Zwei Regelbegriffe* von 1955 versuchte Rawls zu klären, welche Art von Regeln er meinte: solche nämlich, die eine so genannte »soziale Praxis« festlegen. Darunter versteht er Verhaltensformen, die in jeder Gesellschaft eingeführt sind und uns zu einem bestimmten Handeln in bestimmten Situationen verpflichten. Wenn ich mit jemandem einen Vertrag abschließe, kann ich nicht einfach aus dem Vertrag aussteigen, wenn mir Folgen oder Nutzen meines Vertragsabschlusses plötzlich fragwürdig erscheinen. Ich muss mich an die Spielregeln halten, nach denen Verträge zu erfüllen sind. Rawls war damit bei einer Art »Regelutilitarismus« angekommen: Das Wohl der Gesellschaft war abhängig von der Befolgung vernünftiger sozialer Regelsysteme.

Rawls hatte sich nun endgültig dem Problem gerechter sozialer Institutionen und somit den Problemen einer politischen und Gesellschaftsphilosophie zugewandt. Die Frage, die ihn hauptsächlich beschäftigte, war: Wie kann die Gerechtigkeit einer Gesellschaft definiert werden? Konnte man sie, so wie die Utilitaristen es taten, von dem Gesamtwohl einer Gesellschaft abhängig machen?

Rawls kam zu dem Schluss, dass die Anhäufung eines möglichst großen gesellschaftlichen Gesamtwohlstands nicht unbedingt mit unserem Gerechtigkeitsempfinden harmonieren muss. Nach utilitaristischen Maßstäben ist es zum Beispiel durchaus denkbar, dass wenige sehr viel besitzen und viele andere gar nichts oder dass dieses allgemeine Wohl durch die Einführung von Sklavenarbeit vermehrt wird. Eine solche Konsequenz wollte Rawls jedoch ausschließen. Gerechtigkeit bedeutete für ihn, dass die Würde des einzelnen Bürgers nicht zugunsten eines angeblichen Gemeinwohls geopfert werden darf.

Rawls vollzog deshalb eine Abkehr vom Utilitarismus, der offenbar weder die unverletzlichen Rechte noch die soziale Absicherung eines jeden Bürgers hinreichend begründen konnte. Seine Frage war nun: Wie kann eine »Gerechtigkeit als Fairness« begründet werden, die sowohl die Rechte als auch die Bedürfnisse des Einzelnen angemessen berücksichtigt?

Rawls glaubte, dass er diese Maßstäbe für Fairness aus seinem Modell des Urzustands heraus entwickeln konnte. In seinem Aufsatz *Gerechtigkeit als Fairness* von 1957 fügte er diesem Modell einen entscheidenden Baustein hinzu: Diejenigen, die in einem Urzustand über Prinzipien der Gerechtigkeit zu befinden haben, müssen dies unter dem »Schleier des Nichtwissens« (»veil of ignorance«) tun, das heißt, sie dürfen nicht wissen, welche Position sie später in einer Gesellschaft einnehmen werden – ob sie zu den Erfolgreichen, Wohlhabenden oder eher zu den weniger Begüterten zählen werden.

Mit diesen Grundideen im Gepäck begann Rawls bereits in den fünfziger Jahren, seine Theorie Schritt für Schritt auszubauen. Nachdem er 1962 einen Lehrstuhl an der Harvard-Universität erhalten und sich im nahe gelegenen Lexington angesiedelt hatte, fand er endlich die Zeit, seine Gerechtigkeitstheorie in einem großen Manuskript auszuarbeiten. Sein Leben veränderte sich äußerlich kaum noch. Rawls führte eine zurückgezogene, öffentlichkeitsscheue Existenz, die sich auf das Schreiben und die Erfüllung akademischer Pflichten konzentrierte.

Für die Entstehung seines Hauptwerks wurden die sechziger Jahre zu dem entscheidenden Jahrzehnt. Das ständig wachsende und sich verändernde Manuskript benutzte er immer wieder als Vorlage für Universitätsseminare. Mitten in der turbulenten Zeit des Vietnamkrieges, als die Studentenbewegung in den USA und anderen westlichen Ländern einen Höhepunkt erreichte und der Marxismus die politischen Diskussionen an den Universitäten bestimmte, nahm die *Theorie der Gerechtigkeit* ihre endgültige Gestalt an.

Für Rawls geht es in seinem Buch um den grundlegenden Wert einer Gesellschaft. Dass die Gerechtigkeit für das Zusammenleben von Menschen genauso fundamental ist wie die Wahrheit für die Erkenntnis der Welt, gehört für ihn zu unseren Alltagsintuitionen, zu dem, was tief in unserem normalen Menschenverstand eingeprägt ist. Ein als gerecht angesehener Zustand darf nur dann verändert werden, wenn damit noch bestehende Ungerechtigkeiten beseitigt werden, ebenso wie eine als wahr angesehene Theorie nur aufgegeben werden darf, wenn durch die neue Theorie die Zahl der Irrtümer verringert wird.

Die Gerechtigkeit duldet nach Rawls keine Kompromisse. Deshalb ergreift er auch eindeutig Partei in dem Streit, der in der Philosophie zwischen dem Gerechten und dem Guten geführt wurde. Der Utilitarismus hatte das gerechte, das richtige Handeln von dem Guten, also dem allgemeinen Wohl, abhängig gemacht, das durch dieses Handeln erreicht wird. Das Gute ist danach dem Gerechten vorgeordnet. Für den Utilitarismus ist entscheidend, was als Ergebnis herauskommt. Rawls dreht diese Wertordnung um. Für ihn ist das Gerechte dem Guten vorgeordnet. Als gut und erstrebenswert gilt ihm vor allem das, was gerecht ist.

Dieser Vorrang der Gerechtigkeit begründet auch Rawls' Position in dem ideologischen Kampf zwischen Liberalismus und Sozialismus, der in der westlichen Welt seit der Französischen Revolution geführt wurde. Der Liberalismus gab der Freiheit und den individuellen Bürgerrechten, die verschiedenen Spielarten des Sozialismus gaben der Gleichheit und der sozialen Umgestaltung den Vorrang. In den englischsprachigen Ländern hatte der Liberalismus die politische Kultur beherrscht und sich dabei meist mit der Moralphilosophie des Utilitarismus verbunden.

John Rawls vertritt nun einen Liberalismus, der sich sowohl gegen Utilitarismus als auch gegen Sozialismus wendet. Sein Programm ist das einer »Gerechtigkeit als Fairness«, die sich zwar um die ökonomische Absicherung der sozial Schwachen bemüht, aber – anders als der Sozialismus – nicht bereit ist, die Freiheits- und Bürgerrechte im Zweifelsfall für den Abbau sozialer Ungleichheiten zu opfern. Rawls strebt eine ökonomisch effektive Gesellschaft an, die sich aber sozialen Korrekturen unterwerfen muss. Er will zeigen, dass Liberalismus nicht zwangsläufig mit einem Laissez-faire-Kapitalismus identisch ist.

Die Gerechtigkeit bezieht sich nach Rawls auf die Verteilung bestimmter »Grundgüter« in einer Gesellschaft, wozu besonders Freiheiten und Rechte als Ausdruck der Selbstachtung des Menschen, aber auch Macht, Einfluss, Einkommen und der Zugang zu Positionen und Ämtern gehören. Gerechtigkeit wird damit zu einer Eigenschaft von Institutionen, die solche Grundgüter verteilen. Rawls nennt die Gesamtheit dieser Institutionen die »Grundstruktur« einer Gesellschaft.

Die Gerechtigkeit kann nach Rawls in einer Gesellschaft auf vier verschiedenen Ebenen zum Thema werden: in Gerechtigkeitsgrundsätzen, in einer Verfassung, in dem Korpus der Gesetze und in der Anwendung der Gesetze durch die Verwaltung. Für Rawls ist es die Aufgabe der Philosophie, sich vor allem mit der ersten Ebene, der Formulierung von Gerechtigkeitsgrundsätzen, zu beschäftigen.

Diese Formulierung steht entsprechend im Mittelpunkt der *Theorie der Gerechtigkeit.* Darüber hinaus diskutiert Rawls die Folgerungen, die sich für die gesellschaftlichen Institutionen aus diesen Prinzipien ergeben, und schließlich, in einem dritten Teil, den Zusammenhang zwischen den Gerechtigkeitsprinzipien und dem menschlichen Streben nach Verwirklichung von Werten und Lebenszielen.

Um diese Prinzipien zu finden, greift Rawls im ersten Teil auf sein Modell eines »Urzustands« zurück. Er will also die grundlegenden Gerechtigkeitsmaßstäbe als Ergebnis einer Vereinbarung darstellen, die zwischen Bürgern unter ganz bestimmten Voraussetzungen getroffen werden. Dabei bezieht er sich auf die Theorie des »Gesellschaftsvertrags«, wie sie in der Aufklärung von Philosophen wie John Locke, Jean-Jacques Rousseau und Immanuel Kant vertreten worden war.

Nach dieser Theorie rechtfertigt sich eine staatliche Ordnung durch eine vertragliche Übereinkunft, mit der die Menschen aus einem »Naturzustand« in einen staatlich organisierten Zustand eingetreten sind. Ihre dort erworbenen natürlichen Rechte, die Locke mit den Begriffen »Freiheit«, »Leben« und »Eigentum« zusammenfasst, sollen durch den Staat geschützt werden. Rawls hat gegen den Utilitarismus die Tradition der Vertragstheorie in der Philosophie des 20. Jahrhundert erneuert. Aus dem »Urzustand«, der nun an die Stelle des Naturzustands tritt, soll allerdings kein Gründungsvertrag für den Staat hervorgehen. Es sollen nur die Grundsätze festgelegt werden, die für die »Grundstruktur« einer Gesellschaft bestimmend sein sollen.

Wie die Aufklärer glaubt Rawls, dass der Mensch ein im Kern vernünftiges Wesen ist und dass man für alle akzeptable Gerechtigkeitsgrundsätze finden kann, indem man sich einen Zustand vorstellt, in dem die Vernunft ungehindert zur Geltung kommt und die Menschen durch rationale Überlegung die Maßstäbe wählen, die für ihr eigenes Leben gelten sollen. Dabei denkt Rawls zunächst an Vernunft im Sinne von »Zweckrationalität«: Zu einem vorgegebenen Ziel sollen die besten Mittel gefunden werden. Das Ziel, das es hier zu erreichen gilt, ist das einer wohl geordneten Gesellschaft.

Diejenigen, die sich in diesem vorgestellten Urzustand befinden, sollen alle die gleichen Voraussetzungen haben und keinerlei äußerem Zwang ausgesetzt sein. Sie verfolgen ihr Eigeninteresse, wissen aber gleichzeitig, dass sie dies innerhalb einer sozialen Gemeinschaft tun müssen. Sie alle stehen unter dem »Schleier des Nichtwissens«, das heißt, sie wissen nicht, ob sie am erfolgreichen oder am weniger erfolgreichen Ende dieser Gesellschaft stehen werden. Ein derart definierter Urzustand stellt nach Rawls nicht nur sicher, dass sich die Menschen unparteiisch und vernünftig entscheiden, sondern vor allem, dass sie die Lage der sozial Schwachen in ihre Überlegungen immer miteinbeziehen.

Mit dieser Konstruktion hatte Rawls den Spagat geschafft, das Eigeninteresse mit dem Interesse aller zu verbinden. Indem ich mich hinter dem »Schleier des Nichtwissens« immer in die Rolle des sozial weniger Begünstigten hineinversetzen muss, weil ich selbst in diese Rolle geraten kann, nehme ich auch immer den Standpunkt der Allgemeinheit ein, die daran interessiert ist, dass niemand sozial ins Abseits gerät.

Der Urzustand beruht nach Rawls auf einem »Überlegungsgleichgewicht«, das heißt auf einem Gleichgewicht zwischen den verschiedenen Gerechtigkeitsvorstellungen, die für die einzelnen Teilnehmer der Situation maßgebend sind. Im Urzustand wird versucht, das Einzelinteresse mit dem allgemeinen Interesse zu verbinden, indem man zum Beispiel feste Überzeugungen von bloßen Meinungen trennt und die Gemeinsamkeit mit den festen Überzeugungen herauszufiltern versucht.

Rawls glaubt, dass die Menschen bei einem solchen Abchecken gegenseitiger Interessen und Überzeugungen eine Strategie minimalen Risikos verfolgen. Er nimmt hier Begriffe der ökonomischen Entscheidungstheorie zu Hilfe. Wenn ich zum Beispiel Aktien kaufe, gibt es mehrere Möglichkeiten, nach denen ich ein Aktienpaket auswählen kann: Ich kann mich gegen den schlimmstmöglichen Fall absichern und mich für Aktien entscheiden, bei denen kein dramatischer Kursanstieg, aber auch kein plötzlicher Kursverfall zu erwarten ist. Ich kann aber auch ein großes Risiko wählen und Aktien kaufen, bei denen ein Riesengewinn, aber auch große Verluste möglich sind. Die erste Strategie heißt »Maximin«-Strategie, abgeleitet von »maximum minimorum«. Ich strebe hier als das Maximum des minimalsten, des schlechtestmöglichen Zustandes an im Gegensatz zur »Maximax«-Strategie, in der ich auf den möglichst großen Profit spekuliere, auch wenn ich nachher mit leeren Händen dastehen kann.

Nach Rawls verfolgen die Menschen im Urzustand also eine »Maximin«- Strategie, weil sie nicht wissen, wo sie später auf der sozialen Skala landen werden. Sie würden also solche Prinzipien wählen, die sie auch im Falle eines weniger erfolgreichen Lebens absichern. So gelangt er zu seinen zwei berühmten Prinzipien der Gerechtigkeit:

»1. Jedermann soll gleiches Recht auf das umfangreichste Gesamtsystem gleicher Grundfreiheiten haben, das für alle möglich ist.

2. Soziale und wirtschaftliche Ungleichheiten müssen folgendermaßen beschaffen sein:

a) sie müssen unter der Einschränkung des Spargrundsatzes den am wenigsten Begünstigten den größtmöglichen Vorteil bringen und

b) sie müssen mit Positionen und Ämtern verbunden sein, die allen gemäß fairer Chancengleichheit offen stehen.«

Mit dem ersten Prinzip stützt sich Rawls auf den klassischen Liberalismus. Alle Bürger haben Anspruch auf ein Maximum an Grundfreiheiten und Bürgerrechten, sofern diese mit den Freiheiten der anderen vereinbar sind. Diese Grundrechte und Freiheiten des Bürgers müssen für alle gleich sein und unangetastet bleiben. Im zweiten Prinzip geht es um zwei Aspekte der Gerechtigkeit, die mit der Verfügung über materielle Güter zu tun haben: die Verteilungsgerechtigkeit, die besonders die sozial Schwächeren berücksichtigt, und die Chancengerechtigkeit, die allen Bürgern den Zugang zu Ausbildung und gesellschaftlicher Einflussmöglichkeit öffnet. Hier geht es also um die alten Werte der Gleichheit und Brüderlichkeit.

Der von Rawls neu gesetzte Akzent ist im Prinzip 2a enthalten, dem so genannten »Differenzprinzip« oder »Unterschiedsprinzip«. Durch dieses Prinzip wird die Gesellschaft – im Gegensatz zum klassischen Liberalismus – verpflichtet, die Lage der sozial Schwächsten immer als entscheidendes Kriterium im Auge zu behalten. In ihm kommt die »Maximin«-Strategie und die Idee des Sozialstaats zum

Tragen: Wenn ich die Wahl habe zwischen einer Gesellschaft, in der ich sehr reich werden, aber auch unter die Armutsgrenze fallen kann, und einer Gesellschaft, in der zwar der Wohlstand nach oben begrenzt, aber eine gute Mindestversorgung für die Ärmeren garantiert ist, so fällt die Wahl auf die letztere. Es wird eine Gesellschaft gewählt, die die beste Mindestversorgung garantiert.

Rawls fordert keine soziale Gleichheit, aber, im Sinne der Brüderlichkeit, eine Gesellschaft, in der die Ärmeren immer vom Gesamtreichtum einer Gesellschaft profitieren. Er ist bereit zu tolerieren, dass die Reichen immer reicher werden, ja sogar dass die Schere zwischen Arm und Reich immer weiter auseinander klafft – doch nur unter der Voraussetzung, dass sich die materielle Versorgung der Ärmsten dabei immer verbessert. Chancengleichheit und garantierte Bürgerfreiheiten alleine machen für Rawls eine Gesellschaft noch nicht gerecht. Eigenschaften wie Gesundheit und Intelligenz, die einigen von Anfang an Vorteile verschaffen, können wir uns nicht als Verdienst anrechnen. Die durch Geburt oder Milieu Benachteiligten müssen von der Gesellschaft immer wieder ausgleichende Hilfen erhalten.

Die Erfahrung mit politischen Systemen hatte jedoch gezeigt, dass die verschiedenen Forderungen der Gerechtigkeit auch in Konflikt miteinander geraten können. So konnte das Prinzip der Freiheit häufig nur dann uneingeschränkt aufrechterhalten werden, wenn man soziale Ungerechtigkeiten in Kauf nahm. Umgekehrt war soziale Gerechtigkeit oft nur durch die Einschränkung von Freiheiten erreicht worden. Auch hatten sozialstaatliche Maßnahmen immer wieder zur Beeinträchtigung der wirtschaftlichen Effektivität geführt.

Um diesen möglichen Konflikten zu begegnen, bringt Rawls die verschiedenen Prinzipien seiner Gerechtigkeitstheorie in eine klare Rangordnung. Erst durch sie wird die »Gerechtigkeit als Fairness« verwirklicht. Dazu dienen die so genannten »Vorrangregeln«. Im Grundsatz bleibt er ein Liberaler. Die erste Vorrangregel legt fest, dass Maßnahmen, die die Verteilung von Gütern betreffen, in keinem Fall die Grundfreiheiten antasten dürfen. Das erste Gerechtigkeitsprinzip ist dem zweiten vorgeordnet und steht nicht umsonst an erster Stelle: Im Zweifelsfall muss für die Grundfreiheiten entschieden werden. Andererseits erhält nach der zweiten Vorrangregel die soziale Gerechtigkeit den Vorzug vor ökonomischer Effektivität. Wenn man also bessere ökonomische Ergebnisse nur auf Kosten der sozial Schwachen erzielen kann, so muss man nach Rawls darauf verzichten.

Die Gesellschaft, die Rawls sich vorstellt, soll also Freiheit, soziale Gerechtigkeit und ökonomischen Erfolg miteinander vereinbaren, jedoch mit unterschiedlicher Priorität: Erst kommt die Freiheit, dann die soziale Gerechtigkeit und dann der ökonomische Erfolg. Man kann diese Reihenfolge jedoch auch von der anderen Seite her beschreiben, um zu zeigen, dass Rawls keineswegs eine nichteffiziente oder gar eine Mangelwirtschaft in Kauf nimmt: Man soll den Aufbau einer ökonomisch erfolgreichen Gesellschaft ansteuern, diese dann durch eine gewisse soziale Umverteilung korrigieren, ohne dabei aber die Freiheitsrechte anzutasten.

Die Gesellschaft, die diesen Prinzipien gemäß organisiert ist, ähnelt in vielen wesentlichen Punkten den modernen westlichen Demokratien. Grundfreiheiten wie Glaubens-, Gewissens-, Rede- und Versammlungsfreiheit sollen aber in der Verfassung nicht nur festgeschrieben, sondern in der Praxis auch verwirklicht sein. Diskriminierung aufgrund von Hautfarbe, Herkunft oder sozialer Stellung darf es nicht geben.

Europäische Wohlfahrtsstaaten wie in Skandinavien stehen den Vorstellungen von Rawls zweifellos weit näher als das amerikanische System, das dem ökonomischen Erfolg Vorrang vor sozialstaatlichen Maßnahmen gibt. Doch was die Eigentumsordnung einer Gesellschaft angeht, ist er keineswegs auf gängige westliche Modelle festgelegt. So kritisiert er auch das Wohlfahrtssystem, weil es den Bürger zum Empfänger staatlicher Leistungen macht und damit seine Selbstachtung untergräbt. Rawls bevorzugt eine Eigentumsordnung, in der das Eigentum auch an Produktionsmitteln breit gestreut ist und jeder in die Lage versetzt wird, seinen Wohlstand selbst zu erarbeiten.

In der Frage, wie sich der Bürger verhalten darf, wenn die Gerechtigkeitsprinzipien in einer Gesellschaft ständig verletzt werden, knüpft Rawls an eine angelsächsische Tradition an, die vom Aufklärer John Locke bis zur Protestbewegung gegen den Vietnamkrieg reicht: Sind alle legalen Mittel erschöpft, so räumt Rawls dem Bürger das Recht zum zivilen Ungehorsam ein. Die Freiheitsrechte des Bürgers haben letztlich auch gegenüber Ansprüchen des Staates Vorrang.

In seiner *Theorie der Gerechtigkeit* glaubt Rawls, dass es eine enge Beziehung zwischen den Gerechtigkeitsprinzipien und den wünschbaren individuellen Lebenszielen des Bürgers gibt. Beide sind in der Verwirklichung der Vernunftnatur und der Selbstachtung des Menschen verbunden. Das Wohl des Menschen besteht nach Rawls in der »erfolgreichen Ausführung eines vernünftigen Lebensplans«. In einem solchen gelingenden, »guten« Leben sind die Gerechtigkeitsprinzipien ein Ansporn, einen in der Natur angelegten Gerechtigkeitssinn zu entwickeln. Er ist für Rawls die Grundtugend, die den Menschen anleitet, andere Menschen im Sinne des Urzustandes als frei, gleichberechtigt und in ihren Persönlichkeitsrechten unverletzlich zu behandeln. Mit anderen Worten: Ein selbstverwirklichtes Leben ist nach Rawls gleichzeitig ein moralisches Leben im Dienst der Gerechtigkeit, weil dies der Natur des Menschen entspricht. Entsprechend kommt er zu dem Schluss: »Um also unsere Natur zu verwirklichen, haben wir keine andere Möglichkeit als den Plan, unseren Gerechtigkeitssinn als maßgebend für alle unsere Ziele zu bewahren.« In diesem Sinn wird auch das Gute als Ziel des Lebens durch die Gerechtigkeitsprinzipien definiert.

Während viele große Philosophen das Erscheinen ihres Hauptwerks mit großen – und oft auch enttäuschten – Erwartungen begleiteten, wurde Rawls vom Erfolg seiner *Theorie der Gerechtigkeit* überrascht. Nachdem er 1971 das Werk schließlich der Öffentlichkeit übergeben hatte, wollte er sich eigentlich anderen Themen zuwenden, die ihn schon lange interessierten. Die *Theorie der Gerechtigkeit*, so meinte er, habe er vor allem als Diskussionsgrundlage für ein paar Freunde geschrieben. Doch der Erfolg des Buches überwältigte ihn und änderte seine gesamte Lebensplanung.

Das Werk wurde in mehr als dreiundzwanzig Sprachen übersetzt und alleine in den USA über zweihunderttausend Mal verkauft – für ein philosophisches Buch eine riesige Zahl. Rawls sah sich durch diese Resonanz gezwungen, sich für den Rest seines Lebens mit der Kritik und Weiterentwicklung seiner Theorie zu beschäftigen.

Doch noch wichtiger als die Folgen, die das Erscheinen des Werkes auf sein eigenes Leben hatte, war sein Einfluss auf die Philosophie. Überall in der westlichen Welt erlebte die politische Philosophie eine neue Blüte. Während in Europa die Rawlsschen Ideen häufig als Bestätigung empfunden wurden, lösten sie in den USA eine heftige Kontroverse aus. Neoliberale Philosophen wie Robert Nozick oder Vertreter des Kommunitarismus wie Michael Walzer kritisierten vor allem die sozialstaatliche Ausrichtung der von Rawls vertretenen Gerechtigkeitstheorie.

Mit seiner *Theorie der Gerechtigkeit* hat Rawls Philosophie und Öffentlichkeit davon überzeugt, dass es nicht genügt, die Demokratie als eine Selbstverständlichkeit hinzunehmen und sich ansonsten mit komplizierten Spezialfragen zu beschäftigen. Wenn Demokratie geschaffen werden und Bestand haben soll, dann muss Überzeugung an die Stelle der Gewohnheit treten. Es ist Aufgabe der Philosophen, an die Öffentlichkeit zu treten, sich zu bestimmten Werten zu bekennen und den Menschen die Gründe zu nennen, warum sie sich für diese Werte entscheiden sollen. Dass die Philosophie diese Gründe wieder öffentlich debattiert und die Frage der Gerechtigkeit einer Gesellschaft wieder selbst aufgegriffen hat, dass die Demokratie ein modernes philosophisches Fundament bekommen hat, ist das eigentliche Verdienst der *Theorie der Gerechtigkeit.*

Ausgabe:

John Rawls: Eine Theorie der Gerechtigkeit. Übersetzt von H. Vetter. Frankfurt/Main: Suhrkamp 1975.